D0313960

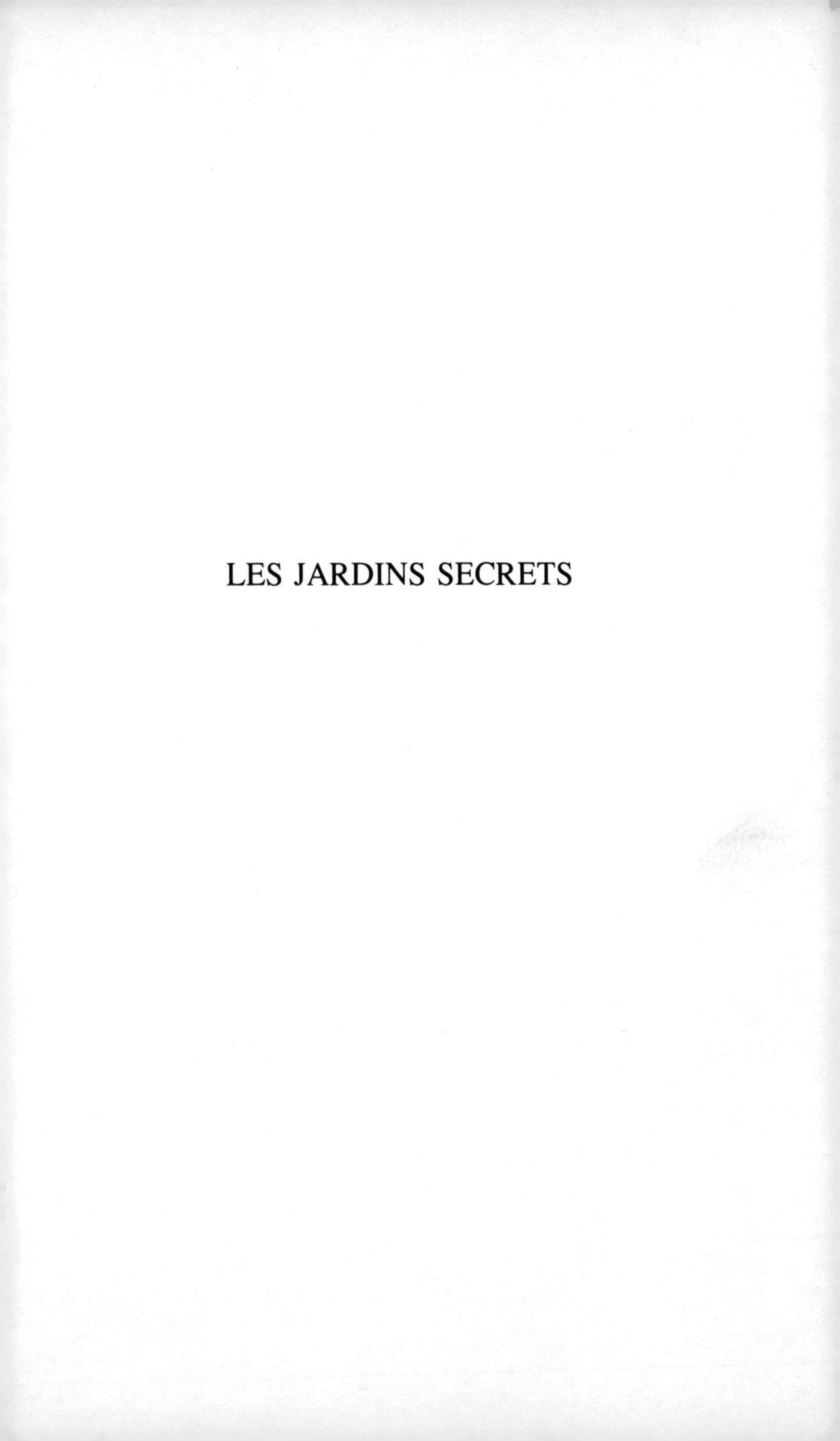

LES JARDINS SECRETS

Du même auteur chez le même éditeur

A l'ombre des Tableaux Noirs. Prix Jean Béraud-Molson 1977

Chez d'autres éditeurs

Les Pantins, *roman*, La Pensée Universelle, 1973

La Tourbière, *roman*, Les Éditions La Presse, 1975

Le miroir, Ma femme, Ce laideron, L'examen médical, *nouvelles*, Les Écrits du Canada français, 1976

Réal Caouette — Canada, *biographie*, Les Éditions Héritage, 1976

NORMAND ROUSSEAU

LES JARDINS SECRETS

roman

PIERRE TISSEYRE
8955 boul. Saint-Laurent — Montréal, H2N 1M6

Dépôt légal: 4e trimestre de 1979
Bibliothèque nationale du Canada

ISBN-2-89051-014-X-

A Pauline, Réal et Bibiane
pour leur précieuse collaboration

1

13 juin 1973.

Un jour, je tuerai quelqu'un. Je ne sais pas encore qui, ni comment, mais je tuerai quelqu'un. On ne possède vraiment un corps qu'en lui donnant la mort.

Voilà, ça démarre. C'est parti. J'ai enfin réussi à commencer mon journal. Depuis des jours, des semaines, des mois que je pense à rédiger un journal personnel, bien à moi, qui serait comme le miroir fidèle de ma personnalité.

Mais je ne savais pas comment entreprendre ce fameux journal. Je ne voulais pas qu'il commence banalement. Aujourd'hui, j'ai fait telle et telle chose... etc., etc. Non, je voulais qu'il s'élance sur une phrase de feu, un grand coup de cymbale, une détonation de fusil à travers la page, un coup de couteau en plein coeur, Voilà! j'ai réussi! Je l'ai trouvée, cette fameuse phrase. Un jour, je tuerai quelqu'un. . .

C'est merveilleux. Cette phrase m'est venue tout à l'heure en regardant le poster de cette fille nue. C'est Franz qui me l'a donné. Je l'ai apporté ici, dans ma chambre, en le cachant sous mon chandail. Je suis entré par l'arrière de la maison. Personne ne pouvait me voir. Le poster était bien dissimulé, mais j'ai toujours peur qu'on lise sur ma figure. . . Ce n'est pas facile de traverser les douanes maternelles.

Juste au moment où j'ouvrais la porte qui conduit au sous-sol, ma mère a ouvert celle qui donne sur la cuisine. Elle tenait un sac à ordures. En me voyant, elle est restée interdite. Elle a même failli échapper le sac. Comme si elle avait lu quelque chose dans mes yeux. J'ai détourné rapidement mon regard et je me suis jeté dans l'escalier.

Je suis entré dans ma chambre et j'ai refermé la porte derrière moi en poussant le loquet. Là, appuyé contre le bois de la porte, j'ai entendu ma mère qui descendait l'escalier. Elle a déposé le sac dans la salle de lavage. Elle est revenue sur ses pas, s'est arrêtée un instant juste devant ma porte. Je n'ai pas bougé. Finalement, elle est remontée. Comme d'habitude: deux solitudes.

J'ai poussé un grand soupir. Je sais qu'elle n'oserait jamais entrer dans ma chambre sans ma permission. Mais je n'aimerais pas non plus qu'elle insiste pour entrer. Nous avons eu plusieurs discussions au sujet de ma claustration volontaire dans cette chambre du sous-sol, mais ce n'est jamais allé plus loin. Cela me gênerait de lui refuser carrément l'entrée de mon antre. Je sens tout de même qu'elle m'espionne avec prudence et discrétion.

Alors, j'ai glissé ma main sous mon chandail. Mes doigts ont effleuré la surface glacée du poster. J'ai caressé un instant, à l'aveuglette, à tâtons, ce papier froid. Puis, je l'ai retiré et fixé au mur. J'ai dû sacrifier un vieux poster craquelé et fendillé pour faire place à cette fille extraordinaire.

Je me suis jeté sur mon lit et je l'ai regardée longuement. C'est une fille formidable. Blonde. Toute nue. Étendue sur une peau d'ours polaire. Sa tête repose sur l'oreiller somptueux de sa chevelure de soleil. Ses mains, aux ongles très rouges, esquissent un geste de pudeur vers le bas du ventre. Mais ses doigts s'écartent; au lieu de cacher ce qu'ils prétendent cacher, ils attirent plutôt le regard dans cette direction. Son regard en plein dans mes yeux. Et ses deux seins lourds auréolés de mamelons rose tendre.

Par jeu, je me suis levé et me suis déplacé lentement à travers ma chambre. Elle me regardait toujours. Je suis monté sur ma chaise: elle me regardait encore comme l'oeil de la conscience de Caïn. Je trouve le rapprochement intéressant. Ma chambre est une caverne, et le regard de cette fille sur moi, comme celui de mon âme.

Je suis allé jusqu'à la porte. Elle me regardait encore et encore. J'ai toujours été fasciné par cette magie des photos. Peu importe où vous êtes, une photo vous regarde toujours. L'immobile mobilité des yeux est pour moi une sorte de mystère.

Alors, je me suis approché. J'ai caressé le poster à deux mains. Je me suis penché et j'ai embrassé la fille sur les joues, sur la bouche, dans le cou, sur les seins, sur le ventre, sur les cuisses et sur les mains qui cachaient si mal le merveilleux triangle.

C'est juste à ce moment que la première phrase de mon journal m'a frappé: un retentissant coup de foudre! Comme si quelqu'un frappait très fort à la porte de mon crâne et que, pour entrer, il soufflait le mot de passe: « Un jour, je tuerai quelqu'un. . . »

Je me suis précipité pour fouiller dans tous les tiroirs de mon bureau. J'ai enfin trouvé un cahier neuf et j'ai commencé à écrire. La date m'a d'abord frappé, effrayé: le 13 juin. Ce n'est pas une date chanceuse. Mais peu importe. L'inspiration tant attendue m'était enfin venue et il fallait la saisir au vol.

Dès la première page, j'ai pris la décision de tout confier à ce journal. Il m'aidera d'abord à trouver qui je suis et ensuite à me le rappeler sans cesse chaque fois que je l'oublierai. Il sera ma conscience. J'ai décidé de confier à ce « double » tout ce que je fais et tout ce que je pense. Non pas tous les jours, mais chaque vrai jour, ceux que j'aurai vécus intensément. Je noterai méticuleusement chacun de mes gestes, chacune de mes paroles, chacune de mes pensées, chacun de mes désirs, chacune de mes craintes.

Par exemple, aujourd'hui (c'était congé à l'école; une journée pédagogique en termes savants) il m'est arrivé une chose tout à fait extraordinaire. Je suis parti seul vagabonder dans le quartier. Je me suis arrêté devant les grandes vitrines d'un magasin. Un décorateur ou un commis était en train de déshabiller un mannequin de plâtre ou de plastique. Je suis arrivé juste au moment où il lui enlevait sa robe.

En me voyant planté devant la vitrine, le commis s'est immobilisé et m'a regardé longuement. Il n'avait enlevé que le haut de la robe. Son geste était d'une troublante obscénité. Je ne pouvais voir que les seins très lisses, sans tétine, sans mamelon. Des seins d'une perfection étonnante mais irréelle. Je n'ai pu soutenir longtemps le regard du commis. J'ai fixé à nouveau les seins du mannequin. Et le commis a eu un geste de dégoût ou d'impatience, je ne sais trop.

Puis il a enlevé la robe et l'a laissée tomber à ses pieds. Mais mon regard ou mon imagination voyait tout au ralenti. Je voyais les mains velues du commis, des mains aux ongles épais, carrés, noirs. Je les voyais glisser le long de la chair lisse, ivoirine, du mannequin. La robe glissait lentement, voluptueusement, sur le ventre, sur les hanches, sur les cuisses. Et puis j'ai vu enfin le mannequin entièrement nu. C'est alors que je me suis aperçu que le mannequin étant sans sexe. Ces mannequins mi-asexués me troublent profondément.

J'aurais voulu que le mannequin de plâtre se transformât immédiatement, comme dans les contes de fées, en une femme de chair et de sang. Je serais entré dans le magasin et là, dans la vitrine, devant tout le monde, nous aurions fait l'amour. Quelle publicité scandaleuse cela aurait fait! Il me semble que je pourrais faire l'amour dans ces conditions. Mais je sais bien que ce n'est pas vrai.

Le commis m'a encore longuement regardé. Il a esquissé un geste. J'ai reculé. Puis, avec un haussement d'épaules, il a enlevé la perruque du mannequin. J'ai ressenti au fond de ma chair un trouble encore plus grand. Un mannequin asexué, sans cheveux, est peut-être la chose la plus provocante au monde. Le commis a placé sur la tête du mannequin une perruque rousse et lui a enfilé une robe verte. Mes yeux rivés à la vitrine touchaient presque la vitre.

Je me suis reculé un peu. Les mannequins se faisaient des gestes aussi solennels qu'inutiles. Tout à coup, j'ai imaginé le décorateur en train de faire l'amour au mannequin. Mais le décorateur était lui-même transformé en mannequin: il faisait l'amour à un autre mannequin. Ils se faisaient des caresses raides, sans s'atteindre: aucun sentiment, l'acte sexuel à l'état pur. C'était à la fois troublant, ridicule et pitoyable.

C'est alors que je me suis aperçu qu'il y avait quelqu'un à côté de moi. Une femme dans la trentaine ou la quarantaine, encore très belle, à la chevelure très noire, regardait aussi le mannequin dans la vitrine. Des lèvres sensuelles, un grain de beauté piqué au menton. Elle ne me regardait pas. Elle admirait la belle robe verte sur le mannequin.

Tout à coup, dans le reflet de la vitrine, j'ai vu ses yeux rivés sur moi; il y avait quelque chose de bouleversant dans son regard. Lorsque nos yeux se sont rencontrés, elle a détourné les siens, s'est déplacée un peu, faisant mine d'admirer une autre robe.

Je me suis glissé lentement derrière elle et j'ai soudain eu envie, une envie folle, de toucher ses longs cheveux noirs, de les caresser du bout des doigts. Je crois que j'ai même levé la main, mais elle s'est retournée juste à ce moment et elle a planté son regard noir dans mes yeux.

Alors, j'ai détalé comme un lièvre, les joues en feu. J'ai traversé la rue. Une voiture a failli me renverser. J'ai longtemps couru ainsi, comme un fou, comme une bête traquée. Je suis enfin arrivé dans un parc et je me suis laissé choir sur un banc. Pendant de longues minutes, j'ai repris mon souffle en regardant passer les gens.

Y a-t-il quelque chose de plus fascinant que de regarder passer les gens sur le trottoir ou dans les endroits publics? C'est une des occupations les plus passionnantes que je connaisse.

Il fait très chaud depuis le début de juin. Tout le monde portait donc aujourd'hui des vêtements légers. C'est un plaisir pour moi que de regarder passer les femmes et les filles. Je peux admirer leurs jambes, leurs bras, leurs épaules et même parfois leur entre-seins.

Une fois mon souffle repris, je me suis remis à vagabonder dans les rues du quartier. Je ne savais vraiment pas quoi faire de ma peau. Je me suis laissé flâner dans le printemps. Ou plutôt, j'ai laissé flâner le printemps en moi, se réveiller peu à peu certains rêves. De leur feuillage neuf, les arbres semblaient chatouiller les nuages. Et dire que voici quelques semaines à peine, on pensait que cet hiver n'allait jamais finir!

Je me suis arrêté un instant à un terrain de jeu. Deux équipes de baseball disputaient un match. Il y avait quelques garçons de l'école. Trois d'entre eux se sont approchés de moi et m'ont invité à me joindre à eux. Il leur manquait des joueurs.

— Tu viens jouer? m'a crié Roger.

— Gontran! jouer au baseball, tu veux rire! a répliqué Maurice.

Et ils sont partis en courant pour prendre leur position de voltigeurs. Je ne sais pas s'ils étaient sincères ou s'ils voulaient se moquer de moi.

Oui, c'est vrai, je ne suis pas très sportif. Sans être efféminé, je n'aime pas la violence du sport, je veux dire cette sorte de violence physique qui fait suer le corps pour rien, sans aucun plaisir en retour. J'adore les films de guerre, les films policiers, les films érotiques et tous les films de violence en général. Alors seulement, je commence à vivre.

J'ai fouillé au fond de mes poches. J'avais assez d'argent pour aller au cinéma. Je me suis dirigé vers le petit cinéma du quartier. On y présentait un film érotique à intrigue policière. Je suis entré. La salle était comble. Il restait quelques places dans les premières rangées. J'ai trouvé un fauteuil et je me suis concentré sur le film qui venait tout juste de commencer.

Il s'agissait d'une histoire banale mais assez piquante. Des danseuses de cabaret étaient assassinées par un maniaque qui les coupait en morceaux, les mettait dans une valise et plaçait la valise en consigne dans une gare de chemin de fer ou dans un terminus d'autobus. C'était la consternation à la découverte de chaque nouveau cadavre.

Mais entre l'arrivée de la danseuse et sa mort, les spectateurs en avaient pour leur argent. La salle tout entière se roulait de plaisir. On cherchait toujours le maniaque lorsqu'une femme est venue s'asseoir à côté de moi. Pris par l'intrigue policière et les orgies du maniaque, je ne l'ai pas examinée.

Lorsque le suspense s'est relâché, je lui ai jeté un regard plus attentif. J'ai cru d'abord rêver. La lumière de l'écran éclairait assez son visage pour que je la reconnaisse, mais pas assez pour que j'en sois absolument certain. Revenu de ma surprise, j'en ai eu la certitude: c'était la femme à la chevelure noire qui m'avait regardé dans le reflet de la vitrine, celle que je venais de fuir comme un fou. Elle ne semblait pas avoir encore remarqué l'étrange coïncidence qui nous réunissait à nouveau dans la pénombre de ce cinéma. Elle paraissait totalement absorbée par le film.

A l'écran, une nouvelle scène érotique s'amorçait, cette fois avec une superbe grande rousse aux yeux verts et aux longs doigts emmanchés d'ongles encore plus longs. J'ai jeté un regard oblique à ma voisine. Elle devait avoir entre trente-cinq et quarante ans. Elle avait un profil superbe. Sa main aux ongles très rouges et relativement longs s'est ouverte en éventail sur sa cuisse et a glissé jusqu'au genou. La main a remonté le bord de sa robe de quelques pouces seulement. Du coin de l'oeil, je suivais son petit manège. Que pouvait-elle bien espérer de moi? Je n'étais qu'un gamin pour elle.

A mon tour, j'ai posé ma main sur ma cuisse et je l'ai laissée glisser sur mon genou. J'ai arrêté ma main juste vis-à-vis de la sienne et je me suis remis à suivre le film.

La superbe grande rousse, toute en pièces détachées, était en train de prendre place dans une grande valise noire. La scène était à la fois horrible et très belle; le jeu de la caméra d'une violence exquise. La valise s'est refermée.

Je me sentais parfaitement heureux à l'idée de savoir ma main tout près de celle de la femme à mes côtés. Cependant, nos mains ne se touchaient pas. Mais c'était tout simplement merveilleux de la sentir à la fois si proche et si loin. Elle n'osait pas bouger son petit doigt. Et moi non plus. J'avais peur de ses yeux plantés dans les miens mais je n'avais pas peur de cette main contre la mienne, cette main lisse, ivoirine, à peine veinée de bleu. Presque une main de mannequin.

Subitement, j'ai senti cette main vivante effleurer la mienne, doucement, très doucement, comme pour m'apprivoiser. Sa main s'est posée sur la mienne avec une tendresse retenue et l'a couvée longuement de sa chaleur rayonnante. C'était une sorte de brûlure glaciale.

J'arrivais difficilement à suivre les péripéties du film. Le détective féminin lancé sur la piste du maniaque venait justement de lui tendre un piège dans lequel elle risquait elle-même sa vie. Mais la main sur ma main exerçait peu à peu une pression. La femme aux cheveux très noirs, sans la moindre résistance de ma part, a pris ma main et l'a déposée lentement sur son genou. J'étais pétrifié. Ma main ne semblait plus m'appartenir. Elle était la main d'un autre. Elle reposait immobile sur le genou lisse et très chaud. Puis, il m'a semblé que ma main se glaçait et que le genou lui-même devenait de glace. Ma paume s'est mise à transpirer abondamment. Ma main ne bougeait toujours pas. Ni la sienne. Ni son genou. Nous étions sculptés dans une immobilité jouisseuse.

Subitement, j'ai senti sa main glisser sur ma cuisse. Elle s'est penchée un peu sur moi. Elle semblait me dire quelque chose. Elle me parlait du coude et du genou. J'étais sidéré. La panique m'a soulevé. J'ai dû me retenir pour ne pas crier en plein cinéma. J'aurais hurlé comme un damné culbutant en enfer.

J'ai bondi et je me suis jeté dans l'allée centrale. Je me suis rué vers la sortie. Le soleil éblouissant m'a flanqué son coup de poing en pleine figure. J'ai failli être renversé par toute cette lumière qui me giflait brutalement, sauvagement, de tous côtés. J'étais couvert de sueurs froides.

Le portier me regardait comme le commis dans la vitrine. Qu'est-ce qu'ils ont tous, bon dieu, à me regarder comme ça? Depuis que je suis né, ils me regardent tous, avec leurs yeux creusés par la curiosité, comme si j'étais un animal étrange. Parfois, je voudrais leur arracher les yeux à tous. Je souhaiterais être entouré d'aveugles. Je dois être marqué par quelque chose d'invisible que je ne vois pas mais que tous les autres voient. Une marque quelconque sur mon front ou ailleurs. Je ne sais pas, moi. Les autres ne semblent pas me comprendre. Je suis pour eux un immense point d'interrogation planté dans leurs yeux, dans leur petite cervelle. Je suis trop immense pour leur cervelle.

Mais ils arriveront peut-être un jour à percer le mystère que je porte inconsciemment et malgré moi. Ce jour-là, je serai un homme fini. En attendant, je dois subir en silence le fer rouge de leurs regards.

Je suis tout honteux de cette panique qui me prend chaque fois qu'une fille s'intéresse à moi. Et une femme alors! Le regard féminin est si pénétrant! Il mord ma chair à me faire gémir. Aussitôt qu'une fille s'approche de moi, je me mets à la haïr. Je ne sais pas pourquoi.

Cet après-midi, c'était la première fois qu'une femme me troublait à ce point. Pour la première fois, une femme, une vraie, non pas une fillette ou une quelconque adolescente, mais une femme, comme dans les films, me posait la main sur sa cuisse. Pour la première fois, j'ai senti le désir brûler à côté de moi.

L'après-midi était déjà fort avancé. J'ai décidé de revenir à la maison. En passant devant la taverne du quartier, je suis entré, histoire de prendre un verre pour me replacer les nerfs.

A une table, Franz était assis. Il m'a fait signe. Il était seul en train de siroter un grand bock de bière. Je me suis assis en face de lui. J'ai fait signe au garçon et il m'a apporté un bock.

Franz n'est pas son vrai nom. Il s'appelle en réalité Pierre Tremblay. Il déteste ce nom banal. Pour moi, rien que pour moi, il s'appelle Franz. Il a lu en entier et plusieurs fois l'oeuvre de Franz Kafka qu'il vénère comme un dieu.

Chaque fois que nous nous rencontrons, il me parle d'un personnage de Kafka comme d'une nouvelle connaissance. La violence froide et calculée de l'univers de Kafka le fascine.

Franz est une sorte de bête dégingandée, empanachée d'une chevelure noire. Son corps se déplace comme un reptile. La paresseuse lueur de ses yeux m'apprivoise, moi qui n'ai pas d'ami. C'est un bel animal nonchalant.

Nous avons bu en silence. Puis il m'a dit: « J'ai quelque chose pour toi.» Il a sorti de son veston une large feuille pliée en quatre. C'était le poster. Je l'ai remercié.

— Ne le déplie pas avant d'être arrivé dans ta chambre. Regarde-le en t'endormant ce soir. Cette fille va te dire des choses absolument merveilleuse; tu verras.

Aujourd'hui, Franz n'était pas loquace. J'ai voulu le faire parler de Kafka, de Joseph K et de *La métamorphose*. Il m'a regardé longuement puis il s'est remis à boire.

Franz est le garçon le plus mystérieux, le plus étrange que j'aie rencontré. Il me domine complètement depuis notre première rencontre. Ce n'est pas un ami; c'est un complice.

J'ai quitté Franz et je suis revenu à la maison. Il avait raison: ce poster est superbe. Tout à l'heure, je vais m'étendre sur mon lit et fixer cette fille splendide. Elle me dira peut-être les choses merveilleuses que Franz m'a promises.

J'aime m'étendre pendant des heures sur mon lit, sentir profondément le moelleux du matelas, m'arrêter sur chacun de mes muscles, chacun de mes organes qui se détendent lentement et reposent ainsi dans une douce volupté.

Eh bien! pour un premier chapitre de journal, ce n'est pas si mal! Je crois que ce soir, je vais m'arrêter là. Je suis vraiment content de ma première phrase: « Un jour, je sais que je tuerai quelqu'un. . . »

2

L'homme qui entra dans le bureau du commissaire Romuald Fortier devait avoir environ cinquante ans. Il était plutôt bedonnant. De grosses lunettes ornaient ses petits yeux fouineurs comme s'ils cherchaient constamment des bestioles non identifiées.

— Je me présente: docteur Victor Villemaire, médecin-légiste.

Fortier admira l'assurance du médecin. Il avait déjà eu l'occasion de travailler avec lui plusieurs années auparavant lors de la célèbre affaire du meurtre de la veuve Bouchard. Comme d'habitude, Fortier avait été chargé des enquêtes de routine. C'était le détective Chartrand qui avait ramassé toute la gloriole. Évidemment, Villemaire ne se souvenait pas de l'obscur petit lieutenant Fortier.

Victor Villemaire était en fait un médecin assez médiocre mais qui se comptait parmi les grands parce qu'il avait travaillé souvent dans des causes devenues célèbres par la suite.

Villemaire citait avec gourmandise ses exploits de médecin-légiste: « J'ai été le médecin-légiste dans l'affaire Beaulieu et dans le meurtre du millionnaire Richard » affirmait-il. Comme Pasteur aurait pu dire: « C'est moi qui ai découvert la pasteurisation » ou Flemming: « C'est moi qui ai découvert la pénicilline. » Villemaire se prenait pour un grand soldat, pardon, pour un grand général de la guerre contre le crime. Il disait encore: « J'ai été médecin-légiste dans l'affaire de l'empoisonneuse Filion » comme un général aurait dit: « J'ai été à Verdun ou je suis monté dans un des taxis de la Marne. »

Villemaire avait des yeux qui se voulaient pénétrants, un visage bouffi de graisse où faisait naufrage tout un réseau inextricable de petites rides.

— Qu'est-ce que je peux faire pour vous, vieille branche?

L'affabilité et la familiarité de Villemaire n'étaient qu'une façon de plus d'affirmer sa supériorité sur tous ses interlocuteurs. Fortier se donna le temps d'examiner comme il faut le médecin. Il ne se prenait pas pour un autre et reconnaissait tous les jours qu'il était lui-même un enquêteur médiocre. C'est pourquoi on lui avait confié cette triste affaire Gauthier.

Pour être à la nouvelle mode, Villemaire s'était laissé pousser une superbe moustache qu'il frisait sans cesse entre son pouce et son index droits. Ça ne l'empêchait pas de jouir d'une calvitie fort avancée. La première fois que Fortier avait travaillé avec le médecin-légiste, on aurait pu dire que celui-ci avait le front intelligent mais pas plus. Depuis ce temps, Villemaire avait tellement perdu de cheveux que son front intelligent frisait maintenant le génie. Fortier posa enfin sa première question:

— Docteur Villemaire, ce n'est pas une affaire retentissante. Il s'agit plutôt d'une enquête de routine. Alors, quel est le résultat de votre autopsie?

— Attention, Fortier, il n'y a jamais d'enquête de routine. Rappelez-vous l'affaire Durocher. Au début, il s'agissait d'un suicide banal. Mais lorsque j'ai découvert de légères traces de poison dans l'estomac, lequel poison devait donner la mort à long terme, l'affaire a fait toutes les manchettes des journaux. Le ministre Durocher était un pilier du gouvernement, à l'époque, et l'affaire a fait beaucoup de bruit. Il fallait un oeil attentif pour déceler ces imperceptibles traces de poison. Et si je n'avais pas été là, je crois que le meurtrier courrait encore. . .

— D'accord, docteur. Alors dites-moi tout ce que vous savez sur le meurtre de la jeune Lanctôt.

— Eh bien, après une autopsie longue et minutieuse. . . Vous savez, je n'aime jamais faire les choses à moitié. Vous me connaissez. Un travail qui mérite d'être fait mérite d'être bien fait. Dans l'affaire Bédard, par exemple, le premier médecin-légiste avait établi que la victime avait succombé à une crise cardiaque. Mais moi, je suis allé plus loin. J'ai réussi à démontrer qu'on avait provoqué criminellement cette crise et le meurtrier a été coincé.

Fortier commençait à se résigner à écouter tous les exploits de Villemaire. Il n'avait pas fini. L'entrevue allait être longue. Il ne savait pas s'il devait s'armer de patience ou forcer le médecin à en venir rapidement aux faits. Il ne voulait pas l'indisposer car il devait s'assurer de son entière collaboration. Il opta finalement pour une solution de demi-mesure. Sans brusquer Villemaire, il le ramènerait sans cesse au sujet de l'enquête.

— Je sais, docteur, et je vous félicite encore une fois. Mais revenons à la jeune Rachelle, voulez-vous? Est-ce que le corps portait des marques de blessures?

— En effet, vous avez deviné juste. Voici. J'ai bien examiné le corps de cette malheureuse jeune fille qui, en passant, devait être fort jolie. J'ai vu une photo d'elle dans les journaux. Je peux l'affirmer sans l'ombre d'un doute: la jeune Rachelle a été assassinée. A cause de son fameux journal, le jeune Gauthier semble bien être le coupable. Mais je vous préviens; plus un meurtre semble clair, plus il faut se méfier. Ceci me ramène à mon propos de tantôt: une enquête n'est jamais une affaire de routine.

— Très bien, docteur. Je suis entièrement d'accord avec vous. Mais si vous me disiez où vous avez relevé des marques sur le corps de Rachelle?

— Partout. Presque partout. Elle a été sauvagement battue. Évidemment, il n'est pas facile de déceler les marques de coups sur un cadavre carbonisé. Mais vous savez, quand on a de l'expérience, au premier coup d'oeil, on sent ces choses-là. Dans l'affaire de la jeune prostituée, comment s'appelait-elle au juste, Yolande ou Solange? vous savez ce que je veux dire, Fortier. Allons, aidez-moi! C'était Yolande, je crois, il me semble, enfin! Eh bien! dans cette affaire, le corps aussi était carbonisé, pas autant bien sûr, car on l'avait découvert à temps. Mais au fait, où voulais-je en venir au juste? Ah! et bien, les marques étaient à peine discernables et je peux vous dire que j'ai dû passer une bonne partie de la nuit à la morgue. J'ai examiné le corps pouce par pouce et j'ai trouvé suffisamment de marques pour accuser son souteneur. . .

— Encore une fois, docteur, je vous félicite pour votre travail remarquable. Mais j'aurais une autre question à vous poser. Est-ce qu'il y a eu viol dans le cas qui nous intéresse?

Le docteur Victor Villemaire frisotta avec application les pointes de sa moustache avant de répondre. Fortier espérait que le médecin ne lui servirait pas encore une autre « affaire » de viol ou quelque chose du genre. Villemaire fit rouler ses petits yeux dans ses énormes lunettes et finalement répondit:

— C'est étrange, c'est vraiment étrange. Je ne me rappelle pas avoir vu ailleurs un tel genre de viol. Il ne l'a pas violée précisément. Vous comprenez ce que je veux dire? (Fortier fit signe que non.) Non? Mais d'un autre côté, on peut dire et même affirmer qu'il l'a violée. Voilà.

Fortier réprima un geste d'impatience qui ne fit pas sourciller d'un poil le médecin-légiste gonflé de son importance et de son mystère.

— Voilà. Pour tout vous dire, j'ai trouvé du sperme dans l'anus de la jeune fille. Par la même occasion, il y avait eu lésion. Je sais qu'il est extrêmement pénible d'entrer dans de tels détails, Fortier, mais vous savez, dans notre profession, vous comme moi, nous devons descendre dans les bas-fonds humains les plus nauséabonds. . .

Fortier pensait que le médecin avait le don au contraire d'amplifier ce qui était déjà assez sordide et qu'il aurait pu donner tous ces détails en gardant la froideur d'un homme de science.

— D'après l'examen que j'ai fait, minutieusement, veuillez me croire, l'opération, si je peux m'exprimer ainsi, a dû être assez pénible pour la jeune fille. . . et pour le garçon aussi, bien entendu, et soit dit en passant. D'habitude, ces sortes de crimes, si on veut bien les appeler ainsi, n'est-ce pas? d'habitude donc, les viols sont faits, — comment dire? — d'une façon plus naturelle, plus conventionnelle du moins, et si je peux faire appel à un vocabulaire plus précis et plus scientifique, le viol se fait par la pénétration du pénis dans le vagin. Mais cette fois, non. Et je trouve cela parfaitement étrange. . . oui, vraiment étrange. . .

Villemaire se laissa quelques secondes de réflexion mais Fortier ne fut pas assez rapide pour intervenir.

— J'ai déjà été appelé à examiner le cadavre d'une jeune fille, d'une fillette plutôt, devrais-je dire, qui avait été violée par pénétration vaginale mais qui avait été aussi violée, si l'on peut employer ce mot dans ce genre de crime, par la voie anale.

A la réflexion, je crois que ce viol était encore plus étrange que celui-ci, mais plus normal, si j'ose dire. Enfin, vous voyez bien, Fortier, ce que je veux dire, n'est-ce pas?

Fortier voyait très bien mais il trouvait que le rapport médical avançait à pas de tortue et prenait parfois des méandres aussi inattendus qu'inutiles. Il finit par poser à Villemaire la question qui le préoccupait depuis le début de cette affaire:

— Est-ce que, selon vous, la jeune Rachelle a été tuée avant d'être brûlée dans l'incendie allumé par Gontran?

— Non, je ne crois pas. Le jeune Gontran, avant ou après l'avoir violée, l'avait solidement attachée ou plutôt ligotée. Bien que la corde qui l'attachait ait été entièrement brûlée, il restait des marques aux poignets de la jeune fille. Non, je reste formel et catégorique: la jeune Rachelle est morte brûlée vive. Voilà tout.

— Et vous dites que Rachelle a été attachée avec une corde et non avec des menottes?

— Absolument, j'ai retrouvé des bouts de corde calcinés dans la chambre.

Fortier resta songeur. Gontran mentionnait bel et bien des menottes dans son journal. Il précisait même qu'il les avait glissées dans sa serviette. C'était étrange, vraiment étrange. Le commissaire, pour ne pas laisser le temps à Villemaire de se souvenir d'un cas semblable, passa tout de suite aux louanges flatteuses.

— Docteur Villemaire, je vous remercie sincèrement de votre précieuse collaboration dans cette affaire qui, comme vous le dites, est peut-être beaucoup plus complexe et plus importante qu'on peut le penser. Je n'en doute pas, votre examen a été fait d'une façon très scientifique et avec une grande perspicacité, ce qui est rare de nos jours. Si vous n'avez pas d'autre chose à me communiquer, je crois que ce sera tout. Si j'ai besoin de vos précieux conseils, je n'hésiterai pas une seule seconde à faire appel à vous.

Villemaire frisotta les pointes de sa moustache. Des étincelles d'orgueil explosèrent dans ses petits yeux. Mais avant de quitter Fortier, il se leva et, s'approchant de lui, il murmura à son oreille.

— Si vous voulez avoir mon avis sur la question, commissaire, c'est Gontran Gauthier qui a violé la jeune Rachelle et qui l'a tuée en mettant le feu à son lit. Cela ne fait aucun doute. Ce jeune devait être un obsédé sexuel comme il en court tant par les rues de nos jours. Croyez-en un médecin d'expérience comme moi. Il en vient des dizaines de ces jeunes à toutes les semaines dans mon bureau. La libération sexuelle complexe les jeunes aujourd'hui. Ils se croient obligés de faire l'amour à la première aube de leur puberté, de leur jeunesse, sinon ils deviennent impuissants. J'en soigne des dizaines à mon bureau, toutes les semaines, comme je viens de le dire. Je les remets tous sur la bonne voie. Si tous ces jeunes allaient consulter un médecin, il arriverait moins de ces horreurs comme celle qui nous préoccupe actuellement. Le médecin est le grand éducateur de la nouvelle société. On ne l'a pas encore compris. Ce viol étrange, croyez-moi, est le fait d'un jeune impuissant. Voilà mon dernier mot.

Fortier remercia Villemaire encore une fois et le reconduisit à la porte. Mais avant de sortir, le médecin ajouta:

— J'espère, Fortier, que cette affaire aura du retentissement. C'est une cause exemplaire. On doit en faire un cas. Et si vous voulez absolument dire aux journalistes que je suis le médecin-légiste dans cette affaire, vous avez mon absolution. Je veux sauver les jeunes, comprenez-vous? Au revoir, et au plaisir de travailler ensemble encore une fois.

3

17 juin 1973.

Aujourd'hui, c'est mon anniversaire. J'ai dix-sept ans et il est déjà trop tard dans ma vie. Le 17 juin de chaque année, c'est le jour que je déteste le plus. Le reste de l'année, je me referme, je me protège contre les autres, je me crée jalousement un univers. Mais le jour de mon anniversaire, ce fatal 17 juin qui me tape sur la tête et sur les nerfs à chaque année, je dois m'ouvrir, ou du moins m'entrouvrir aux autres. Je deviens le point de mire. Et ils ne se gênent pas pour entrer! Toute la journée, je suis le joujou, l'objet des autres.

Cela commence toujours à l'école. Heureusement, à la maison, tout le monde en se levant oublie mon anniversaire. Mais au souper, ils retrouvent tous la mémoire. Et le supplice continue!

Ce matin, le secrétaire de la classe s'est fait un point d'honneur d'annoncer aux élèves et aux professeurs que c'était mon anniversaire. Tout de suite, je me suis senti happé, sucé par le tourbillon de la maudite bascule.

Et hop! et hop! on me fout en l'air et on me laisse retomber. Dix-sept fois, je pense rendre l'âme avec mes dix-sept ans tout neufs. Des mains me touchent comme si j'étais une idole bouddhique. J'ai le mal de mer, j'ai le mal de vivre.

Je me demande quel idiot a inventé cette traditionnelle bascule. Ça doit être sûrement ces imbéciles de Gaulois qui s'amusaient à transporter leur chef sur un bouclier. On devait faire sauter les fesses de l'élu à chacun de ses anniversaires. De toute façon, il n'y a rien de plus grotesque, de plus obscène, de plus dégueulasse que cette maudite bascule!

Imagine-t-on Mathusalem se faisant sonner le derrière 999 fois ou le Christ à son trente-troisième anniversaire ou Napoléon . . . non c'est impensable, complètement fou et ridicule.

Quand je suis revenu sur terre, ça été le tour des filles. Toutes les filles de la classe se font un devoir ou un plaisir d'embrasser les garçons à leur anniversaire. Et les garçons s'empressent de leur remettre la pareille quand c'est leur tour. Je déteste me faire embrasser par une fille, et encore plus par toutes les filles de la classe. Surtout cette année, il y en a des grosses, des boutonneuses, des efflanquées, des suintantes, des puantes même. Elles ont toutes posé leurs lèvres épaisses ou trop minces sur mes joues en feu. J'étais rouge à m'en péter les veines. C'était vraiment dégoûtant quand une fille avait les lèvres fendillées ou crevassées ou bourgeonnantes de « feux sauvages ».

Lorsque Rachelle s'est approchée de moi, elle a d'abord hésité. J'ai cru un instant que j'allais perdre les pédales. Elle m'a embrassé délicatement sur les deux joues.

Rachelle, c'est la plus belle fille de la classe et même de toute l'école. Quelquefois, je pense qu'elle m'admire parce que je suis le premier de la classe. Mais elle doit me trouver si gauche, si timide, si renfermé. Et puis, après tout, je me fiche éperdument des filles, de toutes les filles et de Rachelle comme des autres. Elles ne sont bonnes qu'à provoquer les garçons, et à les flanquer là, dès qu'ils veulent jouer aux petits mâles. Rachelle, surtout, entretient autour d'elle une petite cour de mâles. La déesse-planète-Rachelle observe avec délices les satellites-idiots-garçons tourner autour d'elle. Elle se gave d'admiration facile.

Je suis seul à ne pas rendre hommage à Sa Majesté notre reine. Et j'en suis fier! Elle me déteste peut-être à cause de cela. Elle me voudrait à ses genoux. C'est pour cela qu'elle a hésité à m'embrasser ce matin.

Je ne ramperai jamais devant une fille. Rachelle comme les autres. Je sais que je la domine, même si elle me prend pour Gontran-le-timide. Elle me connaît sous de fausses représentations. Si elle savait vraiment qui je suis, elle aurait peut-être peur. Ou bien elle serait en admiration devant moi. Ou mieux encore, elle m'aimerait. Rachelle! les lèvres toujours prêtes pour le sourire. Un seul regard d'elle et je bascule dans la panique.

Car j'ai peur qu'elle soit la première à percer mon mystère.

La première à me mettre à nu d'un seul regard, à me mettre l'âme et le coeur à nu. Et je ne veux pas ça. Si un jour elle y arrive, je serai fini. Ma carapace tombera et je serai ouvert à tout le monde et ils en profiteront pour me dévorer. D'un seul coup de dent.

Je ne veux pas de son admiration ni de sa pitié. Je ne suis pas fait pour les filles, ni pour les femmes, ni pour personne. Qu'elles me laissent toutes tranquille! Qu'ils me fichent donc tous la paix! Je veux être seul avec moi-même.

Je ne sais pas encore pourquoi ou pour qui je suis fait. Je cherche et qu'on me laisse chercher!

Finalement, tout le monde a pris place derrière son pupitre. Monsieur Landry, prof de français, a fait quelques petites réflexions sur la beauté de la jeunesse et tout le tralala. S'il savait, lui aussi, ce que je pense réellement de lui, des autres et de moi, il aurait peur de ma jeunesse. Je m'en fiche de leur jeunesse. Je n'entrerai pas dans leur vie. Je n'aurai jamais vingt ans. Je ferai la pirouette avant. Ma solitude se love en moi comme un serpent somptueux. Et ils ne la voient pas, les imbéciles! Je m'en fiche pas mal de leur vie adulte. Je suis sans âge et ça, personne ne le sait.

Dans les discussions et les travaux en équipe, je dis toujours ce que je crois être l'opinion générale. Si l'on me contredit, je cède tout de suite. Je passe ainsi pour un bon gars, brillant mais sympathique quand même. Ils pensent que je suis un bûcheur, une mémoire, mais pas plus. Ils croient tous qu'ils me sont supérieurs, même si je suis le premier de la classe. Ils en connaissent tous des comme moi, toujours premiers à l'école et plus tard, bons derniers dans la vie. Ils me regardent en souriant. Ils me laissent l'école et ils prennent la vie.

S'ils savaient qui je suis, tout au fond de moi, ils auraient tous très peur. Un jour, je devrai montrer qui je suis et cela, à la face du monde entier.

A la torture de l'école a succédé la torture de la famille. Comme à chaque 17 juin que le soleil ramène, ma mère se croit obligée de me faire un gâteau avec des chandelles. Elle réunit toute son immense famille de quatre personnes et l'on parle et l'on chante avec un naturel qui m'arrache les tripes. C'est le seul jour de l'année où je prends plus d'importance que ma soeur Irène. Et ça me fait très mal.

Pourquoi fête-t-on l'anniversaire de naissance de quelqu'un? Voilà une autre chose obscène, stupide et grotesque. Comme si on avait un certain mérite à être né, à telle heure, tel jour, en telle année. Comme si on avait un certain mérite à vieillir. Rien de plus ridicule. Tout le monde a un anniversaire. Même un ver de terre, même une mouche, un rat, tout le monde. On fête quelqu'un parce qu'il a réussi à naître, bien malgré lui, avec le concours de la nature, de sa mère, du médecin. Mais personne n'a réussi à naître tout seul, pas même moi. Alors, où est le mérite?

Le jour de notre anniversaire de naissance, nous devrions garder le silence une minute ou deux pour le futur mort que nous serons un jour ou l'autre. On devrait s'excuser d'être né en attendant de faire quelque chose d'utile de cette naissance. Et puis, si tout le monde foutait la paix à tout le monde, le monde ne s'en porterait que mieux.

Ce matin, exception à la règle, il a fallu que ma mère vienne frapper à ma porte en chantant du bout des lèvres: « Bonne fête, Gontran! » Pendant le déjeuner, elle m'a promis une belle surprise pour le souper. Irène m'a regardé par en-dessous pour bien me faire sentir qu'elle était complice de ma mère dans cette surprise. Mon père n'a pas levé les yeux. Comme tous les matins, il lit son journal. Ce n'est pas le journal du jour mais celui de voici trente ans passés. Je jette un coup d'oeil: « Le 17 juin 1942.»

Mon père ne vit plus à notre époque. Il s'est réfugié dans son univers propre, celui de 1939-45. Chaque jour, le matin comme le soir, il lit le journal jauni et fripé qui a paru à la même date voici vingt-cinq ou trente ans. Il lit le journal de la première ligne à la dernière, de la première page à la dernière, sans sauter le moindre détail.

Tout en avalant mes céréales, je l'ai observé ce matin. Son visage de cire est scellé par de longues rides très creuses. Il a des yeux bleus délavés par la peur de vivre, de vivre avec notre époque qui n'est plus la sienne. Son sourire, lorsqu'il sourit, est éteint par de longues dents jaunes. Ses pensées et son âme doivent être jaunes comme son journal. Tout à coup, il a levé les yeux sur moi et il a dit: — C'est pas croyable, ça pousse, ça pousse, bon dieu, que ça me fait vieillir!

C'est la seule parole intelligente que j'aie entendue de toute la journée. Puis mon père est retourné à son journal. Je le fais vieillir. Et il ne veut plus vieillir. Il recule dans le temps pour se rajeunir l'âme. Dans le journal « d'aujourd'hui », Hitler annonce qu'il va écraser l'Angleterre. Quel homme, cet Hitler! Hier, j'ai justement achevé de lire une de ses biographies. Quel homme à côté des politiciens actuels toujours en veine de verbiages et de papotages!

Ma mère tourne autour de nous, versant le café. Elle ne grogne jamais le matin. Elle va et vient, emballée dans ses beaux principes, ficelée dans ses habitudes poussiéreuses. Elle accepte l'univers rétrograde de mon père, elle s'y coule, s'y sent à l'aise. Elle aussi ne veut pas vieillir. Et le silence familial fond dans quelques paroles banales, comme c'est l'habitude dans toutes les bonnes familles: « Tu as bien dormi? Quel temps fait-il ce matin? »

Ce soir, le repas de mon anniversaire s'est déployé dans toute sa splendeur: dinde, vin, gâteau, chandelles et la conversation interminable à faire vomir un estomac affamé. Comme toujours dans les grandes circonstances, on ressasse les exploits militaires des ancêtres vivants et morts. D'abord, l'arrière-grand-père, qui a servi comme zouave pontifical pour défendre le pape. Puis le grand-père, qui s'est battu contre les Prussiens de '14 et mon père, contre les Prussiens, devenus Nazis, dans la deuxième guerre mondiale. On vante les exploits de chacun. On raconte en détails les tueries de la guerre. On exalte les vertus des guerriers: courage, détermination, sang-froid et surtout l'implacable haine de l'ennemi. Quand je dis « on », il s'agit bien sûr de mon père qui se livre à un interminable monologue entrecoupé par nos questions. Il nous raconte son journal du matin.

On termine le tout par une longue plainte sur notre pauvre présent. Notre minable époque avec ses petites guerres ratatinées, ses petits « points chauds », ses attentats sournois, ses ridicules détournements d'avions. Ce n'est plus la glorieuse guerre, c'est la guérilla et encore, une petite guérilla. La jeunesse ne peut plus s'épanouir. Elle tourne sans cesse en rond sur elle-même. Elle s'hypnotise sur sa fausse liberté et sombre dans l'alcool, la drogue, dans une violence rose bonbon et pétaradante. La jeunesse ne sait plus ce qu'est un guerrier, un vrai.

Je n'en pouvais plus. J'avais envie de vomir mon souper. Ma mère approuvait mon père; Irène approuvait les deux sans trop savoir. Ils m'entraient tous par les oreilles et je n'arrivais pas à m'isoler au milieu d'eux. Irène s'esclaffait comme une idiote à chaque propos de mon père et de ma mère. Mais je me suis maîtrisé, une fois de plus. Devant les autres, il faut que je garde mon image de garçon modèle.

J'ai soufflé les chandelles d'un seul coup et j'ai avalé tout sec le morceau de gâteau qu'on avait jeté dans mon assiette. Alors, ce que je redoutais le plus est arrivé, fatalement. Ma mère s'est mise à étaler son espoir de me voir un jour devenir officier dans l'armée canadienne. Je devrais y songer sérieusement. Je suis déjà sur la bonne voie. Je réussis bien à l'école. Je pourrais faire une demande durant l'été et entrer dans un collège militaire au début de l'année scolaire.

J'ai fait signe que oui. Comme d'habitude. Au fond, je désire de toutes mes forces devenir un officier dans l'armée. Je veux commander aux autres. Les dominer. Tuer un jour et ordonner de tuer. Je veux montrer enfin qui je suis: un être supérieur. Mais cette façon qu'a ma mère de me pousser dans l'armée m'exaspère au plus haut point.

Ma mère engluée, agglutinée dans son arthrite, emprisonnée dans sa cage d'os réfractaires et d'articulations paresseuses, a trouvé encore la force de s'en prendre à la jeunesse d'aujourd'hui, ces jeunes avec leurs cheveux qui leur dégoulinent sur les oreilles et jusque dans le cou, avec leur tête minable « entourloupée » de queues de rat. . . J'avais le juron cloué au fond de la gorge.

J'ai regardé mon père pour reprendre possession de moi-même. Ses yeux étaient vides et creux. Il a déployé son journal jauni qui n'a même plus la force de craquer un peu. Les doigts jaunis par la nicotine tenaient mollement le vieux papier qui lançait des reflets jaunes dans les yeux de mon père.

Irène s'est précipitée au salon pour ouvrir le téléviseur. L'appareil s'est mis à baver son épaisse pâte d'images, à déverser sa lave chaude de nouvelles noires: meurtres, attentats, ultimatums. . . Écoeuré, je me suis jeté dans l'escalier, sans remercier, et je me suis réfugié dans ma chambre où j'ai lubrifié mon aride solitude avec la Neuvième de Beethoven.

A la sortie de l'école, cet après-midi, Franz m'a invité à prendre un verre à la taverne. Nous sommes restés une grosse heure face à face, sans dire un mot. Il a ouvert une seule fois la bouche pour prononcer d'une façon sinistre: « Vieillir.» Ce mot prononcé par Franz m'a donné le frisson. Pour moi, ce n'est pas la peur de la vieillesse, ce serait ridicule à mon âge. Non, c'est la peur d'entrer dans le monde adulte.

Il ne me reste que trois ou quatre ans à vieillir. Après je serai vieux jusqu'à la mort. Mais je sais que je n'entrerai jamais dans leur sale monde adulte. Quand un fossé trop grand sépare deux générations, il y a toujours une génération qui se retrouve au fond du fossé.

4

23 juin 1973.

Je n'ai jamais eu d'amis. Je n'ai que des parents et des camarades. D'ailleurs, je n'ai jamais voulu d'amis. Un ami, ça vous ronge tranquillement, ça vous entrouve, ça vous regarde en dedans et parfois ça entre et même que ça entre profondément. Un ami, ça vient vous sucer l'intérieur, vous grignoter l'intimité. Je n'ai jamais voulu avoir d'ami. A quoi ça sert, un ami, je me le demande?

Le soir, après le souper, je sors toujours. Surtout lorsqu'il fait beau. Mais je sors même en plein hiver lorsqu'il fait très froid et surtout lorsqu'il y a une tempête de neige. J'en fais alors une question de volonté. Je regarde par la fenêtre du salon et je me dis: « Comme il ferait bon rester à la maison bien sagement au chaud. » Alors mon autre moi me dit: « Non, sors, espèce de pâte molle. » Et je sors dans la tempête, le froid ou la pluie.

Je me rappelle un certain soir. C'était en avril dernier. Il pleuvait à boire debout. L'hiver fondait lentement dans le printemps. La neige était grise partout. Je suis sorti et j'ai pris la direction de nulle part. Je me laissais dériver dans mes pensées qui allaient de l'école à la famille, du passé à l'avenir. Je rêvais tout haut, tout éveillé. Et c'était bon! Il n'y a rien de meilleur que l'ivresse de se sentir seul et content de l'être. Dans ces moments, je me sens heureux en ma seule compagnie.

Je rencontrais de temps à autre des gars, des filles, par deux ou par bandes. Ils me regardaient comme si j'étais un animal bizarre. C'était un vendredi soir. Ils allaient organiser des « parties » chez l'un ou l'autre d'entre eux malgré le mauvais temps ou surtout à cause du mauvais temps. Je ne les enviais pas. Tout au contraire.

Je sùis finalement arrivé au petit centre commercial du quartier. Je me suis promené devant les vitrines de chacun des magasins. Je n'étais pas attiré par le restaurant et ses « machines à boules ». Les gars qui s'agglutinaient aux tables avec des filles avaient les cheveux longs. De grandes mèches comme des queues de rats sales s'entortillaient autour de leurs oreilles et glissaient dans leur cou. Ils étaient dégueulasses. Autour des machines à boules, d'autres gars grouillaient comme des fourmis.

Je me suis arrêté devant le magasin de tabac. Dans la vitrine, il y avait un journal porno avec une belle grosse fille blonde qui faisait déborder deux gros seins de son corsage trop serré. Un autre journal affichait en première page la photo d'un bandit criblé de balles, étendu dans sa chambre de motel où les policiers l'avaient surpris en pleine action. L'amour puis la mort. Quoi de plus beau?

Je suis entré. J'avais un peu de monnaie en poche. Je voulais choisir un journal ou une revue qui m'en donnerait pour mon argent. Du bout du doigt, je me suis mis à feuilleter journaux et revues. Je m'arrêtais longuement sur les photos pornos que je dégustais d'un oeil gourmand. De temps à autre, je jetais un coup d'oeil autour de moi pour voir si l'on m'observait.

Le marchand s'ennuyait à son comptoir et semblait avoir hâte que je choisisse quelque chose. Dans le magasin, il n'y avait qu'un autre client. Un garçon très grand, très mince, très noir, frisé, les cheveux longs mais bien distribués autour de sa tête étroite, presque cubique. Il a dû sentir mon regard posé sur lui car il a levé lentement les yeux: du feu! J'ai détourné la tête et j'ai continué à feuilleter du bout du doigt les revues.

Mais tout s'embrouillait autour de moi. Je n'arrivais pas à fixer mon attention sur quelque chose. Les pages passaient devant mes yeux et je continuais à le voir. Quelque chose s'était subitement disloqué en moi. Était-ce son regard ou l'ensemble de sa personne qui me troublait à ce point? Je n'avais jamais vu des yeux se poser sur moi avec une telle intensité, une telle attention, une telle dureté et une telle chaleur aussi. D'habitude, les gens me regardent comme si j'étais de trop dans leur champ de vision. Lui, il me donnait un surcroît d'existence, un surplus de réalité. J'aurais voulu lui parler ou l'écouter. Mais je n'ai jamais eu besoin de parler à quelqu'un d'autre que moi. Je n'ai jamais osé aborder quelqu'un. Ce n'était pas le moment de commencer. Qu'est-ce qui m'arrivait? Si ç'avait été une fille au moins, j'aurais compris un peu. Mais ce grand garçon noir? Pourquoi? Pourquoi?

Pour vaincre mon trouble, j'ai pris une revue au hasard et je l'ai déposée sur le comptoir. J'ai sorti de mes poches toute la monnaie que j'avais. Mais il en manquait. Cette revue était vraiment très chère. Je n'avais pas eu le temps de regarder le prix. Je suis allé replacer la revue sur les tablettes. J'ai jeté les yeux sur les différents prix.

J'en avais choisi une lorsqu'il s'est approché de moi. Il m'a enlevé la revue des mains, l'a déposée, en a pris une autre et me l'a tendue sans dire un seul mot. Une seconde fois, mon regard a heurté le sien et le choc a été encore plus terrible que la première fois.

Je tenais la revue, sans bouger, en le regardant en silence. Un moment, j'ai cru qu'il avait souri. Mais son sourire était si mince qu'il aurait tout aussi bien pu être une grimace. Pourtant, je ne pouvais pas croire qu'il se moquait de moi. Ses yeux ne souriaient pas. Ils étaient durs comme de l'acier.

J'ai payé la revue et je suis sorti comme si j'étais poursuivi par un monstre. Lorsque je suis passé devant la vitrine, nos regards se sont à nouveau frappés. La dureté de ses yeux très noirs a traversé la vitrine comme une balle. J'étais troublé et je ne savais pas pourquoi.

Je suis revenu à la maison, dans ma chambre, au sous-sol, presque en courant. Je me suis jeté sur mon lit, en sueurs, à bout de souffle et je me suis alors senti très heureux comme si j'avais échappé à un grand danger. Subitement, sans raison, je me suis mis à pleurer et je ne savais pas pourquoi. Je me sentais à la fois heureux et malheureux sans la moindre cause. Je me suis aperçu que je tenais, pressée contre ma poitrine, la revue que le garçon très grand et très noir m'avait tendue.

Je l'ai ouverte. Je l'ai feuilletée. Au début, les images passaient devant mes yeux brouillés par les larmes comme dans un rêve lointain. Je n'avais jamais vu de pareilles photos. Ce que j'achetais d'habitude, c'était des nus et encore des nus, dans toutes les positions possibles et impossibles. Mais cette fois, à mon grand étonnement, je voyais des scènes de sado-masochisme. Et tout cela avec un réalisme, un luxe de détails inimaginables.

J'ai refermé la revue et je l'ai lancée à l'autre bout de ma chambre. Les yeux du garçon noir et cette revue venaient de réveiller en moi des forces et des instincts que je ne me connaissais pas encore. J'avais peur de cette découverte. Tout tournait dans ma tête et dans mon corps. Je ne pouvais plus lire en moi-même. J'étais furieux d'être troublé à ce point. Les autres, ça ne sert qu'à vous mettre dans le trou et à vous y maintenir.

Ce soir-là, je me suis endormi très tard. J'avais des devoirs et des leçons à faire. Un examen de chimie pour la semaine suivante. J'ai décidé d'expédier le tout aux petites heures du matin, avant de partir pour l'école.

Longtemps, lentement, pendant des heures, couché sur mon lit, l'âme et le corps tendus, j'ai examiné une à une les photos de la revue. Finalement, elle a glissé de mes mains et je me suis endormi.

Le lendemain, j'ai refait le même trajet. Chez le marchand de tabac, il n'y avait personne lorsque je suis entré. D'abord, j'ai été déçu. Toute la journée, j'avais revu mille fois les grands yeux noirs qui m'avaient transpercé comme des épées de feu. Toute la journée, je m'étais préparé à recevoir ce regard, à le soutenir.

J'ai profité de l'occasion pour parler seul à seul avec le marchand. Je lui ai demandé s'il connaissait le grand garçon noir de la veille. Il a eu d'abord un petit sourire puis sa physionomie s'est mise à faire des mystères. Il ne semblait pas vouloir répondre. J'ai insisté.

— Il s'appelle Pierre Tremblay. C'est son vrai nom.

Je me suis demandé pourquoi le marchand avait ajouté: « C'est son vrai nom. » Au moment, où je n'attendais plus aucun renseignement de sa part, le marchand a ajouté:

— Il vient souvent ici. Il passe des heures et des heures à feuilleter tous les journaux de fesse, toutes les revues pornos. Il finit toujours par acheter une pile de journaux et de revues. Il doit en avoir une jolie collection.

Le marchand s'est arrêté. Il ne voulait plus rien dire. Il ne l'avait jamais vu ailleurs. Il ne connaissait pas ses parents. Franz venait toujours seul. Franz ne parlait à personne.

Juste à ce moment, j'ai vu le garçon noir passer devant la vitrine. Nos regards se sont entrechoqués. Il s'est arrêté net, la main sur la poignée de porte. Il devait sentir qu'on parlait de lui. Je suis resté interdit et le marchand a fait semblant de replacer des cartouches de cigarettes derrière son comptoir. Je me suis dirigé vers les revues et j'ai commencé à chercher comme la veille au soir.

Le garçon noir est entré et s'est planté près de la porte, légèrement appuyé contre le mur. Je sentais qu'il m'observait. Il avait peut-être l'intention de me faire un mauvais parti. Je n'avais pas peur de me battre. Malgré mon air efféminé, j'ai livré plusieurs combats dans la cour de l'école, aux coins des rues ou devant la porte des restaurants. J'en ai surpris plusieurs au cours de ces combats. Mes ongles ont beau être un peu longs et très propres, mes poings n'en frappent pas moins solidement. Non, je n'avais pas peur de me battre même contre un gars un peu plus âgé et un peu plus grand que moi.

Pourtant, une sueur froide glissait le long de mes tempes. La seule idée de me battre avec ce grand garçon noir me terrifiait. Je m'en sentais complètement incapable sans savoir exactement pourquoi. Je n'aurais pu frapper cette silhouette dure, tranchante et en même temps fragile, parce que c'était lui, tout simplement. Au contraire, j'étais résolu à me laisser battre par lui jusqu'à ce qu'il tombe de fatigue. J'aurais même été heureux de me faire rouer de coups sauvagement et cruellement. Je me voyais déjà rouler dans la boue, traversé par la pluie qui tombait encore ce soir-là, la bouche en sang et un sourire dans les yeux. Et cette sueur qui coulait de plus en plus abondamment sur mes tempes!

Je sentais toujours son regard. Je ne voulais pas qu'il apercoive la sueur sur mon front. En replaçant une revue, j'ai esquissé rapidement un geste pour l'essuyer. J'ai fait mine de me moucher tout en m'essuyant discrètement. J'ai choisi une revue, l'ai payée et me suis dirigé vers la porte.

En passant devant lui, mes yeux ont été happés par les

siens. Comme j'ouvrais la porte, un sourire a glissé sur ses lèvres et il m'a murmuré à l'oreille:

— Je m'appelle Franz.

Sa voix chaude et profonde m'a bouleversé autant que son regard. J'ai failli trébucher sur le seuil de la porte. J'ai retrouvé l'équilibre au moment où la porte me mordait les talons. J'ai titubé sur le trottoir. J'imaginais son regard toujours planté dans mon dos. Mais il ne s'était sans doute même pas retourné. Et dire que j'avais imaginé qu'il voulait me faire un mauvais parti!

Je suis revenu sur mes pas furtivement. Je l'ai aperçu au fond du magasin en train d'empiler des revues sur son bras. Il semblait tout à fait absorbé par sa tâche. Il m'avait déjà complètement oublié. J'avais beau m'agiter devant la vitrine, il ne me voyait pas.

Alors, j'ai repris lentement la direction de chez moi. Mais je savais au fond de moi-même que je ne voulais pas rentrer dans ma chambre tout de suite. Pour la première fois, j'avais besoin de quelqu'un.

Malgré moi, je l'attendais, sans vouloir me l'avouer. Et lui, il savait que je l'attendais. Je pestais contre moi et ce besoin subit de communiquer avec un autre. Je voulais me refermer, mais quelque chose m'entrouvait malgré moi.

Tout à coup, je l'ai senti derrière moi qui s'approchait. Son ombre dans la lumière des réverbères s'allongeait devant moi. Peu à peu, il approchait. Il ne semblait pas pressé. Je ne savais pas comment l'aborder. Il était capable de passer devant moi sans même me regarder. Je devais, de toute urgence, trouver quelque chose à dire pour le retenir. Lui parler! Voir encore ses yeux! Entendre sa voix!

Il était déjà trop tard. Il passait justement sans même me jeter un coup d'oeil, sans même me voir, comme si j'avais été un arbre, une pierre. Je me suis précipité; j'ai dû crier quelque chose. Je ne sais plus. Il s'est arrêté. J'ai couru. J'ai presque buté contre lui, risquant de le renverser. Alors, à mon grand étonnement, j'ai retrouvé tout mon sang-froid. Je ne me suis pas excusé. Je me suis fait dur, fermé, et je lui ai lancé à la figure:

— Tu ne t'appelles pas Franz! Tu t'appelles Pierre Tremblay.

Il m'a regardé longuement. Il a souri comme si ma phrase l'amusait. Puis il m'a dit:

— Pour toi, je m'appelle Franz. Pour toi, je suis Franz.

Puis il a disparu dans l'obscurité de la rue avec une telle rapidité que je suis resté immobile, planté là comme un idiot, roulant dans ma tête toujours la même phrase:

— Pour toi, je m'appelle Franz. Pour toi, je suis Franz.

5

Un grand garçon maigre, aux cheveux frisés très noirs, se tenait devant Fortier. Il fumait nerveusement une cigarette et suivait du regard les moindres gestes du commissaire.

— Ton nom est bien Pierre Tremblay?

Oui, je m'appelle Pierre Tremblay et je n'ai jamais porté d'autres noms.

— Pourtant, Gontran, dans son journal, t'appelle Franz. Est-ce qu'il te donnait ce nom par simple fantaisie personnelle ou bien est-ce toi qui le lui a imposé, en quelque sorte?

Le garçon parut surpris. Il resta silencieux un moment. Il se demandait s'il avait bien entendu la question ou si le policier voulait le faire marcher.

— Frank?

— Non, pas Frank, mais Franz comme dans Franz Kafka. Ça ne te dit rien?

Le ton de Fortier était légèrement ironique. Il laissait entendre qu'il en savait beaucoup plus que le garçon pouvait le croire. Le commissaire se leva, marcha jusqu'à l'adolescent, le contourna et se plaça juste derrière lui.

— Je n'ai jamais entendu parler de ce Franz. Vous voulez sans doute me faire avouer des choses. Je connaissais très peu Gontran Gauthier. Je ne peux pas vous éclairer beaucoup sur son caractère . . . sur sa personnalité. Je n'ai rien à voir avec cette triste histoire de déséquilibré.

Fortier remarqua que Pierre, malgré son apparente nervosité, gardait tout de même la maîtrise de lui-même. Il avait d'abord pensé que ce serait un jeu d'enfant de le faire parler. Mais il commençait à croire que l'interrogatoire pourrait être très long.

— Réponds plutôt à ma question. Connais-tu l'écrivain Franz Kafka?

— Non. Je lis très peu et quand je lis, ce sont surtout des bandes dessinées.

— Lis-tu des bandes dessinées érotiques de temps à autre?

Fortier avait lancé la question comme une flèche. Il ne l'avait pas préparée, mais il avait sauté sur l'occasion. Planté devant Pierre, il ne perdait aucune de ses réactions. Celui-ci eut un léger sourire dans les yeux mais ses lèvres demeurèrent pincées.

— Ça peut arriver quelquefois, mais je ne suis pas un obsédé sexuel, si c'est cela que vous voulez dire.

— Mon cher Pierre, tu sembles être sur la défensive. Tantôt tu te défendais d'être mêlé à cette histoire et maintenant tu te défends d'être un obsédé sexuel. Pourtant, personne ici ne t'a encore accusé de quoi que ce soit. Réponds plutôt à mes questions directement et avec exactitude.

— Dans son journal personnel, que nous avons trouvé dans sa chambre, Gontran parle de toi. Il te désigne toujours sous le nom de Franz, sauf au début, où il mentionne ton vrai nom. Il prétend que tu es un adorateur de Kafka. Comment expliques-tu cela?

Le frêle adolescent resta un long moment songeur. Puis il laissa couler un profond soupir.

— Je ne sais pas, moi. J'ai rencontré quelques fois Gontran à la taverne et dans le parc. Il m'a toujours paru bizarre. Il parlait souvent de ses nombreuses lectures et j'aimais ça l'écouter parler de Kafka, d'Hitler, de Staline, de Sade et de bien d'autres.

— Alors pourquoi as-tu dit tout à l'heure que tu ne connaissais pas Kafka?

— Je ne le connaissais pas avant de rencontrer Gontran. Lorsque vous m'avez demandé ça tantôt, j'ai eu comme un trou de mémoire, c'est tout.

— Dans son journal, Gontran dit qu'il ne parlait jamais lors de vos rencontres ou très peu. Il s'agissait plutôt d'une sorte de dialogue silencieux entre vous. Comment peux-tu prétendre qu'il parlait tellement?

Le jeune Pierre Tremblay semblait ennuyé par toutes ces questions qui lui paraissaient parfaitement idiotes. Il finit par répondre:

— Gontran était une sorte de rêveur. C'est tout. Il inventait des personnages dans son journal en partant des gens qu'il connaissait et peut-être même qu'il en créait de toutes pièces. Dans nos conversations, il me parlait de toutes sortes d'aventures extraordinaires qui lui étaient supposément arrivées. Je n'en croyais pas un mot. Mais c'était intéressant et tellement vrai quand il me les racontait. Qu'est-ce que vous voulez que je vous dise de plus? C'était un garçon correct, mais parfois étrange. Son journal, c'était un roman. C'est tout.

Fortier commençait lui aussi à croire que ce Gontran était une sorte d'imagination en folie. Mais il y avait quelque chose qui clochait dans les réponses du jeune Tremblay.

— Est-ce que tu connais le marchand de tabac du petit centre commercial?

— Oui, bien sûr. Je vais acheter mes cigarettes chez lui.

— Est-ce que tu achètes aussi des revues et des journaux pornographiques dans ce magasin?

— Ça m'est arrivé. La plupart des garçons en achètent. Il n'y a rien de mal là-dedans.

Fortier commençait à en avoir assez. Le ton de l'adolescent devenait un peu trop insolent. Il attaqua, cette fois avec agressivité.

— Dans son journal, Gontran raconte que tu lui as fourni un vibro-masseur, une poupée gonflable et des menottes. Est-ce vrai?

— Jamais je n'ai apporté des choses comme ça à Gontran. Nous en avons parlé quelquefois. Il semblait très curieux de connaître ces genres de trucs. Mais comme je n'en ai aucune expérience moi-même, je ne pouvais pas lui donner de renseignements. Je vous le répète, je ne suis pas un obsédé sexuel, mais je commence à penser que Gontran l'était drôlement, lui.

Fortier se demandait si Pierre Tremblay disait la vérité. C'étai peut-être trop facile de nier et de faire passer le journal de Gontran pour un petit roman sorti de l'imagination enfiévrée d'un adolescent trop rêveur.

— Connais-tu un certain Jérôme, peintre et sculpteur à ses heures?

— Oui, je le connais. C'est même un de mes amis.

— Toujours dans son journal, Gontran raconte que dans

l'atelier de Jérôme, le 15 août au soir, toi, Jérôme, une certaine Noire nommée Angella, Rachelle, une camarade de classe, et deux gaillards qu'il n'a pu identifier, vous vous seriez livrés à une séance de sadisme sur sa personne.

— Non, c'est absolement faux. Il n'y a rien de vrai là-dedans. Je vous l'assure. Il est vrai que Gontran est venu quelquefois dans l'atelier de Jérôme. Il prenait plaisir à regarder les filles nues qui posaient comme modèles. Jérôme fermait les yeux et le tolérait. Il y avait des filles qui n'aimaient pas ça, bien sûr. C'est moi qui lui ai fait connaître Jérôme. C'est tout.

— Est-ce vrai que Gontran t'a déjà emmené voir dans une certaine rue Dupont cette jeune prostituée noire Angella?

— Gontran m'a parlé une fois de cette négresse. D'après ce qu'il en disait, elle était très belle et je me demande s'il n'était pas amoureux d'elle. J'avoue que je lui ai demandé de me la présenter, mais il n'a pas voulu. Je n'ai jamais vu cette Noire.

Fortier commençait à sentir vaciller ses plus belles certitudes. D'un côté, le journal de Gontran avait un tel accent de vérité et de sincérité qu'il était difficile de ne pas y croire. Par ailleurs, cet adolescent frêle, assis devant lui, avait lui aussi un accent de sincérité très convaincant. Qui des deux, Gontran ou Pierre, pouvait bien dire la vérité? Peut-être disaient-ils tous les deux la vérité mais en partie seulement et à leur manière, ce qui impliquait aussi de part et d'autre une bonne dose de mensonge ou d'« imagination »? Le commissaire alluma une cigarette, en offrit une à Pierre et reprit son interrogatoire.

— Selon toi, Gontran était-il capable de commettre de telles atrocités? L'as-tu soupçonné un seul instant de préméditer une vengeance pareille?

— Non, Gontran, je le répète, était un garçon bizarre. Mais il ne m'a jamais paru capable de telles atrocités. Il donnait, dans l'ensemble, l'impression d'être un garçon modèle, bien rangé, complexé un peu plus que la moyenne. Mais il faut dire qu'il passait de temps à autre dans ses yeux des lueurs inquiétantes lorsqu'il regardait une femme ou une fille. Il semblait constamment réprimer en lui une force qui n'osait pas exploser.

— Tu es allé chez Gontran. Est-ce que tu es entré dans sa chambre?

— Oui. Il y avait des posters de femmes nues sur tous les murs. Remarquez que ça arrive souvent dans les chambres de garçons de notre âge. Il n'était pas le seul. Mais les posters de Gontran étaient différents. Il semblait donner sa préférence à des posters représentant des femmes complètement nues qui avaient des poses très provocantes. J'ai été moi-même très surpris de constater qu'il en avait une collection remarquable. Et puis . . . il y avait son ensemble de sado-masochisme, la poupée, son couteau et les menottes. Oui, la chambre de Gontran était aussi étrange que lui et ça faisait un peu peur.

Fortier gardait ses questions les plus coriaces pour la fin.

— As-tu déjà posé nu dans une revue que Gontran mentionne dans son journal?

— Je n'ai jamais entendu parler de cette revue. Je ne sais vraiment pas de quoi il parle. Je commence à croire que Gontran était une sorte de visionnaire. Il s'imaginait vivre des choses et voir des personnes qui n'existaient que dans son imagination.

Fortier écrasa son mégot dans un cendrier et fixa Pierre Tremblay de ses yeux d'acier. Il lança alors sa dernière offensive.

— Ou bien, c'est toi, Pierre, qui es un négateur professionnel. Depuis le début de cet interrogatoire, tu persistes à nier des faits que Gontran raconte avec minutie et dans les moindres détails. On croirait y être soi-même tellement son journal a l'accent de la sincérité et du vécu.

Le commissaire fit une nouvelle pause et observa attentivement l'effet de sa remarque sur Pierre. Celui-ci était en proie à une évidente nervosité mais il soutint avec fermeté le regard de Romuald Fortier.

— Une dernière question. Crois-tu que malgré tes dénégations, tu sois un obsédé sexuel comme Gontran?

La question était directe et Pierre tressaillit avant de répondre.

— Je ne sais pas exactement ce que vous entendez par obsédé sexuel. Donnez-moi une définition exacte et je vous répondrai.

— Tu peux te retirer pour le moment mais tiens-toi à ma disposition. J'aurai peut-être d'autres questions à te poser plus tard.

6

2 juillet 1973.

Je viens de terminer la vie de Staline en trois tomes. Quel homme! Un jour, je voudrais devenir un homme supérieur comme lui. Non pas un homme célèbre, un grand homme, mais un homme supérieur. Je sais ce que ça veut dire. Sinon, la vie n'en vaut pas la peine.

Autour de moi, le silence, comme une bave grise, s'égoutte lentement. J'ai remis sur mon tourne-disque la Neuvième de Beethoven. Je pourrais écouter ce disque des centaines de fois sans m'en lasser. Je joue ainsi parfois à circonscrire ma solitude, à lui mettre des frontières, à la resserrer en imagination, rue par rue, jusqu'à la maison, puis jusqu'à ma chambre, cette solitude comme du givre sur mon âme.

Aujourd'hui, je suis retourné au cinéma du quartier. Il y avait un film qui en promettait de toutes les couleurs. Il s'agissait d'une histoire nazie. Un jeune officier allemand, tout efféminé, tout blond, beau comme un dieu, s'amusait à piéger les femmes durant l'occupation de Paris. Il se promenait dans les rues et lorsqu'il apercevait une Française bien tournée et à son goût, il la suivait. Il s'arrangeait pour savoir d'une façon ou d'une autre où elle demeurait.

Quelques jours plus tard, la jeune Française en question recevait la visite des SS. On venait l'arrêter pour une vague accusation de conspiration ou de liaison avec le maquis. On l'amenait aux quartiers généraux du jeune officier et on la livrait à son plaisir. D'une femme à l'autre, il inventait toujours de nouvelles formes de jeux. C'était une sorte d'impuissant. Il finissait toujours par se satisfaire lui-même en présence de la jeune femme et il la renvoyait.

Malgré moi, j'ai cherché du regard la femme noire dans la trentaine qui m'avait troublé l'autre jour. Le film était passionnant, mais je n'arrivais pas à fixer mon attention.

Vers le milieu du film, une silhouette féminine s'est approchée dans la pénombre et a pris place à mes côtés. Je lui ai jeté un regard oblique. C'était une jolie brunette dans la vingtaine. Elle ressemblait à Rachelle. J'ai attendu plusieurs minutes avant de glisser ma main contre la sienne. Lorsque nos deux petits doigts se sont effleurés, elle a retiré sa main comme si une vipère l'avait mordue.

Sur l'écran, le dénouement approchait. Un travesti tendait un piège au jeune officier. Le travesti était formidable. Il incarnait la femme fatale par excellence.

Le jeune officier est tombé dans le panneau. Il a fait arrêter le travesti. Mais au moment du déshabillage, quelle surprise!

A ce moment du film, j'ai constaté que la jolie brunette était complètement entrée dans le jeu. Elle jouissait visiblement de la scène du travesti. Alors j'ai eu une audace incroyable. J'ai posé ma main sur la sienne. Trop prise par le film, elle n'a pas senti ma main. J'ai poussé l'audace encore plus loin et je lui ai caressé le genou. Elle ne remarquait toujours pas mon manège. Puis, j'ai relevé lentement sa robe le long de la cuisse.

Vers la fin du film, le travesti a planté son couteau dans le coeur du bel officier. La brunette a frémi d'horreur. J'ai reçu une tape vigoureuse sur la main. Je n'ai pas insisté. L'aventure était terminée. La brunette était de cette race de filles qui font l'amour avec l'écran mais qui détestent le moindre attouchement d'un garçon.

J'étais déçu, profondément déçu. Mais en même temps, j'étais très content de moi. J'avais poussé l'audace très loin et elle m'avait repoussé. Si elle m'avait laissé continuer, je n'aurais pas eu le cran d'aller plus loin. J'aurais eu honte de me retirer sans raison. Ma victoire aurait tourné à la défaite.

Le film terminé, je me suis levé. Les lumières ont fusé de toutes parts. En me retournant, elle était là, juste dans la rangée derrière moi, la dame noire. Elle me regardait avec un sourire sur les lèvres et dans les yeux.

J'étais debout, immobile, à la contempler comme si elle avait été une apparition. Elle est restée assise pendant tout ce temps, à me regarder comme si elle m'attendait depuis le début. Puis, elle s'est levée et est sortie sans se retourner pour vérifier si je la suivais.

Je lui ai emboîté le pas de loin. Nous avons marché longtemps d'une rue à l'autre pour finalement arriver dans le quartier des maisons-appartements.

Là, j'ai eu peur qu'elle ne se retourne avant d'entrer dans l'immeuble et qu'elle ne s'aperçoive que j'étais à ses trousses. Je me suis caché derrière une auto stationnée.

Avant d'entrer, elle s'est effectivement retournée pour balayer la rue du regard. Personne! De loin, j'ai cru discerner sur son visage une sorte de surprise d'abord, puis de la déception. Elle est entrée et la porte s'est refermée sur elle. Je restais là, caché derrière l'auto à me demander ce que j'allais faire. Je pouvais m'en retourner et rêver à ce qui serait arrivé si j'avais eu la force de la suivre. Je ne savais pas au juste ce que je voulais, ce que je désirais.

Mais une force obscure me poussait. Aujourd'hui, c'était mon jour d'audaces. Je me suis dirigé vers la porte. En touchant la poignée, j'ai hésité un peu. A mon tour, j'ai balayé la rue du regard. Peut-être quelqu'un m'avait-il épié. Ma conduite était étrange. Derrière chacune des fenêtres de ces innombrables appartements pouvait se dissimuler une tête curieuse. On pouvait me prendre pour un malfaiteur. Une âme zélée pouvait appeler la police et me signaler. J'ai hésité juste quelques secondes. Et j'ai poussé la porte.

Dans le hall, il faisait plutôt sombre. C'était un hall d'immeuble comme tant d'autres. Des escaliers juste en face. A droite et à gauche, des ascenseurs. Sur les côtés, des boîtes aux lettres avec les noms des locataires et une sonnerie pour appeler.

Une puissante curiosité me poussait à lire les noms qui se trouvaient à ma droite. C'était fou, j'en conviens. Comment deviner le nom de ma dame noire dans cette longue liste de locataires? Cette femme était sûrement mariée. Elle pouvait être aussi célibataire ou divorcée. Portait-elle seulement le titre de madame? Elle vivait peut-être avec une autre personne. Son nom ne figurait peut-être pas sur cette liste. Et même si je sonnais à toutes les portes où il n'y avait qu'un nom de femme, je pouvais ne pas être plus avancé. Et d'ailleurs, pourquoi tenter de retrouver cette femme? C'était idiot. Je ne savais pas quoi lui dire ni pourquoi elle me regardait comme ça du fond de son siège au cinéma. Je lui rappelais peut-être simplement quelqu'un.

Je pouvais lui poser toutes ces questions comme j'avais demandé le nom de Franz au marchand de tabac. Mais pourquoi? N'importe qui a le droit de regarder n'importe qui. Surtout dans un cinéma.

Ma curiosité l'emporta à nouveau. Je me suis tourné du côté gauche sans trop savoir pourquoi. C'est à ce moment que je l'ai aperçue, dissimulée dans l'ombre. Elle était légèrement appuyée contre le mur qui menait je ne savais trop vers quel corridor. Elle me fixait exactement avec le même regard qu'elle avait eu au cinéma dans son fauteuil. Avec le même sourire aussi.

J'ai dû rougir ou pâlir violemment. Je suis resté figé sur place. Alors elle s'est dirigée vers l'escalier et elle a commencé à gravir les marches une à une en se retournant de temps à autre vers moi, comme pour m'inviter à la suivre. Je ne voulais pas la suivre. Je sentais que je m'étais fourré dans un piège. Les mâchoires du piège se refermaient sur moi à chaque nouvelle marche qu'elle gravissait.

Je ne sais vraiment pas ce qui m'est arrivé aujourd'hui. Il y a des jours où l'on dirait qu'un autre agit à notre place, qu'un autre nous habite et nous possède entièrement. On ne veut pas dire ou faire ce qu'il nous dicte, mais on finit toujours par dire et faire comme il l'entend. Je sentais qu'il me fallait sortir et m'enfuir vers nulle part plutôt que de commencer à grimper cet escalier derrière elle. Et pourtant, avant que je ne puisse me décider, je m'étais déjà élancé derrière elle et je la suivais comme un petit chien.

Pendant de longues minutes, je l'ai suivie, marche après marche. Tout à coup, elle s'est arrêtée. Elle a repris son souffle, a jeté un regard vers moi et m'a souri. Puis elle s'est remise à grimper. Derrière elle, j'admirais ses jambes fuselées et la pénombre qui s'engouffrait sous sa robe. Elle s'est arrêtée encore et, sans me regarder, elle s'est dirigée tout au fond du corridor. Elle a sorti ses clés, a ouvert la porte mais sans entrer.

Je me suis arrêté à plusieurs pas d'elle, épiant le moindre de ses gestes comme sous l'empire d'une hypnose. Elle a levé les yeux et d'un geste, elle m'a invité à entrer.

Je suis passé devant elle. Elle a refermé la porte derrière nous. Sans dire un mot, elle est passée devant moi et s'est dirigée jusqu'à une autre porte. Elle est entrée. Moi, je suis resté sur place, attendant qu'elle me dise quelque chose. Cette attente m'a paru longue, interminable. Je n'entendais rien.

Ma curiosité m'a entraîné à nouveau au coeur du piège. Malgré moi, mes jambes avançaient. Malgré moi, je me suis retrouvé dans l'embrasure de cette pièce. Elle était là, debout, avec le même regard indéchiffrable, le même sourire aux lèvres. Elle m'attendait.

Je m'efforçais de formuler ma première question en la tournant dans tous les sens lorsqu'elle s'est mise à faire glisser sa robe de ses épaules. Cette fois, j'étais pris au piège. Je me débattais intérieurement entre les mâchoires du piège, mais il était trop tard. J'étais fait comme un rat. Je voulais fuir mais je restais là, planté comme un idiot, dans l'embrasure de la porte.

La robe glissait lentement de ses épaules, le long de ses beaux bras très blancs, mais sur ses hanches, elle hésita. La dame noire poussa un peu sur la robe qui chuta à ses pieds. Elle n'avait plus que son soutien-gorge et une petite culotte noire. Tout en me fixant comme un chat hypnotise un oiseau, elle a détaché son soutien-gorge et mes yeux ont été remplis par une merveilleuse vision: deux seins aux proportions normales, encore assez fermes, légèrement en forme de poire, avec des aréoles très grandes et des mamelons dressés, très noirs, ou peut-être bruns, je ne sais plus.

Pour me provoquer, elle s'est mise à se caresser les seins voluptueusement, toujours avec ce mince sourire sur les lèvres. A mesure qu'elle se caressait, ses yeux s'embrouillaient, son souffle se faisait plus court, plus haletant, son sourire tournait à la grimace douloureuse du plaisir. Un frisson secouait tout son corps. Alors elle a inséré chacun de ses pouces dans le bord de sa culotte et elle a fait glisser celle-ci jusqu'à ses pieds. Ses cuisses étaient fermes et admirablement fuselées comme ses jambes. La touffe de poils sur le pubis était très noire et très dense. Mes yeux voyageaient sur son corps avec une rapidité folle.

J'étais aveuglé par l'éclat glacial de sa chair blanche, j'étais étourdi par le soleil froid de son corps. Elle s'est remise à se caresser les seins. Je ne bougeais pas, fasciné par cette vision. Je me demandais si je rêvais. J'allais peut-être m'éveiller d'une seconde à l'autre et me retrouver tout fin seul au creux de mon lit solitaire. C'était sûrement encore un de ces rêves-cauchemars qui me poursuivent toutes les nuits jusqu'à mon réveil. Alors ses mains ont glissé sur son ventre et sont remontées à ses seins et redescendues sur ses cuisses et sur le pubis pour y faire de pressantes caresses.

Tout à coup, elle s'est avancée vers moi. Elle n'a fait qu'un pas, juste un seul petit pas. La panique a explosé dans mes jambes. Comme un fou, je suis sorti de son appartement. Je me suis rué dans le corridor. Je suis tombé. Je me suis relevé et j'ai couru.

Les escaliers devant moi n'étaient plus qu'un précipice dans lequel je me jetais à corps perdu comme une descente aux enfers. En sueur, j'ai bousculé un homme qui entrait et je me suis retrouvé dehors, libre, honteux de je ne savais plus trop quoi. J'ai avalé une longue coulée d'air froid. Il était temps. . .

Ce soir, je repasse dans ma tête ce qui m'est arrivé aujourd'hui. Je sais que je retournerai encore à ce cinéma et que je rencontrerai encore ma dame noire. Ou peut-être non. Peut-être qu'elle est honteuse de sa défaite et qu'elle évitera de me rencontrer.

Peu importe. Ce soir, je reste avec ces deux questions qui me torturent: « Pourquoi l'avoir suivie et pourquoi avoir fui? » Il y a des jours où je ne sais vraiment plus qui je suis.

7

5 juillet 1973.

J'ai rencontré Franz, cet après-midi, à la taverne. Il m'a dit qu'il venait de découvrir un truc sensationnel pour moi. Je lui ai demandé quoi. Il a souri:

— Tu verras.

J'ai insisté.

— Rends-toi dans l'arrière-boutique du marchand de tabac, m'a-t-il lancé avec un clin d'oeil. C'est un truc vachement sexuel, tu vas voir. Et tu m'en diras des nouvelles.

Nous avons prix chacun deux bières. Le silence est retombé entre nous comme à l'habitude. Nous passons souvent ainsi des heures à siroter des bières, l'un en face de l'autre, à nous regarder, sans dire un mot. On a probablement rien à se dire. Mais on est bien ensemble. C'est peut-être ce qu'ils appellent l'amitié. Mais je ne pense pas. L'amitié, ça doit être plus profond. Ça doit aller plus loin aussi.

Entre Franz et moi, il s'agit plutôt d'une complicité. Dès les premiers instants de notre rencontre, il s'est établi entre nous une sorte d'harmonie obscure, souterraine. Nous savons que nous ne sommes pas exactement de la même race. Mais nous avons beaucoup de choses en commun. Nous nous complétons d'une certaine manière. Parfois, ils disent que c'est ça, l'amitié, se compléter. J'aime encore mieux cet amour du silence, glissé à notre langue, comme pour de muettes fiançailles.

Bien sûr, c'est une sorte d'amitié lorsqu'on se complète dans l'harmonie, en pleine lumière. Mais, entre Franz et moi, c'est une sorte d'harmonie en creux, par le vide. Enfin, je ne sais plus.

A chaque fois que j'essaie de m'expliquer l'étrange fascination qu'exerce sur moi ce grand garçon noir et frisé, je m'embrouille, je me perds, et la fascination n'en prend que plus de force. Franz est un garçon au charme écrasant. Mais je dois me défendre contre ce charme et ne pas me laisser écraser.

Après l'avoir rencontré à la sortie du magasin où il m'avait imposé son nom, il s'est écoulé trois semaines avant que je ne revoie Franz. Pourtant, je le cherchais un peu partout. Il semblait s'être fait subitement invisible. Je ne savais pas s'il était du quartier. Il n'était sûrement pas de l'école. Je ne l'avais jamais vu auparavant. Est-ce qu'il allait seulement à l'école? Un garçon comme lui n'a pas besoin d'école. Il sortait sans doute tout droit de sa propre légende et y disparaîtrait un jour. J'en étais sûr. Mais je ne voulais pas le croire.

Je n'arrivais même pas à imaginer que Franz eût un père, une mère, des frères, des soeurs. Il était tombé, dans ma vie sans crier gare, être unique frappé du sceau de la grandeur, de l'étrangeté et du mystère. Ange déchu, envoyé de l'au-delà pour faire de moi un homme supérieur.

Un gars comme Franz, ça allait à l'école de la vie. Ça possédait une sorte de science infuse. Ça n'était bon qu'à se moquer des professeurs. Dans une école, Franz serait du poison vif. Il était et devait être le cancre des archanges veillant sur le premier de classe que j'étais.

Je me plais à imaginer que Franz n'existe que pour moi. Lorsqu'il me quitte, il disparaît complètement et revient quand bon lui semble. Je n'ose demander à quelqu'un s'il a vu Franz. On me rirait au nez. Franz qui? Et cela sonnerait comme une injure.

Peut-être qu'à force de l'apprivoiser, un jour, il reviendra au moindre de mes désirs. Je n'aurai qu'à claquer des doigts et il surgira, droit devant moi, comme une apparition. Je sais que je m'invente des contes de fée pour grand adolescent désabusé. Ce n'est pas de ma faute. Je suis venu dans un monde où il n'y a rien à faire qu'à attendre la mort.

Au bout de trois semaines, Franz a surgi précisément au moment où je m'y attendais le moins. Je passais devant la petite église paroissiale lorsque, tout à coup, j'ai vu sortir un grand garçon noir à l'allure dégingandée. Il s'est dirigé tout droit vers moi comme s'il m'attendait depuis longtemps derrière une porte.

Il était parfaitement à l'aise. Il ne semblait pas du tout pris en flagrant délit de religion avancée. Il m'aurait dit de but en blanc: « Je viens de prier pour toi. Allons prier ensemble! » que je n'en aurais pas été surpris. Et certainement que je serais allé prier avec lui, et à deux genoux, s'il vous plaît! Pourtant, je n'ai pas remis les pieds dans une église depuis mes douze ans. Même pas à Noël ou à Pâques. Au début, mes parents n'aimaient pas ça. Puis ils s'y sont habitués. Ils en sont même venus à voir, là aussi, un autre signe de mon indépendance, de ma force de caractère et tout le tralala.

Franz ne m'a pas dit bonjour. Il m'a pris par le bras et m'a entraîné vers le parc. Nous nous sommes promenés un peu. D'abord sans dire un mot. Puis, il a commencé à me questionner. J'ai répondu à toutes ses questions. Je lui ai dit que je m'appelais Gontran, Gontran Gauthier, que j'avais une soeur, Irène, beaucoup plus jeune que moi, qu'elle ne pourrait vraiment pas l'intéresser, que je réussissais très bien dans mes études, etc., etc. . .

Lorsque j'ai eu terminé, Franz a gardé un long silence, si long que j'ai commencé à me sentir mal à l'aise. Puis, il a levé les yeux sur moi, ses deux yeux très noirs et très perçants et il m'a demandé, d'une voix très grave en mâchant bien ses mots:

— Et l'autre jour, qu'est-ce que tu avais à regarder une revue porno?

Il n'avait pas dit « cochonne ». D'ailleurs, pour moi, ce mot semblait impossible dans sa bouche. Franz n'est pas un vulgaire petit obsédé sexuel comme tous les gars de mon âge. Non, Franz, c'est un seigneur de l'érotisme, un connaisseur, un gourmet.

D'abord, je n'ai pas su répondre.

— Réfléchis bien, a-t-il prononcé lentement. Je vais te reposer la même question. Écoute bien.

J'ai fait signe que ce n'était pas nécessaire. J'avais très bien compris sa question.

— Par curiosité, dis-je, par simple curiosité. Il faut me croire, Franz.

Je me surprenais à bégayer devant ce grand garçon frisé aux yeux de feu. Moi qui rêve chaque jour de faire trembler l'humanité, de détruire le monde, de soumettre toutes les volontés, moi, je bégayais comme un gamin. Il a souri. D'une légère moue de ses lèvres, il m'a fait comprendre qu'il voulait bien se contenter de cette réponse. Mais je voyais dans ses yeux devenus très profonds qu'il lisait à travers moi comme dans un livre.

Pour reprendre mon aplomb, je me suis mis à mon tour à lui poser des questions. Presque les mêmes. S'il avait des parents, des frères, des soeurs, s'il travaillait ou s'il étudiait encore, ce qu'il voulait devenir plus tard. Mais il n'a répondu à aucune de mes questions.

A chaque nouvelle tentative de ma part, j'espérais que la prochaine question le ferait s'ouvrir un peu. A bout de moyens, je me suis réfugié dans le silence. J'étais vexé. Mais quand j'y pense aujourd'hui, je suis content qu'il n'ait pas répondu. Franz doit rester enveloppé de mystère dans mon esprit. Je peux ainsi l'imaginer à ma guise.

A nouveau, il m'a regardé avec un grand intérêt et une extrême attention:

— Est-ce que le marchand de tabac t'a dit quelque chose sur moi?

— Non, presque rien. Que tu t'appelais. . .

— Oui, oui, je sais. C'est un nom banal qu'ils ont voulu m'imposer à ma naissance. Lorsque je t'ai rencontré, je me suis choisi un nom, mon seul vrai nom. Franz, comme le grand Kafka. Tu connais?

— Oui, un peu, mais je n'ai encore rien lu de lui.

— Je te passerai *La métamorphose* d'abord. Tu verras, ta vie va être complètement transformée. Tu ne verras plus le monde comme avant, tu ne te verras plus comme avant. J'ai lu toute l'oeuvre de Kafka et je l'ai relue. C'est un des plus grands génies de l'Histoire. Je suis en train d'apprendre par coeur, toute son oeuvre.

Il a gardé un long silence.

— Eh bien! tu vois, le marchand de tabac ne sait rien sur moi. J'ai recommencé à vivre depuis quelques mois à peine. Tout recommencé. Tu comprends ce que ça veut dire?

J'ai fait signe que oui, mais je ne comprenais rien à ce qu'il disait. Peut-être que c'était un fou, un ex-prisonnier, un maniaque, un poète égaré parmi les hommes. Je ne savais plus que penser. Il s'est penché vers moi:

— Le marchand est un ami. Tu aurais avantage à le connaître et surtout à visiter son arrière-boutique. Il a des trésors à t'offrir. Ne le dis à personne. Il ne fait pas confiance à n'importe qui. Il a peur d'être trahi par les gars qui s'empresseraient de se vanter d'avoir des trucs très chouettes. Il veut avoir affaire à des vrais, comme nous, des silencieux. Demande-lui d'aller dans son arrière-boutique. Il comprendra. Tu y trouveras des merveilles. Nous pratiquons tous les deux le plus grand art humain. Nous sommes des initiés de l'érotisme ou du moins nous le deviendrons.

A la sortie du parc, il a voulu partir. Je l'ai accroché par la manche. Je lui ai demandé quand on se reverrait. Il m'a répondu par un claquement de doigts et un sourire énigmatique. Puis il a tourné les talons. Je l'ai surveillé du coin de l'oeil. Il est entré dans l'église et a disparu derrière les grandes portes.

Je suis resté une grosse heure sur un banc du parc à réfléchir à notre conversation. J'étais décidé. J'allais me rendre chez le marchand de tabac pour visiter son arrière-boutique.

En entrant, le marchand m'a jeté un regard étrange. Il y avait des clients. J'ai fait semblant de feuilleter des revues et des journaux à sensations jusqu'à ce que le dernier client fût sorti.

Je me suis avancé au comptoir et, d'un seul souffle, je lui ai demandé si je pouvais visiter son arrière-boutique.

Le marchand a d'abord été surpris par mon audace. Il était même un peu choqué. J'ai ajouté que c'était Franz qui m'avait envoyé. Alors, il a eu un large sourire et il m'a indiqué la porte du fond. Je pouvais y aller en toute tranquillité.

C'était une sorte de remise assez sale. Tout traînait pêle-mêle. Je me suis mis à examiner ce qui me tombait sous la main et sous les yeux. Il y avait évidemment des tas et des tas de revues pornos qui n'avaient pas été vendues et que le marchand gardait sans doute pour les collectionneurs en retard.

La première chose qui m'a frappé, ce fut des magazines que je n'avais pas vus en montre. Je les ai feuilletés rapidement. Dans ces magazines, comme dans ceux que Franz m'avait recommandés, il y avait les poses les plus obscènes et des scènes de sado-masochisme à faire frémir. Tout à coup, une boîte est tombée. Je l'ai ramassée. Je l'ai ouverte. Il s'agissait d'un ensemble de torture: fouet, gants, ceinture, bottes. C'était peut-être le fameux truc que Franz voulait me faire découvrir. Mais j'avais le pressentiment qu'il désirait que je découvre autre chose.

J'ai fouillé encore longtemps sans trouver rien de plus intéressant. Il y avait bien encore plusieurs gadgets dans le genre vibro-masseur et compagnie, mais rien qui puisse justifier le conseil de Franz et son intérêt.

J'étais trop gêné pour demander. . . Franz lui-même avait été discret sur ce sujet. J'ai dit au marchand que c'était très intéressant, que je reviendrais acheter « certains trucs » dans peu de temps, lorsque j'aurais de l'argent. Il m'a fait un grand sourire de ses lèvres grises fendillées par des crevasses presque saignantes. Il avait deux ou trois grosses verrues noires sur les joues, près du nez, et ces verrues étaient couronnées de touffes de poils, de longs poils encore plus noirs. Il avait un grand nez crochu surmonté de deux petits yeux chafouins et fureteurs. Il ne riait pas; il grimaçait. Sa voix enrouée me faisait passer des frissons dans le dos. Ses mains étaient couvertes de poils noirs et de longs ongles noirâtres allongeaient ses doigts.

Avant de partir, il m'a recommandé le plus grand secret. J'ai acheté une revue pour ne pas le frustrer complètement. Un client entrait. . . J'ai presque pris la fuite.

8

9 juillet 1973.

C'est depuis qu'elle est arrivée que je suis en bas, seul, au sous-sol. Tout à l'heure, pendant le repas, la conversation ne tournait qu'autour d'elle! Irène sera une grande dame. Elle va suivre des cours de ballet, d'expression corporelle. Irène va devenir quelqu'un.

A l'autre bout de la table, moi, je suis le gars qui se suffit à lui-même et dont on ne parle pas, à qui on parle peu.

Avant qu'elle n'arrive, je m'étais habitué à être un enfant unique, le fils unique. Pendant huit ans, je m'étais habitué à ce rôle, à ce privilège.

D'abord, je n'ai pas su que j'allais avoir une petite soeur. A la maison, on ne parlait pas de ces choses-là clairement. Lorsque le ventre de ma mère a commencé à pointer, j'ai senti que j'étais menacé.

Devant mes regards insistants il leur a bien fallu m'avouer la triste réalité: ma mère allait avoir un autre enfant. Le piège s'ouvrait devant moi. Si j'allais seulement avoir un petit frère, cela pourrait être amusant: on partagerait la même chambre, je jouerais avec lui au grand frère protecteur. Avec le temps, il deviendrait un fidèle compagnon que je pourrais dominer.

Mais, si c'était une fille, alors, je ne savais vraiment pas ce qui allait m'arriver. J'étais assez grand pour savoir qu'avec une soeur, ce ne serait pas la même chose. Pourquoi? Je ne savais trop. Ou plutôt, je le savais trop. Mais je ne pouvais imaginer alors toute la place qu'une fille peut prendre dans la vie de son grand frère.

Ce fut une fille.

Une fille qu'on baptisa du nom royal d'Irène. Du jour de sa naissance jusqu'à aujourd'hui, j'ai été subitement, et sans le moindre avertissement, relégué au second plan. De roi de la famille, j'ai été expédié au rang des plus obscurs serviteurs.

D'abord, on m'a enlevé ma chambre, mon royaume. Mon père s'est empressé de finir en quelques jours une partie du sous-sol pour m'y installer une chambre.

Je suis descendu au lieu de monter. On me descendait au sous-sol dans l'empire des rats et des ombres. Mon père l'avait faite un peu trop en vitesse, ma nouvelle chambre. Lorsque je suis entré dedans pour la première fois, je l'ai trouvée laide et moche.

Pendant ce temps, là-haut, cette petite soeur, cette minuscule boule de chair rose, occupait toute ma chambre. Elle disparaissait tout entière dans un fouillis de dentelles roses comme elle. On ne voyait que son petit nez retroussé, dressé comme si elle ne daignait nous regarder que du haut de sa petite grandeur.

Déjà, elle avait pris toute la place physique et psychologique dans cette maison. Moi, j'étais confiné à moi-même, repoussé dans un réduit comme dans un triste paradis.

Lorsque je montais voir Irène, là-haut, ma chambre me faisait l'effet d'être un paradis perdu. Irène était l'usurpatrice! Dès le jour de sa naissance, j'ai conçu envers elle une terrible jalousie, jalousie qui a tourné lentement, jour après jour, en une implacable haine.

J'aurais pu faire comme tant d'autres enfants jaloux: tenter de lui faire mal, de la blesser ou même, qui sait? de la tuer dans son berceau, cette frêle petite chose. Un grand homme, un homme supérieur, ne doit reculer devant rien pour accomplir son destin.

Je dois avouer qu'il m'est arrivé, un jour, de serrer mes doigts autour de son petit cou. Ma mère est arrivée à temps. J'ai dit que je voulais replacer la couverture autour de son cou. Mais j'ai vu dans les yeux de ma mère l'horreur de ses soupçons. A partir de ce jour, elle ne m'a jamais laissé seul avec Irène. Elle exerçait une surveillance constante autour de sa « chère petite boule de chair. »

Mais au fond, je n'ai jamais vraiment voulu la tuer. La fascination que la petite soeur exerçait sur mon père et ma mère, cette fascination, j'en étais moi-même victime à mon tour. Je me laissais attendrir par ses petits poings fermés très durs, par ses gargouillements de bébé, par ses deux petits yeux, deux pierres précieuses. Je me laissais charmer par ses premiers pas, par ses premiers mots, par ses premières chutes et ses premiers cris de révolte. Je me laissais avoir complètement. Et pendant ce temps, elle prenait de plus en plus de place. Elle prenait très vite toute la place. Et il ne me restait plus rien.

Chaque soir, dans ma chambre, seul, je méditais sur la déchéance du petit roi. Je m'isolais volontairement. Je dégustais amèrement ma solitude comme une revanche à l'envers. Je voulais pousser les choses à leur extrémité. Je voulais me détruire pour exister.

On avait voulu me descendre, alors je m'enfoncerais beaucoup plus bas. On avait voulu m'éloigner, j'allais me cadenasser contre tout le monde. On avait voulu me reléguer au second plan, je m'effacerais tout à fait. Il fallait que je me fasse invisible pour qu'on s'aperçoive de mon existence.

J'ai fini par trouver un vieux cadenas dans l'établi de mon père et je l'ai installé à la porte de ma nouvelle chambre. J'étais le seul à en avoir la clé. Ils étaient tellement hypnotisés par le bébé d'en haut, qu'il leur a fallu une grosse semaine avant de s'apercevoir qu'ils ne pouvaient plus entrer dans ma chambre.

Mon père a fait semblant de n'avoir rien remarqué. Ma mère m'a demandé pourquoi j'avais fait ça. Je n'ai pas répondu et pour la première fois peut-être, ma mère a respecté mon silence comme si c'était quelque chose de terrible, une frontière qu'elle ne pouvait plus franchir sans ma permission. Je n'avais pas encore dix ans que j'avais déjà une vie bien à moi, une intimité, un mystère qui leur était interdit.

Mais un soir, par ma porte entrebâillée, j'ai surpris leur conversation. Mon père tentait de convaincre ma mère de ne pas intervenir encore une fois. Il trouvait que c'était très bien de ma part d'acquérir aussi jeune une réelle indépendance. C'était pour lui un signe de force, de caractère, un signe de famille, la famille des Gauthier, si volontaire, si farouche.

Durant la guerre, à lui seul, mon père avait nettoyé à la grenade tout un village allemand. Il n'avait pas eu peur. Il avait été blessé mais on l'avait décoré comme un héros. Et mon grand-père avait tenu le coup, seul dans une tranchée, contre cinq soldats prussiens. Il avait réussi à les descendre un à un et lui aussi avait été cité en héros. J'avais de fiers devanciers. Je serais leur digne héritier!

Je ne savais plus si c'était mon père qui parlait ou bien si c'était moi qui m'exhortais à l'héroïsme. Mon père et ma mère ont cessé de parler. Ils se sont mis à exalter leur admiration pour leur fille, à énumérer ses progrès. Ils ont parlé de son charme, de sa vive intelligence. Moi, je retournais au néant. Je n'existais plus.

J'ai refermé ma porte et je l'ai verrouillée à triple tour. Je ne voulais plus entendre.

A trois ans, Irène était la reine incontestée de notre famille. Je devais lui céder, en tout et partout. Je devais être le grand frère raisonnable. Il fallait que je lui donne tout. J'étais son chevalier servant, son protecteur, son vassal. Je me faisais casser la figure par les petits voisins pour la ramener saine et sauve de l'école lorsqu'elle avait six ans. Elle était l'exploiteur, le colonisateur, le dominateur.

Comme mes parents s'étaient mariés un peu plus âgés que la moyenne, ils devenaient rapidement gâteaux et gâteux devant ce petit bout de femme qui poussait vite, très vite.

Lorsqu'elle a commencé à aller à l'école, j'ai senti qu'il y avait un peu plus d'espace dans la maison mais c'était encore si peu. Car rapidement Irène s'est révélée un prodige d'intelligence, de finesse, de gentillesse. Depuis son arrivée, j'avais cherché à trouver le fond de l'humiliation et voilà qu'elle m'y poussait joyeusement. C'est à ce moment que j'ai réagi. Je me suis remis à l'étude de toutes mes forces. En l'espace de quelques semaines, j'ai repris la tête de la classe et je m'y suis maintenu depuis ce temps.

On a bien remarqué mes progrès mais que peut faire une lampe de poche pour éclipser le soleil? Or Irène était le soleil de la famille. Elle éclairait et réchauffait tout le monde. Moi, elle me brûlait la peau du coeur. Je rôtissais à son ombre.

Bon, j'en conviens, tout cela n'est qu'une vulgaire histoire de jalousie enfantine. Mais tout à l'heure, lorsqu'on s'est remis à me taquiner sur mes allures de petit ours, j'ai rougi violemment et lorsque le rire cristallin d'Irène a explosé à l'autre bout de la table, cette vulgaire jalousie enfantine m'est remontée à la gorge comme un flot de poison.

J'ai jeté un long regard autour de moi. Mon père se levait en boîtant. Il est allé chercher son vieux journal jauni et est revenu à la table en boîtant toujours. Sa vieille blessure de guerre. Puis sans me regarder, il a ouvert son journal et s'y est plongé. Pendant de longues minutes, sans m'occuper du bavardage de ma mère et d'Irène, j'ai observé mon père, la tête enfouie dans les deux grandes ailes de son journal jauni. Mon père lisait l'attaque de Pearl Harbour et se prenait pour un héros japonais. A la page suivante, il deviendra un héros français de la Résistance ou un Américain arrosant l'Allemagne de bombes.

Ma mère s'est levée pour servir le dessert. Elle a clopiné autour de la table, rongée d'arthrite et d'amertume. Mon père et ma mère ont rempli leur vie de leur vide. Ils dorment sur leur quatre oreilles sans se douter de ce qui se passe en moi. Ma mère, l'âme bedonnante de mérites, promène sur Irène son sourire planté d'une dent en or. Mon père, le sourire accroché à la moustache, dévore de ses gros yeux jaunes son journal de guerre. Et tout cela, soudain, me remonte à la gorge comme si j'allais vomir.

J'ai repoussé mon dessert et je me suis précipité dans l'escalier qui conduit au sous-sol. Je me suis enfermé dans ma chambre-cachot-forteresse et j'ai écrit ces quelques pages de mon journal. Je ne me sens pas capable d'en dire plus long ce soir. J'y reviendrai et peut-être que je serai capable de tout raconter jusqu'au bout.

Je suis plein de nuit et le jour ne veut pas entrer. La vengeance m'allume, me ravage. La haine me consume. Mon âme n'est plus que tisons et j'ai les nerfs en cendres. Toute l'éducation devrait consister à empêcher les enfants de devenir des adultes.

9

L'homme qui se tenait devant le commissaire Fortier était complètement bouleversé. Fortier comprit tout de suite qu'il ne devait pas le bousculer s'il voulait obtenir toute la vérité.

— Votre nom, s'il vous plaît, monsieur?

— Georges Gauthier.

— Profession?

— Fonctionnaire.

— Êtes-vous le père, je veux dire le père naturel de Gontran Gauthier?

— Oui.

Fortier avait échafaudé toute une stratégie pour cet interrogatoire, mais il hésitait déjà à poser la première question.

— Si je vous demandais, monsieur Gauthier, de me faire un portrait de votre fils, un portrait moral, bien entendu?

L'homme sembla réfléchir un peu, puis il commença en tâtonnant.

— Gontran était un bon petit gars, je vous assure. Je ne croyais jamais qu'il pourrait un jour faire une telle chose. Bien sûr, il était renfermé, très indépendant, mais ce n'est pas une raison pour. . .

La voix lui manqua et il garda un moment le silence. On lui avait montré les photos du cadavre de Rachelle et ces photos lui sautaient à la figure jusqu'à l'obsession: ce corps calciné, couché à plat ventre sur un squelette de lit tordu par les flammes. Fortier remarqua la figure ficelée de longues rides, le front écrasé d'obscurité et de solitude.

— Gontran était un excellent élève à l'école. Toujours premier depuis le début de son cours primaire. C'était un garçon méthodique, fiable, mais je sentais qu'il souffrait beaucoup intérieurement.

— Qu'entendez-vous par là, monsieur Gauthier: il souffrait beaucoup intérieurement?

— Je veux dire. . . je veux dire. . . Souvent nos regards se rencontraient et c'était terrible pour moi . . . de voir . . . dans ses yeux toute cette souffrance qui montait du plus profond de lui-même. Surtout lorsque sa mère l'attaquait. J'étais obligé d'intervenir le plus souvent. Elle allait trop loin . . . vraiment trop loin. Je lui disais parfois: « Thaïs, je crois que nous ne comprenons pas cet enfant. Il y a en lui quelque chose de brisé. Je ne sais vraiment pas quoi lui dire ou quoi faire pour l'aider. Il nous lance des appels au secours et nous ne comprenons pas. »

— Vous savez que, dans son journal, Gontran accuse sa mère d'être dure avec lui?

— Non, non, il ne faut pas dire ça. Ce qu'il y a de malheureux, c'est que . . . que Thaïs a été profondément changée par la naissance de la petite, je veux dire Irène, notre fille, la soeur de Gontran. Thaïs avait toujours rêvé d'avoir une fille. Lorsque Gontran est né, elle a été déçue. Moi, j'étais indifférent. Lorsque Irène est née, ce fut comme si Gontran avait cessé d'exister pour sa mère. Oh! il faut dire que Gontran a toujours été très bien traité après la naissance de sa soeur, mais il sentait qu'il était de trop. C'était quelque chose d'imperceptible qui passait entre nous. Thaïs n'a pas tous les torts. Moi aussi, je sentais que je jouais très mal mon rôle de père. Alors, nous avons pensé que l'armée serait pour lui une sorte . . . une sorte de planche de salut. C'est pour ça que Thaïs asticotait sans cesse Gontran. Elle voulait avoir Irène à elle seule. Enfin, je ne sais plus comment vous expliquer toutes ces choses. Mais je suis sûr que Thaïs ne voulait pas être méchante en faisant cela. . .

Fortier se sentait à son tour mal à l'aise. Il n'y avait pas de coupable à chercher. Par contre, il lui fallait éclaircir certains points pour jeter la lumière sur toute cette affaire sombrement sordide mais il ne voulait pas donner l'impression qu'il rejetait le blâme sur les parents.

— Comprenez-moi bien, monsieur Gauthier, il ne s'agit pas pour moi d'accuser votre femme ou vous-même et de vous rendre en quelque sorte responsables du crime de Gontran, si on peut appeler ça un crime . . . son délire, si vous aimez mieux. Vos réponses nous aideront à comprendre le pourquoi de toute cette affaire. Pourquoi, à la naissance d'Irène, avez-vous décidé de le reléguer au sous-sol?

— Lorsque Irène est née, nous n'avions pas d'autre chambre en haut. Nous ne voulions pas coucher l'enfant dans la nôtre. J'ai décidé alors d'aménager une chambre pour Gontran au sous-sol. Il était déjà un grand garçon et il n'avait pas peur de coucher en bas. Je ne pouvais prévoir que cet événement le blesserait si profondément.

— Dans son journal, il en parle comme d'une humiliation, d'une déchéance, d'un exil, d'un reniement presque. . .

— Oui, je sais. C'est peu après le premier anniversaire d'Irène que je me suis aperçu de quelque chose. A partir de cette époque, il n'est jamais entré dans la chambre de sa soeur. Il restait sur le seuil à regarder le lit dans le fond de la chambre. J'ai frémi même en surprenant parfois son regard posé sur le bébé. Je crois qu'il n'a jamais accepté sa soeur comme un vrai membre de la famille. Nous avions peur de le laisser seul avec elle. . . A dix ans, il a décidé de verrouiller la porte de sa chambre, et nous avons cru qu'il fallait tolérer ça. C'était une concession de notre part. Nous avons respecté sa décision. Ça nous rendait un peu coupables, bien sûr! Mais on se rachète comme on peut. Et puis, avec le temps, on espérait que les choses se tasseraient, vous comprenez? Plusieurs fois, nous avons insisté pour lui faire ouvrir la porte de sa chambre, mais à chaque fois, il nous piquait des silences farouches.

— Est-il vrai, monsieur Gauthier, qu'à la maison, il était souvent question de guerre, de violence, d'exploits militaires?

— Oui, c'est exact. Maintenant, je le regrette amèrement. Dans ma famille, on a toujours vanté l'esprit d'indépendance, la violence pour les bonnes causes, en un mot tout ce qui est viril. Mon père a obtenu plusieurs décorations à la première guerre mondiale et nous en étions tous très fiers.

— Je crois savoir que vous aussi, monsieur Gauthier, vous avez obtenu plusieurs médailles à la dernière guerre, n'est-ce pas?

Le front du père de Gontran s'assombrit subitement. Quelque chose d'inquiétant passa dans ses yeux. Cette question ne semblait pas du tout lui faire plaisir.

— Oh! vous savez, ça n'a pas d'importance . . . mais . . . mais nous ne pouvions pas nous douter que Gontran était dévoré par un tel besoin de domination sur ses semblables. C'était une erreur de notre part de vouloir en faire un officier de carrière, je le comprends très bien maintenant. Il était trop renfermé, trop timide pour aspirer à devenir un chef. En lui mettant toutes ces idées dans la tête, nous avons suscité chez lui un désir effréné de domination, désir bien caractéristique à tous les faibles.

— Est-ce que l'opinion que Gontran se faisait de la jeunesse actuelle, qu'il croyait lâche, oisive, corrompue, était le reflet de votre propre opinion?

— Oui, très souvent, tout comme ma femme, j'ai porté des jugements très sévères sur les jeunes. Nous ne voulions pas que Gontran devienne un grand efflanqué, aux cheveux longs et crasseux, un contestataire quoi! On voulait qu'il devienne un homme, un vrai! et nous pensions que l'armée était pour lui un chemin tout indiqué.

Le commissaire Fortier retardait les dernières questions qu'il voulait poser au père de Gontran. Elles lui semblaient très délicates et presque compromettantes. Il y avait toujours cette lueur jaune qui passait dans les yeux de monsieur Gauthier. Fortier ne pouvait s'expliquer pourquoi cette lueur l'agaçait tellement.

— Monsieur Gauthier, avez-vous soupçonné une seule fois que votre garçon était une sorte de . . . d'obsédé sexuel?

L'homme réfléchit un instant, alluma une cigarette, prit une profonde aspiration et finit par dire:

— Non . . . non. Au . . . au contraire, il nous est arrivé, ma femme et moi, de nous demander si Gontran était normal pour un garçon de son âge. Il n'avait même pas une petite amie. A dix-sept ans! Bien sûr, on se disait qu'il était trop timide, que ça viendrait toujours bien assez vite, qu'il était trop pris par ses études. . .

— Mais, monsieur Gauthier, ne croyez-vous pas qu'il y avait chez vous et chez votre femme un certain aveuglement volontaire à ce sujet?

A nouveau, la lueur jaune. Fortier remarqua aussi que les mains tremblaient. Un peu de sueurs au front également.

— Peut-être. Je . . . je ne sais pas. Vous . . . vous savez, nous étions tellement heureux de voir Gontran sérieux, travailleur, indépendant. On se laissait aveugler par toutes ces qualités . . . que nous avons d'ailleurs toujours prônées dans la famille.

— Iriez-vous jusqu'à dire qu'il y a eu un manque de votre part dans l'éducation de votre fils?

Lueur. Tremblements. Sueurs. Cigarette. Bouffée.

— Oui . . . d'une certaine façon, nous sommes responsables de tout ce qui est arrivé. Et croyez-moi, nous n'aurons pas assez du reste de notre vie pour nous le reprocher.

— Étiez-vous au courant que votre garçon était devenu un amateur de films, de revues et de gadgets pornographiques?

— Non, franchement, je n'étais pas au courant de ces choses. Je sais que je vais vous paraître un père inconscient, peu soucieux de l'éducation de son fils. Mais comme je vous l'ai déjà expliqué, je respectais tellement la liberté de mon fils que j'étais prêt à prendre tous les risques. Je n'étais pas sans me douter que Gontran nous refusait l'entrée de sa chambre pour une raison qu'il aimait mieux nous cacher. Mais je ne soupçonnais pas que c'était grave à ce point-là. Lorsque j'ai enfoncé la porte de sa chambre, la vérité m'a sauté à la figure . . . mais trop tard. Parfois, j'aimais penser qu'il se barricadait ainsi simplement par goût de la solitude et qu'il n'y avait pas autre chose.

— Est-ce que Gontran amenait dans votre maison de ses amis, filles ou garçons? Étiez-vous au courant de son étrange amitié avec un certain Franz?

— Non, Gontran n'amenait jamais de ses camarades ou amis à la maison. Sa chambre était fermée à tout le monde. C'était son antre, son refuge, son île vierge. . . Une fois . . . une fois seulement, il a laissé entrer dans sa chambre ce grand garçon mince et très noir que vous nommez Franz. Je ne l'avais jamais vu auparavant. Il ne m'a pas paru bizarre, mais je me demande encore d'où il pouvait bien sortir. Il m'a semblé distingué, bien élevé. Il nous a salués poliment et a suivi Gontran au sous-sol. J'ai remarqué que Gontran enveloppait Franz d'un regard étrange comme s'il s'était agi d'un grand personnage, d'une sorte de dieu effrayant. Je ne savais comment m'expliquer l'attitude de Gontran, car ce Franz m'a paru un garçon bien ordinaire comme ceux qu'on peut rencontrer tous les jours. C'est peut-être à partir de ce soir-là que j'ai décidé d'entrer dans la chambre de Gontran le plus tôt possible.

— Toujours dans son journal, Gontran raconte qu'il a rencontré des femmes . . . disons un peu spéciales. Je veux parler de cette femme à la peau très blanche, à la chevelure noire, dans la quarantaine, et de cette Noire dans la chambre de laquelle il aurait vomi. Que pensez-vous de tout cela, monsieur Gauthier?

— Avez-vous vérifié si ces femmes existent vraiment?

— Oui, nous avons fait notre petite enquête. La femme dans la quarantaine n'a pu être retracée avec exactitude. Gontran parle d'une maison d'appartements. Mais où? Nous n'avons aucune indication de nature à nous aider. Plusieurs femmes répondant à la description de Gontran ont été repérées mais il est impossible de savoir laquelle. Quant à la jeune Noire, nous l'avons retrouvée à l'adresse mentionnée. Elle n'a pas voulu ou n'a pas pu reconnaître votre fils sur la photo que nous lui avons montrée. Les renseignements que nous avons recueillis nous ont appris qu'il s'agissait d'une jeune mère de famille qui ne s'est jamais livrée à la prostitution. C'est étrange tout de même, vous ne pensez pas?

Monsieur Gauthier resta songeur un long moment. Dans ses yeux vacillait cette lueur jaune d'incertitude dont parlait si souvent Gontran. Il laissa couler un long soupir et dit finalement:

— Vous savez ce que je crois? Gontran était trop imaginatif, trop solitaire. Je suis plutôt un scientifique dans mon domaine et je me suis toujours méfié des littéraires comme lui. Je pressentais chez lui quelque chose de mystérieux qui m'échappait sans cesse. Il vivait intensément à l'intérieur de lui-même. Je crois qu'à la fin, sa solitude lui est montée à la tête et il s'est mis à inventer des aventures extraordinaires et bizarres. Croyez-moi, il n'y a rien de vrai dans tout cela.

Fortier crut remarquer un léger tressaillement dans la voix de Gauthier. Ses yeux fuyaient une vision lointaine. Mais le commissaire attribua le tout à l'émotion et à un sentiment de culpabilité diffuse.

— Le soir du party chez Gisèle, vous n'avez rien remarqué lorsqu'il est revenu à la maison?

— Non, rien. Je me rappelle bien ce soir-là. Irène avait beaucoup taquiné Gontran à propos de cette invitation. Il est revenu sombre et renfermé comme ça lui arrivait si souvent. Il ne nous a pas salués et il est descendu tout de suite à sa chambre.

— Avez-vous eu connaissance, d'une façon ou d'une autre, de ce que Gontran appelle dans son journal « les cérémonies avec la poupée »?

— Il nous arrivait parfois de surprendre des bruits dans sa chambre. Ma femme et moi, nous nous demandions ce qu'il pouvait bien faire alors. Mais il faisait toujours jouer de la musique, sa fameuse Neuvième de Beethoven. C'était alors impossible pour nous de distinguer clairement quoi que ce soit.

— D'après vous, le refus de l'armée a-t-il beaucoup affecté votre fils?

Monsieur Gauthier eut à nouveau le même tressaillement. Quelque chose fuyait dans ses yeux. Sa cigarette tremblait davantage entre ses doigts. D'une voix légèrement enrouée par l'émotion, il répondit:

— Oui, je crois que ce refus l'a sérieusement affecté. Mais il était trop orgueilleux pour en parler avec nous. A partir de ce jour, il m'a semblé encore plus sombre, plus distant, plus sauvage même. C'est ce qui m'a poussé à entrer en communication avec son professeur de français, qu'il aimait bien. . .

Le père de Gontran s'arrêta net comme s'il venait d'en dire trop. Ses lèvres se tordirent sous l'effet de l'émotion.

— Et qu'est-ce que le professeur de français vous a dit?

— Il . . . il m'a dit que . . . lui aussi avait remarqué un changement radical chez Gontran. Je lui ai appris le refus de l'armée. . . Il m'a promis de s'occuper davantage de Gontran. C'est tout.

Pour la première fois, le ton de monsieur Gauthier était un peu agressif. Fortier était intrigué par ce détail mais il n'arrivait pas à se l'expliquer autrement que par l'agacement occasionné par un interrogatoire, pénible pour un père, dans de telles circonstances.

— Dans son journal, Gontran vous décrit comme un homme obsédé par la guerre. Il raconte que vous lisez continuellement les journaux de 1939 à 1945, de la première ligne jusqu'à la dernière. Est-ce exact?

Cette fois, les yeux du père de Gontran s'arrondirent comme pour chasser de mauvais souvenirs qui s'avançaient vers lui.

— Si vous aimez mieux ne pas parler de la guerre, monsieur Gauthier, je vous prie de ne pas répondre à ma question. Il n'est pas toujours bon de réveiller des souvenirs atroces.

Comme un homme qui respire une dernière fois à la surface avant de se noyer, monsieur Gauthier répondit:

— Oui, c'est exact.

— Et l'arme avec laquelle Gontran a tiré sur ses camarades avant de se suicider, cette arme vous appartenait? C'était peut-être un souvenir de guerre?

— Oui, c'était mon revolver d'officier. . .

Fortier gardait sa question la plus délicate pour la fin. Il tourna dans sa tête plusieurs fois la formule qu'il avait préparée pour adoucir le choc.

— Je sais, monsieur Gauthier, que la question que je vais vous poser est très dure pour vous, mais je dois vous la poser. L'avant-veille des événements tragiques, Gontran raconte dans son journal la violente querelle qu'il a eue avec vous, comment vous êtes entré de force dans sa chambre et le désir de vengeance que vous avez allumé en lui. Ma question est double. Les événements racontés par Gontran sont-ils exacts et croyez-vous que cette querelle l'a poussé à commettre ce crime?

Le père de Gontran, bien avant la fin de la question de Fortier, avait déjà les yeux gonflés de larmes et une violente émotion lui torturait le visage. Il renifla profondément et répondit enfin:

— Tout est exact. Et je crois que je suis responsable de l'avoir poussé . . . à commettre ce crime . . . et ensuite . . . à se tuer. Je me suis aperçu trop tard que j'avais manqué à mon devoir de père et j'ai réagi violemment. Mais je ne pouvais me douter que je déclencherais tellement de haine et de désespoir chez Gontran. . .

Fortier respecta un bon moment le silence de l'homme effondré devant lui. Puis il se leva et reconduisit le père de Gontran jusqu'à la porte.

— Croyez-moi, monsieur Gauthier, il ne s'agit pas, pour moi, de mettre qui que ce soit en accusation. Vous avez déjà suffisamment souffert. Votre erreur est rachetée largement.

10

Fortier resta songeur après le départ du père de Gontran. Cette enquête ne mènerait absolument à rien. Il ne pouvait porter d'accusation contre personne. Ces interrogatoires réussiraient à peine à expliquer le pourquoi et le comment des événements. Mais Fortier était habitué à ce genre d'enquête sans éclat. Depuis longtemps, il s'était résigné à jouer le rôle du second violon.

Il fit signe à son adjoint de faire entrer la personne suivante. C'était une femme d'une cinquantaine d'années, aux cheveux déjà grisonnants. Elle semblait avoir vieilli de plusieurs années dans les derniers jours, tellement son visage était défait. La mère de Gontran s'assit difficilement dans le fauteuil placé devant le commissaire et attendit les questions comme on se prépare à un supplice. Fortier remarqua tout de suite les mains déformées par l'arthrite.

— Madame Gauthier, je m'excuse de vous faire subir un interrogatoire après les jours pénibles que vous venez de vivre, mais vous comprendrez, j'en suis sûr, que je dois jeter le plus de lumière possible sur toute cette affaire. Il ne s'agit pas d'accuser qui que soit, soyez sans crainte. Êtes-vous prête à répondre à mes questions?

Madame Gauthier fit signe qu'il pouvait commencer.

— Dans son journal, Gontran ne semble pas vous avoir aimée comme un fils doit aimer sa mère. Il vous considère plutôt comme son ennemie personnelle. Est-ce que vous avez déjà soupçonné, avant les événements, que vous provoquiez une telle haine chez votre fils?

La mère de Gontran éclata en sanglots et il lui fallut plusieurs secondes de répit avant de pouvoir répondre.

— J'ai toujours aimé Gontran mais je ne voulais pas être pour lui une mère poule. Je désirais faire de lui un homme; je ne lui ai jamais trop prodigué de tendresse, même quand il était jeune. Je lui ai appris très tôt qu'un garçon, ça ne pleurait pas, ça ne montrait pas ses émotions. Je voulais qu'il soit viril et fort comme son père. J'étais très exigeante pour lui. Je voulais toujours qu'il soit le premier en tout. Lorsqu'il avait la moindre défaillance, je l'humiliais. Ça réussissait toujours, car Gontran était très orgueilleux. Mais jusqu'aux événements de la semaine dernière, je pensais que Gontran appréciait ce genre d'éducation. . .

— Est-il exact que vous désiriez une fille plutôt qu'un garçon à la naissance de Gontran?

— Oui, je dois avouer que j'ai été déçue lorsque Gontran est venu au monde. J'avais peur qu'un garçon soit indigne de son père, un héros de la dernière guerre! J'avais peur qu'il devienne comme un de ses oncles, mon frère, qui a plutôt mal tourné. Je n'ai pas besoin d'en dire davantage. C'est pourquoi j'ai encouragé Gontran à entrer dans l'armée. Je voulais qu'il ait une bonne éducation, une formation virile et solide. Son tempérament renfermé m'a tout de suite laissé espérer qu'il deviendrait un homme remarquable. J'étais tellement fière de son indépendance et de solitude. Pour moi, c'était là les signes d'une forte personnalité. Je sais, je suis allée trop loin, mais peut-on reprocher à une mère d'être fière de son fils? Et puis, il est si difficile aujourd'hui d'élever un garçon! Par contre, les filles, dans ma famille, ont toujours été des modèles de vertus, de dévouement et de fidélité à leur mari. Je voyais Irène grandir sans la moindre crainte.

— Nous savons maintenant, madame, que Gontran a fait à votre insu un tas de choses plus ou moins répréhensibles. Pourriez-vous dire que vous avez été négligente d'une façon ou d'une autre?

— Je me suis toujours opposée à ce que Gontran nous ferme sa chambre, à son père et à moi. Par contre, je n'ai pas voulu le surveiller trop. Comme je viens de vous le dire, je voulais favoriser chez lui l'épanouissement de la liberté et de l'indépendance. Je ne crois pas avoir négligé Gontran mais je l'ai sûrement mal jugé. C'était un garçon qui avait besoin de tendresse et d'affection. J'ai voulu en faire un dur mais c'était un grand sensible. Mon attitude l'a incité à se refermer sur lui-même.

— Avez-vous déjà soupçonné Gontran d'être jaloux de sa petite soeur? Dans son journal, il nous raconte qu'il a même déjà voulu la tuer, en quelque sorte.

— Non, pas à ce point! Ils se parlaient très peu. Gontran semblait être constamment en concurrence avec elle. J'attribuais cela à leur grande différence d'âge. Mais ce n'était pas là la seule raison. Il m'est arrivé de surprendre dans les yeux de Gontran de la haine envers sa soeur. Alors j'avais peur et ma réaction toute naturelle était de protéger la petite.

— Gontran raconte aussi qu'il a fait des rencontres assez équivoques avec une certaine femme de quarante ans environ et avec une jeune Noire. Croyez-vous à ces histoires?

— Non, je n'y crois pas. Il était trop timide pour ça.

— Il raconte en outre son étrange amitié avec un certain garçon qu'il nomme Franz. Que pouvez-vous me dire à ce sujet? Vous étiez là lorsqu'il l'a fait entrer dans sa chambre?

— Oui, j'étais là. Et ce qui m'a bouleversée, ce fut de constater que Gontran était fasciné, hypnotisé par ce garçon. Il le regardait comme si c'était un dieu. Pourtant ce n'était qu'un petit voyou comme tous les autres: cheveux longs, ongles sales, maigre. Je dois cependant avouer qu'il possédait un certain charme qui retenait l'attention. Il y avait quelque chose d'attirant chez cet adolescent. Inutile de vous dire combien j'ai été vexée que Gontran le fasse entrer dans sa chambre alors qu'il nous l'interdisait, à nous, ses parents, depuis des années.

— Avez-vous remarqué quelque chose de différent dans le comportement de votre fils après le refus de l'armée?

— Oui, il a profondément changé. Au point que je me suis mise à être sérieusement inquiète. J'en ai parlé à Georges. Mais mon mari se réfugie constamment derrière ses vieux journaux jaunis ou derrière un écran de fumée et de silence. Gontran m'a paru sombrer par la suite dans une sorte de dépression. Je ne savais pas quoi lui dire. Il était tellement agressif envers moi. C'était à son père d'intervenir. Non?

— Vous n'avez rien fait pour venir au secours de Gontran à ce moment-là?

— La journée même de la tragédie, j'avais décidé d'aller consulter un médecin ou un psychiatre. Mais avant, je voulais parler à ses professeurs. Comme vous le savez maintenant, il était déjà trop tard.

— Avez-vous déjà observé Gontran dans ses allées et venues? Avez-vous remarqué qu'il apportait dans sa chambre des revues, des posters et des gadgets pornographiques? Saviez-vous qu'il aimait aller au cinéma pour voir des films érotiques? Bref, soupçonniez-vous qu'il était obsédé à ce point par le sexe?

— Non, pas du tout. Gontran m'a toujours donné l'impression de n'être intéressé qu'à ses études. Il n'avait pas de petite amie. Il était trop timide avec les filles. Nous n'avons jamais abordé ensemble la question. J'ai souvent demandé à mon mari d'instruire son fils à ce sujet mais Georges ne trouvait ni l'occasion ni les mots pour le faire. Il était si loin de Gontran, enveloppé dans ses souvenirs de guerre.

— Le soir du party chez Gisèle, avez-vous remarqué quelque chose à son retour à la maison?

— Vous savez, Gontran a toujours été un garçon assez sombre, assez renfermé. Il était donc difficile de discerner les états de crise chez lui. Mais ce soir-là, j'ai compris, en le voyant entrer, que tout n'avait pas très bien marché pour lui. Il s'est tout de suite enfermé dans sa chambre et la crise a passé comme tout le reste, je suppose.

— Vous êtes-vous déjà doutée que Gontran était amoureux de cette Rachelle et qu'il en souffrait énormément?

— Non, je n'ai jamais pensé qu'il était amoureux d'une jeune fille. Je ne connaissais pas cette Rachelle, la pauvre petite. Il faut bien dire qu'elle ne l'a pas volé. Pensez-vous! laisser entrer un garçon chez elle alors qu'elle était seule. C'était tenter le diable et le bon Dieu à la fois. Elle ne devait pas savoir que Gontran pouvait devenir agressif à ce point. De toute façon, je ne sais vraiment pas quoi penser de toute cette histoire épouvantable.

Fortier aussi ne comprenait rien à toute cette affaire. Tout était trop clair, trop simple. Il n'arrivait toujours pas à s'expliquer un tel déchaînement de folie chez un adolescent apparemment normal. Évidemment, il y avait cette obsession du sexe, mais ça n'expliquait pas le meurtre et le suicide.

— Est-ce que vous connaissez le marchand de tabac et sa femme qui semblent avoir joué un grand rôle dans l'évolution de votre garçon?

— Bien sûr, que je les connais! Je vais souvent à leur magasin acheter de petits riens. Je ne sais pas grand chose sur leur compte. Il me semble que c'est un couple ordinaire. J'ai été fort surprise d'apprendre qu'ils s'adonnaient à des trafics douteux avec les jeunes.

— Croyez-vous que Gontran dit la vérité? Je veux dire, pensez-vous que cette femme a fait ce que Gontran raconte dans son journal?

— Oh! vous savez, de nos jours, il ne faut plus se surprendre de rien. Il y a tellement de femmes insatisfaites dans la vie. Avec cette fameuse libération! C'est à n'y rien comprendre! Aujourd'hui, les hommes aiment les hommes, et les femmes les femmes; les vieux courent les jeunes et vice versa. Nous vivons dans un monde de fous. Que cette femme ait été attirée par un adolescent comme Gontran, c'est possible. Et je ne vois pas pourquoi Gontran aurait inventé toutes ces histoires.

— Il faut admettre que votre garçon raconte dans son journal des histoires encore plus étranges. Par exemple, cette Noire qu'il dit être une prostituée s'est révélée, après enquête, être une bonne et honnête mère de famille. Et cette femme de quarante ans, on n'a jamais réussi à l'identifier. Et les scènes de masochisme et de sadisme, dans l'atelier du peintre-sculpteur Jérôme, semblent bien invraisemblables. D'ailleurs, elles ont été entièrement niées par le dénommé Jérôme que mes policiers ont interrogé. On peut facilement en venir à croire que Gontran était une sorte de mythomane qui se racontait des aventures extraordinaires pour remplir le vide de sa vie. Qu'est-ce que vous en pensez?

— Non, je ne crois pas du tout ce que vous dites. Gontran était un jeune homme sérieux, raisonnable et modèle en tout. Tous ses professeurs vous le diront. Je ne pense pas une seule minute qu'il ait inventé des histoires aussi invraisemblables. D'ailleurs, quand il est revenu de cette fameuse humiliation chez Jérôme, j'ai remarqué qu'il était bouleversé et rageur.

Il y avait une longue éraflure à son cou et maintenant, je comprends comment il s'était fait cette éraflure.

— C'est vraiment étonnant, madame, parce que votre mari vient juste de me dire qu'il n'a absolument rien remarqué de tel, ce fameux soir.

— Oh! n'allez pas demander à Georges de remarquer ces choses. Il est toujours enlisé dans ses vieilles nouvelles de la dernière guerre. Il y a des jours où je me demande s'il sait encore que j'existe. Il ne semble plus me voir. J'admets que c'est bien triste pour lui d'avoir une femme à moitié impotente, mais tout de même!

— Très bien, madame, je veux bien vous croire. Autre question. Avez-vous eu connaissance, d'une manière ou d'une autre, de ces « cérémonies », comme Gontran les appelle dans son journal? Il utilisait alors une poupée gonflable.

Madame Gauthier sembla troublée par cette question. Pudeur? Incrédulité?

— Oui et non. Une fois, j'ai cru entendre du bruit dans sa chambre. C'était rare qu'il en faisait. On ne l'entendait jamais. Je suis descendue sur la pointe des pieds et j'ai collé mon oreille à sa porte. Je n'aime pas avouer ce genre de choses. Je vous ai déjà dit que je n'aimais pas surveiller mon garçon. Mais ce jour-là, ça été plus fort que moi. J'ai entendu le souffle court de Gontran et les coups qu'il donnait sur quelque chose qui se plaignait. C'étaient comme les cris d'une femme. Je n'avais vu entrer personne dans sa chambre. J'en étais sûre. J'ai été effrayée par cette découverte. Je ne savais pas au juste ce qui pouvait bien pousser de tels cris. Maintenant, je comprends tout. C'est dégoûtant.

— Comment avez-vous pu entendre ces cris, madame? Est-ce que Gontran ne faisait pas tourner dans ces moments-là la Neuvième de Beethoven, comme il l'affirme dans son journal?

Cette fois, la mère de Gontran sembla visiblement troublée. Elle avala sa salive, baissa les yeux. Lorsqu'elle regarda à nouveau Fortier, elle répondit:

— Malgré la musique — j'avais oublié ce détail — j'ai pu entendre, je vous l'assure.

Elle se tut immédiatement, comme pour supplier Fortier de la croire sur parole. Celui-ci passa à une autre question.

— Le soir de la querelle, avez-vous encouragé votre mari à forcer la porte de la chambre de Gontran? Était-ce pour vous une sorte de victoire sur votre fils? Et avez-vous deviné, ne serait-ce qu'une seconde, le retentissement de ce geste chez votre garçon?

— Oui, j'avais demandé plusieurs fois à mon mari de s'imposer, de jouer son rôle de père, de forcer Gontran à nous ouvrir sa chambre, mais il refusait toujours de le faire. Georges aussi encourageait l'indépendance et la solitude de notre fils. Nous l'avons toujours considéré comme un enfant plus vieux que son âge. Le soir où mon mari s'est mis en colère et a décidé d'enfoncer la porte de la chambre de Gontran, j'étais contente. Pour moi, c'était une façon radicale de faire crever l'abcès. Je n'ai pas pris au sérieux les menaces de Gontran. Le refus de l'armée avait changé bien des choses et je commençais à penser qu'il fallait intervenir un peu plus dans sa vie personnelle. Malheureusement, il était trop tard.

— Ce sera tout, madame Gauthier. Je vous remercie d'avoir répondu aussi librement à mes questions et je m'excuse encore une fois de vous avoir imposé cet interrogatoire, pénible pour vous, je le comprends.

Fortier aida madame Gauthier à se lever et la reconduisit jusqu'à la porte en pensant que l'affaire était plus embrouillée que jamais pour sa petite tête de commissaire au seuil de la retraite.

11

14 juillet 1973.

Je suis un garçon renfermé dans la prison qu'il s'est construite lui-même ou que les autres lui ont construite. Je ne veux pas que les autres forcent mon intimité, même pas une fille, surtout pas une fille.

Hier soir, au party de Gisèle, j'ai été obligé une fois de plus de briser Rachelle parce qu'elle voulait forcer mon intimité. D'abord, il faut dire que je ne voulais pas y aller. Je déteste les soirées de jeunes, leurs sauteries de petits vieux. Dans ma classe, cette année, comme pour faire exprès, ça a été une véritable orgie de parties. Chaque élève semblait se faire un point d'honneur d'organiser son party, sauf moi.

Hier soir, c'était celui de Gisèle. Je ne voulais pas y aller parce que je me sens hors de mon atmosphère dans ces soirées. Il faut danser et je ne sais pas danser. Juste à la pensée de balader, de promener, d'entraîner une fille dans mes bras, juste à cette pensée, j'aimerais mieux disparaître sous terre. Je sens que les yeux du monde entier sont attachés à mes pieds comme des boulets.

Et puis, je n'aime pas aller à un party parce que si l'on ne danse pas, il faut parler, parler et les jeunes de mon âge ne font que parler de sport, de sexe, d'auto, de moto et de drogue. Moi, j'aimerais parler d'érotisme, de littérature, et puis non, je n'aime pas du tout parler. Au fond, je préfère garder le silence, garder mon image intellectuelle de garçon modèle de la classe qui ne s'intéresse qu'aux choses de l'esprit. En n'allant pas au party, je garde facilement cette image. Moi, j'aime mieux agir que parler. La plupart des garçons parlent de leurs rêves comme d'une réalité. La preuve, c'est qu'ils blaguent à propos des filles et du sexe en général. Ça leur fait peur. Ils ne sont pas capables d'en parler comme d'une réalité concrète qui fait partie de la vie tout simplement.

Les garçons de mon âge parlent des drogues qu'ils croient connaître, des autos qu'ils n'ont pas encore conduites, des sports dans lesquels ils n'arrivent pas à exceller. Leur conversation, si l'on peut appeler cette salade une conversation, est d'une platitude!

Je parlerais bien avec les filles mais elles m'agacent, me mettent hors de moi, me font même un peu peur. Je ne sais pas pourquoi, mais les filles m'attirent et me repoussent à la fois, ce qui est une situation assez inconfortable. Je déteste surtout les filles parce que plus que les garçons, elles semblent être toujours sur le point de me transpercer de leur regard. Elles semblent deviner en moi quelque chose que je veux cacher.

Donc, hier soir, c'était le party de Gisèle. Je ne voulais pas y aller. Je voulais retourner dans l'arrière-boutique du marchand de tabac, dans l'espoir d'y découvrir ce truc. J'ai voulu me défiler mais Gisèle est têtue comme une mule: elle avait sans doute juré à toutes les filles de la classe qu'elle serait la seule cette année à réussir à m'avoir. Et je me suis fait avoir!

Elle ne m'a pas lâché de la journée. J'ai fini par accepter pour me débarrasser d'elle. A la maison, elle a multiplié les coups de téléphone pour que toute la famille sache bien que j'avais un party le soir. Je ne pouvais vraiment plus me défiler. A sept heures, je suis parti de la maison.

Une fois dans la rue, j'ai eu l'idée de ne pas me rendre au party ou, du moins, de m'y rendre plus tard, le plus tard possible, juste pour y faire acte de présence. Je me suis dirigé vers le petit centre commercial. Je suis entré chez le marchand de tabac. C'était sa femme qui servait au comptoir.

C'est une femme très sèche, très froide, glaciale, le type même de l'ancienne maîtresse d'école qui regarde les petits garçons par-dessus ses grosses lunettes.

Ce genre de femme a le don de me mettre dans l'eau bouillante. Sa froideur m'intimidait, mais ses regards, coulés en douce, semblaient m'inviter à je ne savais trop quoi.

— Que veut monsieur?

Je n'ai pas répondu. Je me suis dirigé tout droit vers le fond du magasin espérant que le marchand allait apparaître d'une seconde à l'autre.

— Mon mari n'est pas là, ce soir.

Sa phrase m'a coupé les jambes. Mais j'avais tellement envie de fouiller à nouveau dans l'arrière-boutique! Est-ce que je devais lui demander la permission? Elle soupçonnerait peut-être quelque chose. Elle s'y opposerait sûrement. Peut-être n'était-elle pas au courant des secrets de son mari.

Tout à coup, je l'ai sentie juste derrière moi. Je me suis retourné. Elle avait quelque chose de mou dans les yeux qui me faisait peur.

— Mon mari n'est pas là, ce soir. Il ne reviendra que demain. Je devrai passer la nuit seule.

Elle a terminé sa dernière phrase sur un large sourire. Ses yeux roulaient derrière ses épaisses lunettes de corne. Alors, elle a posé sa longue main osseuse sur mon bras. Le froid de ses os traversait ma chemise. Dans le magasin, il faisait une chaleur torride et je sentais ce froid squelette me traverser la peau.

— Je m'excuse, je dois partir. Je vais être en retard. J'ai un party.

Elle a souri puis, brusquement, elle m'a poussé dans l'arrière boutique et a refermé la porte sur moi. Avant que je puisse me rendre compte de ce qui m'arrivait, la clé tournait dans la serrure et j'étais fait comme un rat.

Je voulais fouiller l'arrière-boutique? eh bien! il ne fallait pas me gêner, ni me plaindre, j'y étais maintenant, enfermé à double tour. Autant en prendre mon parti! Je me suis mis à fouiller, cette fois sans scrupule ni discrétion. Elle avait voulu m'enfermer, j'allais lui mettre tout sens dessus dessous. Mais je n'arrivais pas à m'expliquer son geste. C'était vraiment ridicule, imprévisible.

A mes pieds, il y avait des revues d'hommes nus destinées à des voyeuses ou des pédés. Cela me dégoûtait de voir des hommes nus s'exhiber dans des poses obcènes. D'un coup de pied, j'ai renversé des piles de revues et de journaux.

J'allais donner un grand coup de poing dans un journal à sensation lorsque j'ai entendu la marchande revenir dans ma direction. La clé a tourné, la porte s'est ouverte.

— J'ai fermé le magasin. Soyez tranquille. Nous avons tout le temps de bavarder ensemble. Vous cherchez quelque chose de précis sans doute. Franz m'en a glissé un mot. Je crois savoir ce qu'il vous faut.

Je n'ai même pas eu l'idée de lui demander pourquoi elle m'avait enfermé ainsi. Je l'ai regardée monter sur un banc. Sur la dernière tablette, elle a tâtonné. Puis elle est redescendue avec une boîte. A nouveau, ses gros yeux mous ont roulé derrière ses énormes lunettes.

— Vous êtes un garçon étrange. Vous me plaisez beaucoup. Vous n'êtes pas tout à fait normal. Je sais. Mais j'aime ça. . .

J'ai voulu protester, mais elle m'a fait signe de me taire. Elle a appuyé sa longue main osseuse et grise sur ma poitrine. Tout en me coulant un regard qui voulait en dire long, elle a ouvert la boîte. A première vue, je n'ai pas compris ce qu'il y avait dans cette boîte. Cela semblait être un morceau de caoutchouc quelconque violemment coloré. La marchande a encore appuyé sa main sur moi et elle a déplié lentement le morceau de caoutchouc.

Cela ressemblait à une sorte de poupée gonflable . . . mais à mon grand ébahissement, la poupée était de grandeur nature. Une femme complète des pieds à la tête et toute nue. Dégonflée, elle ressemblait à une peau dont on aurait vidé entièrement le corps. Elle était fripée de haut en bas, le sourire tout de travers, les seins en guenilles et les cuisses mangées par une cellulite vorace.

Mais une fois gonflée, elle devait être pas mal.

— Voilà ce qu'il te faut, mon gars. Je te la donne . . . mais à une condition. Il faudra d'abord me faire plaisir, un grand plaisir, tout de suite, pendant que mon mari n'est pas là. Tu comprends?

Je comprenais trop bien. Je lui ai dit que j'allais revenir pour l'acheter et je suis sorti précipitemment. La marchande, trop sûre d'elle-même, n'a rien fait pour me retenir.

Dehors, il faisait une chaleur accablante. La seule idée de me rendre au party me donnait la nausée. La marchande m'avait profondément troublé. J'avais besoin de réfléchir à tout ça. Mais je ne pouvais pas rentrer à la maison tôt. Je déclencherais des tas de questions et de sous-entendus.

Tout en marchant le long du trottoir, je pensais à la poupée. C'était donc ça, le truc de Franz. Il était devenu complètement fou. Je n'avais pas besoin de cette poupée. Pourtant, ça m'intéressait de voir cette peau flasque de caoutchouc bien gonflée, juste pour voir l'effet que ça peut donner. Et puis, quand on a peur des filles, c'est peut-être un bon moyen, je veux dire un moyen comme un autre . . . enfin.

Malgré moi, je me dirigeais vers la maison de Gisèle. A mesure que j'avançais, je me persuadais qu'il me fallait y aller. J'allais sûrement rencontrer Rachelle. Je pourrais l'admirer de loin. J'allais être terriblement jaloux de la voir parler avec d'autres gars, de la voir danser avec eux et peut-être de la voir se laisser embrasser ou tasser dans un coin de banquette. Mais je voulais lui montrer au moins que je n'étais pas un lâche et que, pour une fois, je pouvais aller à un party comme tous les autres gars de mon âge.

En même temps, je me disais que j'attirais peut-être Rachelle, justement parce que je suis différent des autres garçons. Premier de classe, vaguement intellectuel, solitaire, indépendant, modèle en tout, timide aussi; comment pouvait-elle ne pas me remarquer? Pour moi, Rachelle est la plus belle fille de la classe et de l'école tout entière. Une pétillante brune au regard perçant. Oui, c'est surtout ce qui me fait peur chez Rachelle, ce regard qui me transperce du premier coup.

Mais j'espérais trouver l'occasion de la mieux connaître et de me montrer à elle sous mon vrai jour. D'un seul regard, d'un seul geste, Rachelle pouvait peut-être aller jusqu'au fond de mon coeur et de mon âme. Hier soir. . .

Avant d'entrer, j'ai essayé de contrôler mon souffle qui s'accélérait à mesure que j'approchais de la fête. J'entendais la musique et les cris qui fusaient par les fenêtres entrouvertes du sous-sol. Il me fallait contourner la maison et entrer par la porte de côté. Comme chez moi, un escalier donnait directement dans le sous-sol. Avant d'ouvrir la porte, j'ai hésité longuement. La sueur commençait à me manger les paumes et le front. Mes aisselles étaient déjà en nage. Alors une pensée m'a fait reculer. . .

Le beau Stéphane était sûrement là. Il devait se pavaner devant toutes les filles qu'il pouvait avoir pour un sourire. Du moin, c'est ce qu'il dit toujours. Les filles se pressent autour de lui comme des mouches collantes. Il a beau être le cancre de la classe, c'est toujours Stéphane par-ci et Stéphane par-là. Il a beau être toujours en retard et manquer totalement d'organisation, c'est toujours lui le président de la classe.

Entre Stéphane et moi, c'est le no man's land. On ne se parle jamais. Je voudrais bien un jour ou l'autre mettre les ciseaux dans son opulente tignasse blonde toute bouclée et crever ses beaux yeux bleus. Moi, je porte de grosses lunettes épaisses à cause de mes trop nombreuses lectures. Voilà la récompense de ceux qui veulent s'instruire! J'ai le visage un peu épais aussi et les yeux perdus dans le vague. Je ressemble à Schubert, le grand compositeur. Autrefois, cette comparaison me flattait. Aujourd'hui, elle me flagelle.

Mais hier soir, je me sentais tous les courages. J'allais faire face à la musique et montrer qui je suis.

Gisèle s'est précipitée vers moi pour me souhaiter la bienvenue. C'était pour elle un triomphe personnel que je sois venu à son party. Rachelle était en train de danser avec le beau Stéphane et elle n'a pas semblé me voir arriver. Gisèle s'est bien occupée de moi. Elle m'a servi un gin. Puis elle m'a laissé pour rejoindre d'autres camarades.

Je me suis retrouvé seul, assis sur une chaise droite, dans un coin. Tout de suite, j'ai été victime de quelques grosses plaisanteries de certains gars surpris de voir l'intellectuel à un party. La danse battait son plein et je n'osais inviter une fille. Pourtant, il y en avait plusieurs qui papotaient ensemble et qui attendaient une invitation. De temps à autre, une fille se tournait vers moi comme pour me supplier de l'inviter. Ce n'était pas les plus jolies de la classe. Des filles plutôt pâles et boutonneuses comme la grosse Suzanne, ou maigres et souffreteuses comme Sylvie et Chantal. Certaines filles dansaient ensemble comme il arrive souvent dans les parties. Les garçons ne leur ménageaient pas leurs commentaires.

Rachelle, la belle Rachelle, la piquante Rachelle était toujours entourée de sa petite cour de garçons. Dans les yeux des filles, je saisissais de temps à autre un éclair mordant de jalousie. Rachelle n'arrêtait pas de danser. Elle était continuellement invitée. D'ailleurs, elle danse très bien.

Au troisième gin, mon audace commençant à se réchauffer, j'ai fait une chose étonnante ou, du moins, qui m'a étonné moi-même. Je me suis levé et je suis allé inviter la grosse Suzanne. Tout le monde nous regardait. Elle a été encore plus surprise que moi. Elle a hésité, elle a bégayé quelque chose et s'est laissée finalement entraîner sur la piste.

Des applaudissements moqueurs ont salué notre entrée. Suzanne sait encore moins danser que moi. Ça devait être beau à voir! Nous nous sommes copieusement marché et dansé sur les pieds au grand plaisir des camarades.

Bientôt, nous avons été seuls au beau milieu de la piste à essayer de danser. Lorsqu'elle voulait prendre l'initiative, elle m'entraînait à sa remorque et je pivotais autour d'elle comme un pingouin dans un jeu de quilles. Une pieuvre m'enlaçait avec une certaine horreur tendre et je n'arrivais pas à m'en défaire. Les éclats de rire fusaient de toutes parts. Leurs regards à tous comme des fers rouges sur moi. Leurs moqueries faisaient rage dans mon dos. Leurs rires en fusillade me coupaient les jambes. J'étais vraiment hors de moi, mais je réussissais à me maîtriser. Tout à coup, Suzanne a éclaté en sanglots, m'a lâché et est allée se réfugier dans la salle de bain.

Je suis resté seul au milieu de la piste comme un idiot. Les sanglots de Suzanne avaient coupé les rires et il s'est fait un grand silence qui a été comme rempli brutalement par la musique. Je ne sais pas exactement ce qui s'est alors passé en moi. J'aurais dû sortir en claquant la porte.

Mais non. J'ai fait une chose impensable. Je me suis dirigé droit vers Rachelle et je lui ai dit d'un ton autoritaire:

— Viens danser.

Mais Stéphane s'est précipité à son secours.

— J'ai réservé la prochaine. Excuse-moi, vieux.

Il a enlacé Rachelle et l'a entraînée sur la piste. Je ne sais pas si Rachelle était soulagée ou peinée, mais il y avait quelque chose d'indéfinissable dans ce regard qui s'est attaché quelques secondes sur moi. Mes yeux remplis par le brouillard de la rage déformaient le visage de Rachelle. Elle était laide, affreusement laide . . . dans ma défaite et mon humiliation.

J'avais les poings crispés par la rage. L'humiliation était cinglante. Ma première idée a été de me ruer sur Stéphane et de lui casser la figure. Cependant, mes habitudes de garçon modèle me firent changer d'idée. Je devais remporter la victoire en battant Stéphane sur son propre terrain. Et puis déclencher une bataille en plein party était de mauvais goût. On m'aurait mis dehors et ma défaite n'en aurait été que plus cuisante.

A cause de la musique très forte, personne n'avait entendu ce que Stéphane avait dit! Mais les gestes n'étaient pas équivoques et tout le monde avait bien compris: j'avais été repoussé tambour battant.

Ma seule consolation était ce regard indéfinissable de Rachelle qui me laissait entendre qu'elle n'avait pas vraiment repoussé mon invitation. C'est peut-être cela qui m'a donné un nouveau courage. Je me suis calé un nouveau gin et je suis reparti à la chasse.

Pendant deux heures, j'ai dansé avec toutes les filles. A mesure que je dansais, j'avais une plus grande souplesse. Mes jambes commençaient à apprivoiser la musique. Les filles hésitaient de moins en moins à danser avec moi.

Finalement, épuisé, étourdi, gonflé par ce commencement de victoire, je me suis écroulé sur une chaise pour reprendre mon souffle. Tout en calant un autre gin, mon regard a croisé celui de Rachelle qui virevoltait dans les bras de Jean-Pierre, l'autre Don Juan de la classe. A nouveau, son regard m'a bouleversé. Ce n'était pas de la pitié. Je ne sais trop quel sentiment animait ses beaux yeux noirs. Mais son regard m'a fait chaud au coeur. J'ai pris une grande lampée de gin. J'ai vu Suzanne se lever et venir vers moi. Elle a pris place sur la chaise libre à côté de moi.

— Tu danses bien, Gontran. Je ne savais pas que tu pouvais danser aussi bien. . .

C'était une façon adroite et intelligente de me demander pardon pour son esclandre. Et elle a ajouté avec un sourire que j'ai trouvé très beau:

— . . . avec les autres filles.

Pour toute réponse, je l'ai prise par la main et nous avons dansé ensemble pendant de longues minutes. Je commençais à sentir tout autour de moi que le vent avait tourné. Plus personne ne se moquait de nous, de moi.

En la reconduisant à sa place, mes yeux ont rencontré accidentellement ceux de Stéphane. A ma grande surprise, il y avait une sorte d'incertitude dans ses yeux, une sorte d'interrogation. Ce regard m'a réconforté encore plus que celui de Rachelle.

J'étais très fatigué et je me suis assis de nouveau. Tout le monde semblait être à bout. Je ne savais plus quelle heure il pouvait bien être. La piste de danse se vidait lentement. Jean-Pierre et Gisèle ont mis un certain temps à abandonner et tout le monde s'est retrouvé assis.

C'est ce moment qu'a choisi Rachelle pour se lever et venir vers moi. Elle m'a tendu la main. Tout le monde nous regardait. Je ne savais que faire. J'étais fatigué et je n'avais plus le goût de danser. Mes yeux se fermaient presque malgré moi. Stéphane roulait de gros yeux ronds dans notre direction. L'idée d'humilier à mon tour Rachelle me traversa comme une flèche empoisonnée. Mais je savais qu'au fond d'elle-même, elle ne m'avait pas tout à fait repoussé. Bien sûr, elle aurait dû ignorer Stéphane et accepter mon invitation. Mais je ne pouvais pas lui reprocher sa conduite dans les circonstances. Tout s'était passé si vite. Cela aurait été mesquin de lui refuser et je me serais mis tout le monde à dos. Et puis ça ne me déplairait pas de voir le beau Stéphane verdir en voyant Rachelle dans mes bras.

Je me suis levé et j'ai dansé avec ma belle Rachelle. Elle a le don de m'attirer et en même temps de me faire perdre tous mes moyens. La timidité s'ajoutant à la fatigue, je dansais très mal. Plus la danse avançait, plus je sentais tous les regards rivés sur nous; plus Rachelle devenait gênée et maladroite, plus je lui marchais sur les pieds.

Personne ne riait, mais je me sentais profondément humilié une fois de plus. J'avais tellement rêvé de cette danse! Et ça tournait au cauchemar. J'avais hâte maintenant qu'on en finisse.

Tout à coup, mes yeux heurtèrent ceux de Stéphane. Il y avait un sourire moqueur dans ses yeux et sur ses lèvres gorgées de sang. Et ce sourire a tout déclenché. J'entendais à nouveau l'incendie des rires monter autour de moi comme les flammes de l'enfer.

J'ai planté Rachelle au beau milieu de la piste, j'ai enjambé l'escalier en trois bonds et je me suis jeté dehors en claquant la porte de toutes mes forces.

Aujourd'hui, j'ai honte de ma conduite. Si je m'écoutais, je ne me représenterais jamais plus en classe. Je ne me sens plus capable d'affronter mes camarades, surtout Rachelle. Je suis un raté. Je ne suis même pas capable de remporter une victoire à la portée de ma main. Je finis toujours par gâcher tout.

Je ne sais pas encore ce qui s'est passé après mon départ. En sueur et hors d'haleine, j'ai couru jusqu'à la maison et je me suis réfugié dans ma chambre.

La solitude m'étreint jusqu'à me faire crier de douleur ou de folie. Je sens en moi la vengeance se mettre en branle. Devant moi dansent les lèvres pleines de sang rouge de Rachelle. . . et de Stéphane. Ils sont pleins de sang, eux; moi, je suis exangue. Hier, on aurait cru qu'elles allaient s'ouvrir, ces lèvres et saigner, et saigner. J'aurais bu le sang sur les lèvres de Rachelle.

Ces basses pensées me mordent l'âme et le coeur avec une férocité insoutenable. Chacun des mots et des regards de Rachelle tranche ma chair vive. J'ai l'âme en cendres et le coeur en poussière. J'ai sur la bouche le baiser brûlant de la vengeance. Mon bonheur est noir ou gris ou sale. Je fume de haine!

12

15 juillet 1973

La dame noire a réussi à me repérer aujourd'hui et elle m'a fait vivre une des journées les plus excitantes de ma longue vie. Je ne voulais pas retourner au cinéma du quartier parce que j'avais peur de la rencontrer encore une fois. Ma fuite de son appartement était pour moi une défaite personnelle.

Mais aujourd'hui, il y avait un autre bon film porno. C'était difficile de résister à la tentation. Et puis, je pensais que ce serait une coïncidence vraiment extraordinaire si je la rencontrais une troisième fois au même cinéma. Je n'étais pas pour me priver d'un bon film à cause d'elle.

On jouait « Les adolescentes farouches », un film très sensuel et très déroutant. Il s'agissait de belles adolescentes qui, aux yeux de tout le monde, passaient pour des jeunes filles toutes pures, des modèles, très correctes en tous points. Elles se tenaient loin des garçons, n'avaient pas de petits amis. Des filles sages quoi!

Le cinéma était presque vide. Je me suis installé à mon aise et j'ai dégusté chaque image avec gourmandise. Un voisin derrière moi dégustait autre chose. Il dévorait des sacs de chips en faisant un bruit de tonnerre. Il m'agaçait et semblait le savoir. Lorsqu'il avait fini, il froissait consciencieusement le sac et le lançait devant moi. Son deuxième sac a atteint une dame à deux rangées devant et elle s'est retournée en me roulant des yeux furibonds.

Le film avançait. Des gens sortaient et entraient. Malgré moi, je surveillais les allées et venues de tout le monde sans arriver à me concentrer sur les images qui glissaient devant moi.

J'avais toujours la sensation que la dame noire allait entrer d'une minute à l'autre. J'étais certain qu'elle n'était pas dans la salle. Je me sentais délivré d'un poids immense.

Je suis revenu au film. Chaque adolescente, un jour ou l'autre, était attirée par un groupe de jeunes filles tout aussi bien qu'elle. C'était une sorte de club de jeunes filles modèles. Au cours de chacune de leurs réunions, on parlait littérature, musique et arts en général. La nouvelle venue subissait, bien malgré elle, une étrange initiation. Elle s'apercevait que toutes ces jeunes demoiselles étaient des obsédées sexuelles. Elles se déshabillaient devant elle et se caressaient les unes les autres avec un grand luxe de raffinement. Seule, habillée jusqu'au cou, l'adolescente initiée ressentait un profond malaise. Elle voulait fuir. Mais on avait eu la précaution de lui verser un aphrodisiaque. Une fille l'entreprenait et elle succombait au plaisir.

Les images étaient tout simplement superbes, très suggestives. La salle du cinéma commençait à se remplir. Le garçon aux sacs de chips a fini par sortir. Une jeune fille est venue s'asseoir à deux sièges de moi.

Le film tirait à sa fin. Toutes les adolescentes dont on avait fait la connaissance au début du film avaient finalement adhéré à ce club bizarre. Mais à la fin, elles se rendaient compte qu'elles étaient observées, et depuis longtemps, par des hommes cachés un peu partout dans la pièce. Alors, les voyeurs les enfermaient et se livraient aux plus audacieux jeux sexuels. C'était le « climax » du film. Tous les spectateurs étaient aux anges. A la fin, on voyait sortir de la maison toutes les adolescentes sous leurs trompeuses apparences de filles modèles et très farouches.

Je suis sorti du cinéma, très heureux d'avoir vu ce film. Ç'aurait été vraiment trop bête de rater un aussi bon spectacle à cause de cette bonne femme noire. Mais je me sentais quand même insatisfait, comme si j'avais manqué un rendez-vous important. J'avais une tristesse quelque part que je ne pouvais m'expliquer.

Je me suis rendu à la taverne. J'ai pris trois bières pour me redonner un peu de moral. J'ai cherché Franz des yeux. Il n'était pas là.

En sortant de la taverne, j'étais bien décidé à revenir à ma chambre. Que c'est long des vacances! Attendre toujours quelque chose ou quelqu'un! Par curiosité, j'ai voulu passer devant l'appartement de la dame noire. Après tout, c'était presque sur mon chemin. Un petit détour à peine. Ma curiosité jouait avec le feu.

Arrivé devant l'appartement, l'idée de monter lui dire ce que j'avais sur le coeur me ravageait, me tourmentait, me torturait. Je voulais lui dire que je n'avais pas peur des femmes, que je ne trouvais pas très correct qu'une femme de son âge s'amuse avec des adolescents, que je n'étais pas un gigolo, qu'on pouvait bien aller voir des films pornos sans être ce qu'elle pensait. Toujours ma maudite obsession de détruire l'idée que les autres peuvent se faire de moi.

Je suis entré dans le hall et j'ai gravi l'escalier, marche par marche, comme un homme sûr de lui. Une pensée m'a arrêté au beau milieu de mon ascension. Son mari était peut-être là ou bien il arriverait pendant ma visite éclair. Alors, je perdrais sans doute tous mes moyens. Je m'exposais à une réception que je n'aurais pas volée.

J'ai rebroussé chemin et je suis redescendu. Mais tout en descendant, je me suis dit que je pouvais bien jouer la comédie du garçon qui fait erreur. Je pourrais bien inventer quelque chose sur place à condition d'avoir prévu l'imprévu. Alors, j'ai remonté les marches quatre à quatre et je me suis retrouvé devant la porte de la dame noire.

J'ai frappé. Mon coeur dans ma poitrine cognait très fort. Comment allait-elle me recevoir? Elle ne me reconnaîtrait peut-être pas dans la pénombre du corridor. Qu'est-ce que j'allais bien lui dire?

D'abord, j'ai cru qu'il n'y avait personne. J'ai frappé une deuxième fois. Je commençais à me sentir soulagé de savoir qu'il n'y avait personne. C'était pour moi l'occasion de croire que j'avais du courage sans être obligé d'en faire la preuve.

J'allais revenir sur mes pas lorsque j'ai entendu des bruits très légers et bientôt, sous la porte, des ombres ont bougé. Avant que j'aie pu repasser dans ma tête la première phrase que je voulais dire, la porte était déjà ouverte.

C'était bien elle . . . ma dame noire. Toute droite devant moi en robe de chambre ou en déshabillé, je ne sais plus très bien. Plus belle que jamais! Il y avait une sorte de brouillard entre elle et moi. Elle m'a reconnu tout de suite. Avec son étrange sourire, elle a dit simplement:

— C'est toi! Je savais que tu allais revenir. Entre.

Et la porte s'est refermée sur moi, comme la mâchoire d'un piège. Je me maudissais intérieurement d'avoir poussé au bout cette idée ridicule. Des sueurs froides se répandaient sur tout mon corps. Ma phrase d'introduction restait prise de travers dans ma gorge et je restais planté droit devant elle sans être capable de dire un mot. Sa phrase d'accueil avait tout coupé en moi.

Cette fois, elle se sentait sûre d'elle-même. Elle m'a pris par la main et m'a conduit dans sa chambre. Je pouvais deviner son corps magnifique à travers le tissu vaporeux de son déshabillé. Elle ne parlait pas. Comme l'autre jour, elle a laissé glisser le déshabillé et elle m'est apparue toute nue dans sa splendeur de chair blanche.

Il ne fallait pas que je recule. C'était maintenant ou jamais. Je me suis avancé et j'ai posé ma main droite sur sa hanche. Elle me regardait droit dans les yeux. Son corps ne frémissait pas encore sous ma caresse. Ses yeux bleutés par le désir me fascinaient. Ma main gauche s'est déposée comme d'elle-même sur l'autre hanche. Mes deux mains découvraient peu à peu ce corps de glace, la douceur de sa peau. Je regardais mes mains aller et venir sur son corps habillé par sa magnifique nudité. Mes mains au bout de mes bras s'animaient d'une vie propre. Je devenais spectateur de moi-même. Ce n'était pas moi qui faisais ces gestes, c'était un autre en moi, un autre qui me guidait, mon double, mon âme damnée. . .

Puis elle s'est étendue sur le lit, sa tête reposant dans la fumée sombre de son abondante chevelure. Je me suis étendu à côté d'elle, tout habillé et j'ai continué à la caresser. De ses aisselles montait un parfum de volupté noire, un parfum qui s'étirait jusqu'à moi, puis se contractait. Son corps vibrait maintenant comme une lyre. Sa tête reposait toujours dans la noire méduse de sa chevelure. Elle ressemblait à une déesse virginale.

Son corps irradiait une étrange lumière lunaire: une Vénus blanche, glaciale, cadavérique.

Le temps se figeait entre mes doigts, se coagulait au creux de mes paumes moites. Mes yeux se promenaient sur son corps, rencontraient la froide clarté de son regard, jouaient avec la sorcellerie de ses lèvres. Sa chevelure très noire contrastait avec son corps blanc qui aveuglait, un corps d'albâtre, transparent comme une âme. Ah! l'éclat de sa chair lumineuse!

Sa bouche, blessure mal guérie, s'offrait. Je n'osais l'embrasser mais quand je me suis penché vers son sein, elle m'a attiré et m'a offert une bouche ouverte dont mes lèvres affolées n'ont su que faire. Corail sanglant, ses lèvres sur ma bouche!

Elle avait encore la peau de son enfance, une peau très blanche, très douce. J'étais comme aveuglé par le soleil froid de son corps. Des bagues vivaient intensément à ses longs doigts. Tout à coup, son corps m'a fait l'effet d'un cadavre. Je faisais l'amour à un mannequin et je devenais moi-même mannequin. Le talisman noir de ses yeux! La longue coulée de cheveux comme un reptile endormi sur son sein! Le marbre vivant de son corps! Elle jouissait dans un atroce silence. Pas une plainte. Pas un soupir. Son corps ne vibrait plus. Il était comme mort. Ses yeux fixaient le plafond. Ses lèvres frémissaient à peine. Je caressais une statue de marbre. Je marchais sur une poutre et, de chaque côté, m'attendait le vide de la mort. Elle avait une sorte d'écume blanchâtre à la bouche, l'écume de la volupté. La lumière vivante de sa peau m'aveuglait. Une sorte d'étoile intérieure l'habitait. L'âme lui sortait par les yeux. Une grosse larme roula sur sa joue de marbre en la brûlant. Mes mains se promenaient sur son corps comme les mains d'un autre.

Ses ongles rouge vif flambaient au bout de ses doigts fuselés. Son corps refroidissait sous mes caresses. Le sang se figeait dans ses veines sous l'effet intense du plaisir. Si je l'avais coupée à ce moment, je crois qu'il serait sorti de sa blessure du sang blanc. Elle allait au bout de la volupté comme à la frontière de la mort. Je me penchais sur elle comme sur un abîme.

Je ne pensais plus à rien, ni à un mari éventuel, ni à l'heure qu'il pouvait être. Ni comment cela allait finir. Je savais maintenant ce qu'était le paradis ou presque.

J'étais comme engourdi dans ma propre extase. Et à son tour, le silence engourdissait toute la chambre. Son corps ne frémissait pas. Sa peau ne frissonnait pas. Seuls ses yeux, ses terribles yeux, semblaient jouir. Ses yeux comme un abîme de sang noir. Mes caresses vivantes sur sa peau morte. Mes mains noyées dans l'eau vive de sa chevelure. Elle rongeait son immense plaisir du bout des yeux.

Du plus profond de moi-même, j'ai entendu une musique monter. C'était la Neuvième de Beethoven qui m'emplissait de son extase. Je sentais en moi Satan qui éclatait de rire et se tordait de joie. Pendant toute cette cérémonie, ma virilité se tenait bien sage à mon grand désespoir. La dame noire ne semblait pas s'en apercevoir. Elle ne désirait pas ma virilité.

Pourquoi cette vie si bonne et si belle est-elle un enfer pour moi? Pourquoi cet atroce désir qui se dresse debout dans mon corps, qui marche malgré moi vers je ne sais où? A côté de cette femme, je coulais dans ma honte et je m'y noyais. Comme un piège, ma solitude se refermait sur le vide.

Tout à coup, elle m'a saisi la main et elle m'a repoussé. C'était fini. La statue reprenait vie. Le cadavre ressuscitait à la triste réalité. Il émergeait lentement du tombeau du plaisir, de l'abîme de la volupté.

Elle a remis son déshabillé. Sans que je lui pose la moindre question, elle s'est mise à parler:

— Je suis mariée. Mon mari est comblé, je t'assure. Mais j'ai besoin d'autre chose. De fantaisie. Tu ne peux pas comprendre.

Elle m'a reconduit jusqu'à la porte et elle a ajouté:

— Ne reviens plus jamais. Nous ne pourrions jamais aller plus loin.

La porte s'est refermée. J'étais hors du piège, rejeté au froid, à l'obscurité, à moi-même. A nouveau, le poids d'une immense défaite m'a écrasé les épaules.

Dehors, un soleil orgueilleux dardait la terre. Il marquait au fer rouge le flanc blanc de l'horizon.

13

17 juillet 1973.

Enfin, je l'ai la fameuse poupée. J'ai amassé un peu d'argent. Elle se vend cher. Je ne voulais pas que la marchande me la donne à ses conditions... Aujourd'hui, lorsque je suis retourné pour l'acheter, la marchande était encore seule à garder le magasin. Elle a voulu me jouer la même comédie.

J'ai résisté. Je ne voulais pas aller dans l'arrière-boutique seul avec elle. Je suis resté au comptoir et je lui ai demandé la poupée. Elle a d'abord refusé de me la vendre. Je l'ai menacé d'en parler à son mari. Mais j'ai vu que cette menace la faisait simplement rigoler. C'est à croire que c'est elle qui mène le ménage.

En roulant ses grands yeux de poisson dans ses aquariums de lunettes, elle m'a renouvelé son marché de l'autre jour. Elle aussi, comme la dame noire, rêve de se payer du bon temps avec un jeune, même s'il n'est pas très beau comme moi. Une vieille peau sèche comme la sienne ne peut certainement pas rêver de s'envoyer un bel adonis, même en le payant.

Vraiment, cette marchande est d'une laideur fascinante qui va chercher les tripes du mâle. Un instant, j'ai cru que j'allais céder. Tout ce qui sort d'elle semble tordu, crochu, torturé. Elle a quelque chose de la sorcière. Sa peau jaune multiplie le réseau serré de ses rides. Si laide, qu'avec elle, une ceinture de chasteté deviendrait une ceinture de charité. Et son sourire sec et cassant!

Alors, elle a posé ses longues mains craquantes sur mon bras et elle m'a serré doucement. Ses doigts faisaient presque le tour de mon bras et ses grands ongles grisâtres mordaient dans ma peau à me faire mal.

Elle m'a proposé un deuxième marché:

— Je te la donne, la poupée, mon grand, mais promets-moi de penser à moi en lui faisant l'amour.

Elle me dégoûtait à un point tel que j'étais prêt à renoncer à la poupée. On devait bien en vendre ailleurs, dans d'autres magasins du genre. Mais où? Franz savait peut-être. Il fallait que je lui en parle.

L'oeil avachi de lubricité, le regard en coup de griffe, le sourire débordant de ses lèvres épaisses, de grosses narines qui semblaient avaler toutes les odeurs ayant le malheur de l'approcher, tout en elle me repoussait et m'attirait à la fois. Une lueur sournoise vacillait au bord de sa paupière. Ses yeux, encore ses yeux, des larves qui glissaient sur moi, collaient à ma peau, s'engluaient à ma timidité. Et ce désir répugnant, cette lave épaisse et lourde dans mes veines trop étroites.

J'ai offert à la marchande de la payer tout de suite. Je lui ai flanqué l'argent sous le nez. Elle n'a pas bronché. Un sourire bizarre lui tordait la bouche. (Ce sourire qui vernissait si bien son silence.) Pourtant, lorsqu'elle a levé les yeux, j'ai été bouleversé par l'expression de détresse qui s'étalait dans la brume vivante de son regard. Cette détresse m'a fait hésiter un moment. La marchande me faisait pitié. Pas de la fausse pitié, mais de la vraie, comme je n'en avais jamais éprouvée auparavant pour quiconque. Cette même pitié profonde que j'ai pour moi, tous les jours. Il me semblait qu'elle souffrait d'une impuissance encore plus grande que la mienne. Penser à elle, lui promettre de penser à elle, ne m'engageait pas à grand-chose. Mais cela me répugnait de devoir lui céder. J'aurais dû accepter tout de suite sans faire d'histoire.

Mais lui promettre de penser à elle, sans le faire vraiment, m'apparaissait comme une sorte d'imposture. Une imposture qu'elle sentirait bien dans le ton de ma voix. Elle avait besoin d'autre chose. L'idée d'aller seul avec elle, un jour, dans l'arrière-boutique, me terrifiait. Pourtant, j'y ai songé encore pendant quelques secondes. Le geste m'est apparu soudain comme un exploit personnel, puis comme un geste de générosité, de renoncement, de maîtrise. Et à nouveau, les images qui passèrent devant mes yeux embrumés me terrorisèrent.

Ç'aurait été comme si j'avais fait l'amour avec un cadavre vivant, avec la mort elle-même. Non, je ne pouvais pas. Personne ne pouvait rien pour moi et je me débrouillais bien seul. Alors, cette femme n'avait qu'à en faire autant. Et puis, dans un certain sens, elle était mieux que moi: elle était mariée. Elle pouvait compter sur un partenaire et non sur une poupée de caoutchouc.

Pas une fille ne voudrait de moi, de mes boutons gorgés de pus, de mes grosses lèvres fendillées, de mes yeux globuleux. Je n'ai rien pour attirer les filles. Je l'ai bien senti quand la belle Rachelle s'est penchée vers moi pour m'embrasser le jour de mon anniversaire. L'autre soir, durant le party, même les filles les moins attrayantes gardaient leurs distances en dansant avec moi. Pourtant, j'avais une envie dévorante de les serrer contre moi, même la grosse Suzanne, boutonneuse et puante de sueur rance. Quel beau couple on ferait tous les deux!

Je n'arrive pas encore à imaginer comment la dame noire a pu tolérer que je la touche. Elle doit être drôlement vicieuse, car avec sa beauté, elle n'aurait pas de difficulté à séduire de beaux jeunes mâles fringants.

Ces pensées ont défilé dans ma tête à toute vitesse, pendant que je la fixais, retenant ma réponse. Quelque chose a étincelé dans ses gros yeux. C'était comme de l'espoir. Mais j'ai tourné les talons et je suis sorti du magasin.

En sortant, je suis arrivé nez à nez avec le marchand. Il m'a salué et a deviné à ma mine que quelque chose n'allait pas. Je lui ai dit que sa femme ne voulait pas me vendre une certaine poupée qu'il avait dans son arrière-boutique. Il a hésité un instant puis il a dit:

— Je vais arranger ça. Donne-moi l'argent. Je trouverai bien le moyen de te la faire parvenir.

Je lui ai tendu l'argent mais tout de suite, je me suis demandé si j'avais eu raison de lui faire confiance. Franz semble très bien le connaître. Il n'y a pas de raison qu'il me joue un sale tour, ce marchand.

Après dîner, je suis allé à la taverne prendre une bière. Franz était là, comme d'habitude. J'aurais voulu l'éviter. Je ne voulais pas qu'il pense que j'allais à la taverne pour le rencontrer. Et puis, j'avais besoin d'être seul. Heureusement, avec Franz, je ne parle pas beaucoup. Le plus souvent, nous prenons une bière dans le plus grand silence. Juste pour dire que nous ne sommes pas tout à fait seuls à une table.

Dès mon entrée, il m'a aperçu et m'a fait signe de venir à sa table. J'ai d'abord eu l'idée de faire semblant de ne pas le voir. Mais il s'est levé, s'est approché. Je ne pouvais plus l'éviter. Je me suis assis et le garçon nous a apporté une bière.

Franz avait un étrange sourire. Comme je ne lui posais aucune question, il a sorti de dessous la table un sac qu'il a poussé vers moi, toujours avec le même sourire. J'ai regardé Franz comme pour le forcer à s'expliquer. Il souriait toujours. J'ai entrouvert le sac: c'était la poupée.

J'ai dû rougir comme si j'étais pris en faute. Je ne voulais pas que Franz sache que j'avais été attiré par son fameux truc. Mais il était trop tard. On s'est regardé un long moment. Notre silence vissé aux lèvres, on se disait des tas de choses. À mon tour, j'ai souri, et Franz a dit simplement:

— Tu m'en diras des nouvelles.

Nous avons laissé encore le silence couler entre nous comme une savoureuse bière blonde, puis je suis sorti sans le remercier. Je suis revenu à la maison. Il n'y avait personne. Où pouvaient-ils être tous? Je m'en foutais comme de ma dernière culotte.

J'ai refermé soigneusement ma porte et l'ai verrouillée à triple tour. J'ai sorti la poupée de caoutchouc et je me suis mis à la gonfler avec un petit appareil fourni à cet usage. J'étais amusé de voir se gonfler à mes pieds cette étrange petite fille toute ratatinée, toute fripée, toute ridée de grossières crevasses. A mesure qu'elle se gonflait, elle prenait forme, devenait peu à peu une grande fille, puis une femme complète, très belle, toute nue, grandeur nature. C'était hallucinant!

N'importe quel homme normalement constitué aurait eu comme moi le goût de la prendre dans ses bras et de l'embrasser. Je l'ai serrée très fort. Une sorte de plainte, de soupir ou de gémissement est alors sorti d'elle, comme si elle jouissait langoureusement. Ce gémissement était lui aussi hallucinant.

Je l'ai étendue sur mon lit et je me suis déshabillé rapidement. Je me suis couché à côté d'elle et j'ai commencé à caresser ses seins gonflés dur. Il faut avouer que le caoutchouc n'arrivait pas à rendre la sensation d'une peau blanche et satinée comme celle de la dame noire. Mais l'illusion était quand même assez amusante. L'illusion était tellement forte qu'à ma grande surprise, ma virilité a commencé à réagir drôlement.

Pendant plusieurs minutes, je me suis efforcé de faire l'amour avec cette poupée de caoutchouc gonflée et gémissante. A chaque fois que je m'étendais sur elle, elle poussait de longs gémissements à fendre l'âme. Mais comme je n'ai jamais fait l'amour, comme je ne sais pas faire l'amour, l'expérience à la fin a été pour moi une grande déception. J'ai dû, comme d'habitude, finir seul la cérémonie.

J'étais déçu à pleurer. Cette poupée m'avait coûté une petite fortune et je n'avais pas réussi à en tirer mon plaisir. Peut-être bien que je n'avais pas le tour. Peut-être que la prochaine fois cela pourrait aller mieux.

Je pourrais demander des conseils à Franz. Non. Pas à lui. Ce serait trop humiliant. S'il me demande ce que j'en pense, je vais lui dire que c'est formidable. Mais peut-être qu'il sait mieux que moi que c'est décevant de faire l'amour à un morceau de caoutchouc aussi bien moulé et peinturluré soit-il. Peut-être qu'il me tend un piège. Si je lui mens, il le saura tout de suite. Peut-être aussi qu'il me croira et qu'il sera jaloux de ma réussite. Alors, il va me demander des conseils et je vais être fait comme un rat. De toute façon, pour sauver la face, je lui dirai que cette poupée, ça ne remplace pas une fille. Il comprendra ainsi que je ne suis plus pubère. Pour l'éblouir, j'ajouterai que c'est encore meilleur avec une femme, une vraie femme. . .

Pour passer ma déception, j'ai fait une chose folle, insensée, bébête. J'ai sorti mon nécessaire à sadisme. J'ai mis les gants, les bottes, le masque. Comme j'étais seul dans la maison, je me suis amusé à flageller cette idiote poupée de caoutchouc. A chaque coup de fouet, elle poussait un petit gémissement sec, pointu, presque criard, comme si elle jouissait, l'imbécile. Ce gémissement ajoutait au ridicule de la situation.

Tout à coup, l'illusion de la cérémonie sadique est devenue tellement forte pour moi que la rage m'a possédé totalement. Je l'ai frappée alors de toutes mes forces. Les gémissements plus longs et plus sonores ajoutaient à ma rage. Le fouet s'entortillait à mon poing comme une vipère et je ressentais la morsure comme un plaisir. Je jouissais à chaque coup de fouet, je délirais comme un dément à chaque gémissement poussé par la poupée.

Subitement, à travers mon délire sadique, j'ai entendu comme par miracle, car je ne me possédais plus, j'ai entendu la voix pointue d'Irène et puis tout de suite après, celle de ma mère. Elles arrivaient.

Je me suis arrêté net. Immobile, j'ai écouté leurs pas s'éloigner dans la maison. Je me suis empressé de dégonfler la poupée. En la regardant se dégonfler, j'ai eu l'impression de voir toute une vie défiler obscurément devant moi. Cette belle fille blonde aux formes pleines est devenue en quelques secondes une petite vieille à la peau trop grande, puis une forme indistincte, enfin un morceau de caoutchouc, barbouillé de peinture. C'est tout ce qu'il restera de moi après quelques années de tombeau.

Cette métamorphose m'a fait immédiatement penser à la marchande, cette vieille fille avariée qui a réussi à s'amarrer à un homme. Elle sent la tombe, cette femme. Elle pue le cimetière. Je l'imagine bien faisant l'amour à des squelettes.

J'ai plié la poupée en quatre. Je l'ai remise dans son sac et j'ai caché le sac dans mon armoire. Je laisse toujours la porte de ma chambre verrouillée mais on ne sait jamais ce qui peut arriver. On n'est jamais trop prudent avec une mère qui rôde dans la maison. J'ai rangé aussi les gants, les bottes et le masque. Et, bien sûr, le fouet. Et je me suis mis à écrire avec rage ces pages.

Lentement et sûrement, j'aiguise ma vengeance au secret de ma haine. Elle bouillonne, m'incendie. Je suis trop plein de solitude. Je sens la lente et sournoise reptation de la mort au fond de mes muscles et de mes organes. Dans cette chambre, la poussière s'incruste partout. S'infiltre partout. La poussière me dévore, me colle aux yeux, à la gorge, au coeur et à l'âme. . .

14

18 juillet 1973.

Aujourd'hui, je me sentais très tendu, très nerveux. Je suis retourné voir le marchand de tabac. Cette fois, il était seul. J'avais toujours peur que la chipie apparaisse d'un moment à l'autre. J'étais mal à l'aise. Je ne savais pas comment aborder le sujet de la poupée.

J'ai d'abord feuilleté des revues et des journaux. Les clients entraient et sortaient sans dérougir. J'attendais le moment propice pour demander au marchand comment on pouvait se servir de sa fameuse poupée. De temps à autre, il me jetait un regard oblique par-dessus ses lunettes épaisses. Finalement, nous sommes restés tous les deux seuls dans le magasin.

C'était le temps ou jamais. Je continuais à feuilleter une revue tout en repassant dans ma tête la question que j'avais préparée. Enfin, j'ai décidé de l'aborder très simplement, mine de rien; de parler de la pluie et du beau temps. Je voulais qu'il me voir venir. Peut-être qu'il aborderait lui-même le sujet. Ce serait plus facile ainsi. Mais il y avait toujours des clients qui risquaient d'entrer à tout moment. Cela pouvait prendre beaucoup de temps.

Aujourd'hui, il a fait un soleil écrasant. De la chaleur et de l'humidité. Dissimulé derrière ma revue, je suais à grosses gouttes mais je ne savais pas si c'était de nervosité ou de chaleur. Pendant que je repassais dans ma tête ma savante stratégie, j'ai senti que le marchand s'approchait de moi. J'ai levé les yeux lentement. Il me regardait en souriant.

— Puis, comment ça va, le jeune?

— Bien . . . pas mal.

— On joue toujours à la poupée?

Oh! j'oubliais de vous remercier pour. . .

— De rien, de rien. Et comment tu aimes ça, les poupées, à ton âge?

Je sentais mon malaise grandir dans chaque fibre de mon être. Si quelqu'un nous avait entendus, de quoi aurais-je eu l'air? Je voulais lui dire de parler moins fort. Mais il semblait s'amuser un peu de mon trouble.

— Pas mal. . . Mais. . .

— Eh bien! Pas plus que ça? Tu ne dois pas avoir le tour.

— Justement . . . j'aimerais . . . j'aimerais que. . .

La phrase se coinçait dans ma gorge. Je le suppliais du regard de comprendre ce que je voulais lui dire. Il me fixait étrangement, comme si je parlais une autre langue.

— Tu aimerais quoi, mon jeune?

— J'aimerais . . . enfin . . . vous devez, vous, savoir comment. . .

Cette fois, il a bien voulu comprendre. Il est resté interdit, un instant, puis il a éclaté d'un grand rire. Son rire m'énervait. J'avais peur qu'on nous entende, qu'on vienne demander pourquoi il riait tellement et de si bon coeur. Je voyais déjà la chipie sortir de derrière une porte et se tordre de rire elle aussi. C'était une conspiration, c'était sûrement un complot.

— Non, non, mon jeune, aucune expérience, aucune. Je laisse ça aux. . .

Sa phrase est restée en suspens dans notre silence. Les mots qu'il voulait ajouter étaient sans doute maladroits ou vexants. C'était à son tour de perdre un peu les pédales. En voyant entrer un client, il s'est ressaisi. Il m'a laissé pour aller le servir.

Il n'y avait vraiment rien à faire. Le marchand ne pouvait pas m'aider. Évidemment, un homme marié n'a pas besoin de poupée. Et même s'il était célibataire, il pouvait toujours se payer une poupée vivante comme tant d'autres hommes. Avec le squelette qu'il a épousé, il ne doit pas s'en priver. J'arrive difficilement à imaginer le marchand faisant l'amour avec cette horreur aux gros yeux de poisson et aux ongles jaunis par la cigarette. Mais peut-être a-t-elle des charmes cachés.

Je suis sorti du magasin en titubant dans la chaleur accablante, chancelant dans mon propre désespoir. J'avais besoin de me rafraîchir avec une bonne bière froide.

En entrant dans la taverne, je me suis tout de suite rendu compte que Franz n'était pas là. J'étais soulagé. Je n'aurais pas voulu le rencontrer et subir un petit interrogatoire en règle. Je n'avais pas du tout envie de nager entre le mensonge et la vérité pour finalement m'en sortir avec des plumes en moins. Je peux difficilement résister aux deux yeux noirs de Franz.

Le garçon a apporté deux bières. Seul à une table, dans un coin sombre, tout au fond de la taverne, j'ai avalé presque d'un seul trait la première. Son goût piquant et sa fraîcheur brutale m'ont enlevé pour quelques secondes tout le poids de la chaleur et de mon égarement. Alors, je me suis mis à suer abondamment. Des buveurs bruyants à une autre table se sont retournés subitement pour m'observer en train de m'essuyer le visage à grands coups de mouchoir. Encore une fois, leurs regards, le regard des autres sur moi. . .

J'ai avalé l'autre bière. Tout commençait à s'embrumer autour de moi. J'avais bu vraiment trop vite. J'avais besoin d'aller aux toilettes. Mais je n'osais pas de peur de chanceler entre les tables. Je me suis laissé couler paresseusement dans cette brume qui m'enveloppait.

Tout à coup, sans trop savoir pourquoi ni comment, Franz fut devant moi. Il s'est tiré une chaise, s'est assis et a poussé un grand soupir de soulagement. Lui aussi avait très chaud. Il a commandé une bière et s'est mis à la siroter avec gourmandise. Il s'amusait à laisser la bière lui dessiner une fine moustache.

— Tu n'as pas l'air dans ton assiette, vieille branche.

— Qu'est-ce qui te fait dire ça? ai-je dit sur un ton agressif.

— Oh! rien. Une impression comme ça, en passant.

— Il fait tellement chaud. Je n'ai jamais vu un mois de juillet pareil.

Franz souriait comme le marchand. On aurait dit qu'il attendait une confidence lui aussi. Mais la confidence ne venait pas. Il essaierait sûrement de la provoquer.

— Tu t'amuses bien, ces temps-ci, vieux?

— Les vacances, c'est long parfois . . . surtout lorsqu'il fait chaud.

— Les nuits surtout sont longues, dit-il en élargissant quelque peu son sourire.

L'allusion était un peu trop directe. Il avait dû certainement essayer lui aussi et peut-être avec plus ou moins de succès. Maintenant il voulait que je lui avoue l'échec que je portais écrit sur la figure.

— La bière est très bonne. Je t'en offre une autre?

— Non merci. Je m'en vais. Salut!

— Mais non, nous avons encore quelque chose à nous dire. Tu as certainement des choses à me raconter. . . des choses très intéressantes. . .

— Non, j'ai sommeil avec toute cette chaleur. Je vais aller me coucher.

— Tes nuits sont donc si mauvaises que ça?

— Je ne peux supporter une telle chaleur. Je n'arrive pas à dormir.

En sortant de la taverne, je voyais encore le sourire de Franz et ses yeux qui jetaient de petits éclairs de malice, de curiosité. Si je n'étais pas sorti tout de suite, il m'aurait sans doute fait tout avouer.

J'étais dans une sainte colère. Malgré le soleil accablant, je suis revenu d'un pas ferme à la maison. En entrant, ma mère n'a pas fait attention à moi, comme d'habitude. Irène jouait dans la cour avec ses petites amies. Lorsqu'elle m'a aperçu, elle est restée immobile comme une hypnotisée. Je devais vraiment avoir l'air effrayant.

Je suis entré dans ma chambre en coup de vent. Je suis allé débusquer de sa cachette cette maudite poupée et je me suis mis à la gonfler frénétiquement, rageusement. A chaque coup de pied sur la pompe, la poupée faisait un grand bond dans l'existence, devenait petite fille ridée, grande fille molle et enfin, femme épanouie.

Je l'ai couchée sur mon lit. J'ai admiré un instant ses formes pleines et dures. Elle me défiait de son grand sourire béat. Lorsque je me suis couché sur elle, elle a poussé un long gémissement que j'ai fait durer le plus longtemps possible. Ses gémissements et ses soupirs me chatouillaient l'imagination. J'allais peut-être enfin réussir! Je me suis mis consciencieusement à l'oeuvre.

Il faisait très chaud dans ma chambre. Mes efforts me mirent rapidement en nage. Je n'arrivais pas à compléter la cérémonie et plus je me faisais aller, plus je me sentais possédé par une rage sauvage. Épuisé, vaincu, il ne me restait qu'à me venger.

Comme hier, j'ai enfilé les gants, les bottes, le masque et j'ai saisi mon fouet. Pendant plusieurs minutes, j'ai fouetté la poupée de toutes mes forces. A chacun de ses soupirs idiots, à chacun de ses gémissements puérils, la colère faisait un bond dans ma tête, dans mon ventre et je frappais comme un déchaîné.

Tout à coup, le mécanisme des gémissements s'est détraqué. La poupée est restée muette, comme frappée de paralysie, ses grands yeux bleus fixés au plafond, son grand sourire figé dans un plaisir mort. Elle m'échappait comme toutes les autres.

Je suis devenu fou de colère. J'ai saisi le couteau ou plutôt le coupe-papier sur ma table et je me suis jeté sur elle en la lardant à grands coups dans le ventre, les cuisses, les seins et même la figure.

Elle s'est dégonflée en lâchant un long sifflement mou. Son visage s'est ratatiné, s'est rempli de rides grotesques. Son sourire s'est recroquevillé. Je n'avais plus qu'un morceau de caoutchouc entre les mains. Alors, pour consommer ma vengeance, j'ai planté mon arme dans le sexe. Le coupe-papier a traversé le caoutchouc, la couverture et s'est enfoncé profondément dans le matelas clouant la poupée ou du moins ce qu'il en restait à mon lit. L'aventure était finie.

Je me sentais complètement vidé. Toute cette énergie, toute cette rage, toute cette frénésie s'étaient écoulées de moi comme une eau claire. Je n'étais plus qu'une outre crevée d'où s'écoulait la vie. Ramassant mes forces, j'ai retiré le coupe-papier et j'ai caché la poupée dans mon armoire.

J'ai rangé l'ensemble de sado-masochisme. Puis je me suis laissé tomber sur mon lit. A ce moment, je me suis senti observé par quelqu'un ou quelque chose. J'ai voulu réagir mais j'ai sombré très vite dans un profond sommeil.

Dans mon rêve, la poupée était devenue une femme, une vraie femme en chair et en os. Mais la cérémonie était exactement la même. A la fin, je la tuais comme la poupée. Au moment de planter le couteau dans le sexe, je me suis réveillé en criant. J'étais tout en sueurs. Et à nouveau, j'ai eu l'impression très vive d'être observé.

Je me suis levé. J'ai ouvert la porte. Personne.

Je me suis mis à écrire sur un bout de papier: « La pourriture a installé son nid dans mes os. Un aigle m'habite mais on lui a coupé les ailes et il ne peut s'envoler loin de tous les regards. Des fleurs s'ouvrent en moi, mais je ne peux les cueillir sans les casser; et, de leur blessure, coule du sang. Je mène une vie plus mortelle que la mort elle-même. Je me sens saigné à blanc par cette pourriture qui me ronge vivant. Mon coeur est une plaie, une plaie par où je perds mon âme. . . »

15

— Vous êtes bien monsieur Gustave Lamarre, marchand de tabac au petit centre commercial du quartier?

— Oui, monsieur le commissaire.

A sa façon de répondre, Fortier sentit que cet homme s'était bien préparé à faire face à un interrogatoire en règle comme dans les films policiers. Son attitude était presque celle d'un comédien chevronné: la voix bien posée, le geste sûr et aucun signe de nervosité.

— Est-ce que vous connaissiez le jeune Gontran Gauthier?

— Oui, Gontran venait régulièrement à mon magasin. La dernière fois que je l'ai vu, c'était le douze septembre, je crois. Je me rappelle même très bien: il est venu acheter le dernier numéro de Playboy.

Le marchand alluma une cigarette, prit une profonde inspiration, lança presque avec volupté une longue bouffée de fumée épaisse puis il fixa le commissaire en plein dans les yeux comme pour lui signifier qu'il était prêt à répondre à toutes ses questions.

— Connaissez-vous aussi le jeune Pierre Tremblay que Gontran appelle Franz dans son journal?

Cette fois, le marchand parut ébranlé par la question. Il ne devait sans doute pas connaître le contenu du journal. Il avait peut-être peur des révélations qu'il pourrait contenir. Fortier comptait bien jouer sur ce tableau pour arracher la vérité au marchand.

— Oui, je connais ce Pierre Tremblay. Pensez-vous qu'il a quelque chose à voir dans cette affaire?

— Est-il exact, monsieur Lamarre, que vous tenez dans votre arrière-boutique un certain stock de revues pornographiques et de gadgets sado-masochistes?

Les yeux striés de sang se brouillèrent imperceptiblement. Le marchand prit encore une profonde bouffée, la projeta devant lui, décroisa les jambes et finalement répondit d'une voix plus sourde:

— Je ne sais pas ce que vous appelez un certain stock mais je n'aime pas exposer toutes les revues qui nous arrivent. Il y a toutes sortes de personnes qui entrent dans mon magasin pour acheter un peu de tout. Je ne veux pas que certaines revues plus osées blessent la pudeur de la majorité de mes clients, sans compter les enfants qui peuvent être mal impressionnés par certaines pages-couvertures. Alors, je préfère garder ces revues pour l'élite de ma clientèle. Quand je dis élite, vous voyez bien ce que je veux dire. Mais je vous assure que je ne garde que des revues censurées. Ça! y a pas de doute là-dessus. Vous me direz qu'aujourd'hui, il n'y a plus grand chose de censuré, mais tout de même ça arrive encore de temps à autre. Quant aux gadgets en question, je ne vois pas très bien ce que vous voulez dire exactement. Quelles sortes de gadgets, par exemple?

Le marchand s'avançait avec prudence d'une question à l'autre. Sa belle assurance avait très vite fondu.

— Si on se fit toujours au journal de Gontran, votre arrière-boutique était en quelque sorte un « sex-shop » camouflé?

— J'ignore tout de ce que Gontran a écrit dans son journal à ce sujet, mais il ne s'agit pas d'un sex-shop. Je ne garde que des gadgets plutôt drôles mais sans importance.

— Comme quoi, par exemple?

— Des jeux de cartes un peu spéciaux, des boutons de chemises, des cendriers, des porte-clés avec des motifs spéciaux aussi.

Fortier décida que le moment était venu de bousculer davantage ce monsieur Lamarre. Comme il l'avait fait avec Franz, il se leva et alla se placer derrière le marchand.

— Monsieur Lamarre, n'avez-vous pas dans votre arrière-boutique des ensembles complets de sado-masochisme que vous vendez à prix d'or, des poupées gonflables, des menottes? N'avez-vous pas vendu des aphrodisiaques, de la drogue à des jeunes?

Le marchand se retourna brusquement et fixa celui qui venait de lui décocher cette flèche.

— Non, non, je n'ai jamais vendu de drogue, ni d'aphrodisiaque à des jeunes. Non jamais.

— Qu'entendez-vous par jeune, monsieur Lamarre? Quel âge au juste?

— L'âge légal, bien sûr. Dix-huit ans et plus. Le jeune Gontran. . .

— Quel âge avait Gontran, d'après vous, monsieur Lamarre?

— Dix-huit ou dix-neuf ans au moins.

— Gontran avait dix-sept ans, monsieur Lamarre. Continuez à répondre à ma question.

— Quelle question? Je ne sais plus. Vous m'avez coupé la parole deux fois.

— La question sur les poupées, les menottes et les ensembles de sado-masochisme.

Le marchand passa ses doigts brûlés de nicotine dans ses cheveux épais. Les yeux fixés sur la cendre de cigarette qui venait de tomber, il finit par répondre.

— Oui, je dois avouer que j'ai vendu une poupée à Gontran par l'intermédiaire de Pierre Tremblay. Des menottes aussi. Mais c'est tout.

Fortier était sûr maintenant que Pierre lui avait menti sur certains points. Mais pourquoi? Il voulut tendre un piège au marchand.

— Pas de drogue? Pourtant, dans son journal, Gontran. . .

— Il a menti. Je ne lui ai jamais vendu de drogue. A d'autres, mais pas à lui. . .

Le commissaire était fier de son coup. Il venait de faire avouer au marchand quelque chose d'intéressant. Les réponses de Lamarre étaient de plus en plus précipitées. Il disait la vérité malgré lui.

— Monsieur Lamarre, avez-vous vendu de la drogue à Jérôme, à Pierre et à Rachelle?

— Oui, une ou deux fois seulement.

— Avez-vous vendu un vibro-masseur à Pierre Tremblay qui l'a donné ensuite à Gontran?

Le marchand essuya du revers de la main la sueur qui perlait à son front. Il alluma une deuxième cigarette avec difficulté tellement sa main tremblait. Ses yeux gorgés de sang évitaient de rencontrer ceux du commissaire.

— Répondez à ma question, monsieur Lamarre. Le vibromasseur. . .

— Oui, c'est moi. Pierre Tremblay me l'avait expressément commandé. Mais je ne savais pas qu'il avait l'intention de le donner à Gontran. Je ne suis tout de même pas responsable de tous les actes de mes clients.

— Pourquoi avez-vous vendu des armes au jeune Gontran? Il avait un revolver en sa possession et un couteau à cran d'arrêt.

— Je n'ai jamais vendu ces armes à Gontran, je vous le jure.

Le ton était devenu agressif. Lamarre était sur la défensive. Il commençait à deviner que le commissaire le faisait marcher avec ce journal. Mais il ne pouvait pas en être encore très sûr.

— Vous les avez vendues alors à Pierres Tremblay?

— Non, je n'ai jamais vendu d'armes à des jeunes. Le jeune Gauthier a dû se les procurer ailleurs.

— Autre question. Trouvez-vous qu'il est normal, je veux dire convenable, qu'un homme comme vous vende des trucs pornographiques à des jeunes? Vous sentez-vous responsable moralement des effets néfastes qu'ont toutes ces revues, ces journaux et ces gadgets sur la conduite des jeunes? Je sais que ça se fait beaucoup aujourd'hui. Mais pensez-vous que c'est une façon honorable de gagner sa vie en exploitant les bas instincts d'une jeunesse complètement déboussolée?

Le marchand écrasa son mégot dans un cendrier. Ses sourcils froncés cherchaient une réponse convenable.

— Non, j'avoue que ce n'est pas très honorable. Mais je n'ai jamais abusé des jeunes. Je leur ai vendu ces choses à leur demande, à très peu d'entre eux et à des prix raisonnables. Il faut bien gagner sa vie. Avec un magasin de tabac, on ne peut pas vendre pour des millions. Alors, on accepte parfois de faire un peu d'argent de cette façon. Mais ce n'est pas moi qui ai développé les tendances du jeune Gontran. S'il n'était pas venu chez moi, il aurait trouvé ailleurs ce qu'il cherchait.

C'était le plaidoyer classique. Des excuses faciles, des balles qu'on renvoie à la société en général, qui a le dos large, enfin, tout le tralala. Avant que Fortier ait eu le temps de poser une nouvelle question, le marchand poursuivit:

— Vous n'allez pas me tenir responsable de ce qu'a fait Gontran Gauthier? C'était un bon garçon, bien rangé, mais étrange et bizarre, un peu déséquilibré. Mais je vous promets de ne plus rien vendre de pareil. D'ailleurs, vous pouvez venir voir: mon arrière-boutique est complètement vidée.

— Monsieur Lamarre, la question suivante n'a peut-être qu'un lointain rapport avec l'affaire Gauthier, mais dans son journal, Gontran raconte des choses étranges à propos de votre femme. Je vous demande donc sans craindre d'être trop indiscret: quelles sont vos relations avec votre femme?

Lamarre laissa errer sur ses lèvres un léger sourire comme s'il s'était attendu à cette question depuis le début de l'interrogatoire. Il tira une longue bouffée de sa cigarette, reprit peu à peu assurance et répondit:

— Je ne sais pas ce que Gontran a écrit dans son journal à propos de ma femme, mais je peux répondre bien franchement à votre question. Entre ma femme et moi, ça ne marche pas très bien depuis le début de notre mariage. Oh! je sais ce que vous allez penser, mais ce n'est pas ça. Nous avons des relations conjugales très fréquentes. Ma femme n'a jamais été très jolie, mais ce qui m'a séduit en elle, c'est cet appétit de plaisir insatiable. Je crois que je suis un excellent mari mais je ne suffis pas à la tâche. C'est drôle à dire mais ma femme a besoin de deux maris et peut-être plus. Depuis quelque temps, son appétit s'est tourné vers les jeunes hommes, les adolescents de préférence. Elle me l'a avoué bien franchement. Lorsqu'elle sert un jeune homme, ses yeux pétillent de plaisir et de désir. Voilà!. Mais je ne sais pas exactement ce qui s'est passé entre ma femme et Gontran lorsque je n'étais pas là. Vous le lui demanderez.

— Est-ce que, selon vous, votre femme vous trompe avec des adolescents?

— Oh! je ne pense pas. Ce n'est pas l'envie qui lui manque. Et au fond, je m'en fiche. Qu'elle prenne son plaisir comme elle le peut! Tout ce que j'exige, c'est de n'être pas privé sur ce sujet. Depuis que nous sommes mariés, elle n'y a jamais manqué, je vous l'assure. Ce serait plutôt le contraire. Mais ma femme n'est pas très jolie et c'est difficile pour elle de se trouver un autre partenaire. Ce ne sont pas tous les hommes qui pressentent le plaisir que peut leur donner une femme pas très jolie et pourtant s'ils savaient! Les jeunes de nos jours sont complètement ignorants à ce sujet. Il leur faut toujours de petites beautés artificielles, peinturées, maquillées et le reste. Il ne savent pas aller chercher la femme sous les apparences.

— Gontran raconte que votre femme lui a fait des propositions osées, une sorte de marchandage donnant, donnant à propos de la poupée. Pensez-vous que votre femme soit capable de faire une telle chose?

— Oui, je le crois. Je vous l'ai dit, elle est dévorée d'un appétit de vivre et de jouir insatiable. L'occasion fait le larron. Elle a pu penser que Gontran, ce garçon bizarre, obsédé par le sexe, pouvait lui céder facilement.

— Gontran raconte aussi qu'il a acheté une revue dans laquelle on pouvait voir nus des gens du quartier, votre femme entre autres, et la petite Rachelle, et Pierre. Pouvez-vous nous montrer cette revue?

— Je n'ai jamais eu une revue pareille. Gontran a rêvé ça, certainement. Il était trop imaginatif, ce jeune, je vous l'assure.

— Et les menottes?. . . Qui lui a vendu les menottes? Il raconte qu'il les a reçues par la poste et que l'envoyeur n'était pas mentionné! Pierre les aurait-il achetées chez vous?

— C'est bien possible. J'en ai vendu une paire à Pierre. Mais je n'en vendrai plus désormais après cette histoire affreuse. Ne laissez pas écrire ça dans les journaux. Je pourrais perdre ma réputation auprès de mes bons clients.

Le commissaire crut bon de ne pas révéler au marchand que Rachelle n'avait pas été attachée avec des menottes mais avec de la corde.

— Gontran lisait des livres sur la vie d'Hitler, de Mussolini, de Staline. Est-ce qu'il achetait ces livres chez vous?

— Bien sûr, j'ai tous ces livres. Il n'est pas défendu de les vendre, vous savez. Et ça se vend bien. Les gens sont drôles.

Fortier n'avait plus rien à tirer de monsieur Lamarre et il le remercia de sa coopération.

16

Madame Lamarre entra. Elle hésita avant de s'asseoir. Fortier put vérifier tout de suite que Gontran avait fait un très bon portrait de cette femme, dans son journal. Au premier abord, ses yeux exerçaient un charme étrange: elle semblait dédoubler son regard: un regard banal, ordinaire, comme tout le monde mais, sous ce regard, filtrait un autre regard, d'autres yeux, plus profonds, plus diffus qui venaient chercher quelque chose en vous.

Pour le reste de sa personne, la marchande était une femme peu attirante: les cheveux un peu fous, de longues mains osseuses aux ongles en griffes, jaunis par l'usage abusif de la cigarette, la poitrine plate. Il y avait aussi les lèvres qui juraient un peu dans ce visage assez quelconque, des lèvres à la fois fines et sensuelles.

— Vous êtes bien madame Lamarre, l'épouse du marchand de tabac du quartier?

— Oui, monsieur le commissaire.

— Je vous préviens, madame, le jeune Gontran raconte des choses très compromettantes à votre sujet dans son journal. Alors veuillez répondre franchement à mes questions. Essayez de vous souvenir le plus précisément possible de toutes les visites que le jeune Gontran a faites à votre magasin alors que vous y étiez. D'accord?

La femme fit signe que oui, mais ses yeux se posèrent lentement sur Fortier; celui-ci fut profondément troublé. Il dut faire un effort pour se souvenir de sa première question.

— Le 17 juillet, Gontran s'est rendu à votre magasin. Votre mari étant absent, vous lui avez répondu. Il voulait acheter une poupée gonflable. J'aimerais que vous me racontiez ce qui s'est passé exactement ce soir-là?

— La marchande porta à nouveau ses yeux sur Fortier. Ses lèvres se pincèrent légèrement. Elle alluma une cigarette, lança la fumée devant elle et sembla réfléchir pendant de longues secondes.

— Vous savez, je ne me souviens pas très bien de tout ce que les clients viennent faire tous les jours dans le magasin. Il y en a plusieurs dizaines par jour. Vous dites que le jeune Gontran voulait acheter une poupée gonflable? Je ne me rappelle pas. . . D'ailleurs, nous ne vendons pas ce genre de choses, ouvertement du moins. Il faut supposer que quelqu'un lui avait dit que nous en avions. Pourtant, cela m'aurait frappée. Je me souviens d'avoir fait entrer le jeune Gontran dans l'arrière-boutique. Il voulait avoir d'anciens numéros de Playboy.

— Madame Lamarre, vous semblez avoir la mémoire courte. Alors je vais vous rafraîchir un peu les souvenirs. Gontran raconte que vous lui avez montré la poupée dans l'arrière-boutique. Est-ce que ça vous revient maintenant?

La femme examina longuement ses ongles griffus. Elle s'arrêta un peu sur l'index dont l'ongle était cassé à demi. Puis elle aspira une profonde bouffée, en retenant la fumée. Enfin, elle fixa à nouveau Fortier. Celui-ci fut gêné par ce regard de femelle. Vraiment, cette femme pouvait à la fois attirer et repousser un homme. Que dire d'un adolescent?

— Oui, je me rappelle maintenant qu'il m'a parlé d'une sorte de poupée. Il semblait chercher ce gadget dans l'arrière-boutique mais il ne l'a pas trouvé. Il était très déçu. Il est parti avec une ou deux revues que je lui ai vendues à prix réduit étant donné leur mauvais état.

— Gontran raconte qu'en échange de la poupée, vous lui auriez proposé un marché, des conditions, si vous voulez?

La marchande tressaillit à cette question. Jusqu'ici elle s'était avancée sur la pointe des pieds, guettant chaque piège, comme si chaque question était une mine qui allait lui exploser à la figure. Cette fois, elle avait le pied au-dessus du piège. Il lui fallait gagner du temps.

— Quel marché? Je ne comprends pas très bien ce que vous voulez dire. Et puis, je ne me rappelle pas du tout qu'il ait trouvé cette poupée.

— Madame Lamarre, je vois qu'il ne faut pas y aller par quatre chemins avec vous. Il faut vraiment vous arracher la vérité de la bouche. Gontran écrit en toutes lettres que vous avez accepté de lui donner la poupée à condition qu'il vous fasse l'amour. Voilà, est-ce assez clair? Je ne crois pas avoir blessé votre pudeur, si l'on en croit les dires de Gontran.

La femme planta ses yeux de brouillard dans ceux de Fortier.

— Je vous répète, monsieur le commissaire, que je ne me souviens pas d'avoir trouvé cette poupée ce soir-là. Quant au marché en question, je n'oserais jamais faire ce genre de choses. Sachez que j'aime mon mari et que je lui suis fidèle depuis le début de notre mariage. Je ne vous permets pas de me calomnier par la bouche d'un mort qui peut bien avoir raconté n'importe quoi pour se venger des vivants. Je commence à croire d'ailleurs qu'il s'agit d'une vengeance. Je ne voulais pas le dire. . . mais vous m'y forcez avec toutes vos questions. Tant pis, vous l'aurez voulu. Le jeune Gontran est revenu une deuxième fois, quelques jours plus tard. J'étais encore seule au magasin. . .

Elle s'arrêta et laissa planer le silence autour d'elle comme pour donner plus de poids à ce qu'elle allait dire. Il y avait une petite flamme de triomphe dans ses yeux qui brillaient et reprenaient leur éclat d'acier. Fortier pensa qu'il perdait le contrôle de l'interrogatoire. Voilà que c'était elle qui précipitait les questions. Mais cela devenait intéressant.

— Alors, madame, je vous écoute. Qu'est-ce qui s'est passé lors de cette deuxième visite de Gontran?

— J'étaits seule. J'étais sur le point de fermer. Je crois que le jeune Gontran a choisi justement ce moment pour entrer. Il voulait sans doute que je ferme le magasin et qu'une fois seule avec lui, il puisse me faire sa proposition. Je n'ai pas vu le piège qu'il me tendait. . .

Madame Lamarre s'arrêta encore et alluma une autre cigarette. Fortier sentait qu'elle jouait un rôle, qu'elle ne disait pas la vérité. Mais il ne pouvait s'empêcher de subir la fascination de cette femme, franchement laide, mais qui avait un pouvoir de séduction irrésistible.

— A dix heures juste, j'ai fermé le magasin. J'ai demandé à Gontran s'il désirait quelque chose en lui expliquant que je devais absolument fermer. Il m'a dit qu'il aimerait fouiller un peu dans l'arrière-boutique. Je lui ai dit qu'il pouvait, mais que ça m'ennuyait, car j'étais fatiguée et j'avais l'intention de me coucher tôt. Il est allé quelques minutes dans l'arrière-boutique, puis il est revenu. Il n'avait rien trouvé à son goût. Je lui ai dit qu'il pouvait s'en aller par la porte d'en arrière. C'est alors que. . .

Elle s'arrêta. Fortier parut agacé par les jeux dramatiques de la marchande.

— Et après, madame? Racontez.

— C'est alors que. . . en passant dans le petit couloir derrière le magasin. Oh! je ne devrais peut-être pas raconter tout ça. C'est tellement difficile à dire!

Madame Lamarre éclata en sanglots. Cette brusque explosion d'émotion laissa le commissaire complètement ébahi. Il n'osait pas dire un seul mot. Il se demandait si cette femme était vraiment sincère ou si elle se payait sa tête effrontément. Finalement, elle sembla reprendre la maîtrise d'elle-même.

— Il m'a saisie par les épaules et m'a plaquée contre le mur. Et là, en me tenant ainsi, il m'a raconté une étrange histoire que je n'arrivais pas à croire. Il avait suivi une femme, très noire, à la peau blanche qui l'avait emmené dans son appartement où elle s'était déshabillée devant lui. Et il avait pris la fuite. Ses yeux étaient terribles dans la pénombre du couloir. Je pouvais les voir briller de désir, de démence même. Il m'a dit qu'il adorait voir des femmes se déshabiller devant lui et il voulait que je le fasse tout de suite. Il me promettait qu'il ne me toucherait pas et ne me ferait aucun mal. Je ne savais plus que faire. J'avais peur qu'il soit devenu subitement fou et qu'il me tue dans ce couloir sombre.

Elle se remit à pleurer. Mais cette fois, Fortier commençait à être ébranlé par l'accent de sincérité de la femme. Jusqu'ici, il ne l'avait pas crue. Mais ce recoupement avec le journal de Gontran, cette histoire de femme noire qui se déshabillait devant des adolescents. . . Il n'eut pas le temps de poser une nouvelle question. Madame Lamarre reprit son récit.

— J'avais tellement peur que je n'osais pas me défendre. Je voulais qu'il fasse ce qu'il voulait et qu'il s'en aille. Bien sûr, je ne lui ai pas cédé. Mais il s'est mis à déchirer ma robe avec des gestes rageurs. J'ai poussé un grand cri mais il ne semblait pas effrayé à l'idée qu'une personne, mon mari, je veux dire, arrive et le surprenne. Il était comme perdu dans une sorte de délire. Il déchirait, déchirait. Lorsque j'ai été nue devant lui, dans la pénombre, il m'a regardée de la tête aux pieds. Il a poussé un long gémissement et il s'est enfui par la porte arrière.

Elle s'arrêta. Comme si elle avait fini. Fortier respecta son silence.

— Alors, voyez-vous, Gontran a raconté cette histoire de marché pour se venger de moi. . . parce que je n'avais pas voulu de mon plein gré me dévêtir devant lui.

La marchande paraissait avoir repris tout son aplomb. Elle mesurait à nouveau l'effet de sa révélation sur le commissaire. Elle posait sur lui un regard trouble. Fortier ne savait plus trop qui croire: Gontran ou cette femme énigmatique. Il décida de poursuivre l'interrogatoire le plus loin possible et de réfléchir à tout ça par la suite.

— Gontran raconte que la deuxième fois il a voulu acheter la poupée mais que vous avez refusé de la lui vendre. Le témoignage de votre mari et de Pierre Tremblay concordent sur ce point. Gontran a bel et bien obtenu la poupée par l'intermédiaire de votre mari et de Pierre. Comment pouvez-vous continuer à nier l'existence de cette poupée?

La marchande parut à nouveau mal à l'aise. La concordance des témoignages semblait la faire vaciller un peu. A nouveau, elle se mit à avancer prudemment d'une question à l'autre.

— Je vous répète que je n'ai jamais vu de poupée au magasin. Peut-être que mon mari l'a obtenue sans m'en parler. Il est donc faux que Gontran ait voulu me l'acheter et que j'aie refusé.

— Est-ce que Gontran vous a revue après son attentat contre vous dans le couloir?

Elle hésita encore. Elle semblait toujours chercher ce que Gontran avait bien pu raconter sur elle dans son journal.

— Je ne me souviens pas très bien. . . ou plutôt oui, oui, je l'ai revu et dans les mêmes circonstances. C'est pourquoi je suis portée à confondre. Comme d'habitude, il est arrivé à la fermeture du magasin. J'ai été surprise. J'ai fait semblant d'appeler mon mari qui n'était pas là. Gontran devait savoir que mon mari était allé au cinéma. Il m'a suppliée de rester tranquille. Il s'est excusé pour sa conduite dans le couloir. Je me tenais sur mes gardes. Il m'a dit que son histoire de la dame noire était inventée de toutes pièces. Je ne l'ai pas cru tout de suite. Il m'a dit que c'était un de ses copains qui lui avait suggéré cette sorte d'attentat, comme vous dites.

La marchande cherchait ses mots à mesure qu'elle parlait, comme si elle imaginait des scènes qui n'avaient pas vraiment eu lieu. Pourtant Fortier fut à nouveau ébranlé par le regard trouble de la femme et surtout par ce qu'elle se mit à raconter.

— C'est alors qu'il m'a raconté une autre histoire. Il était allé voir une négresse quelque part. Il m'a dit comment il n'avait pu faire l'amour avec elle, comment il avait eu son plaisir et comment il avait vomi dans le lit de cette fille. En parlant, il avait les mêmes yeux terribles que la première fois. Il tremblait de tout son corps. J'ai eu peur. J'ai cru qu'il allait à nouveau déchirer mes vêtements.

La marchande fit une pause, pour reprendre son souffle. Elle semblait terrifiée par ce qu'elle voyait en imagination. Ses yeux devinrent d'acier.

— Alors, j'ai perdu la tête. J'ai ouvert le tiroir sous le comptoir. J'ai sorti le revolver et je l'ai braqué sur lui. Il s'est mis à rire comme un fou puis il a poussé le même gémissement que la première fois. Ensuite, il m'a regardée droit dans les yeux et il s'est mis à crier: « Allez-y, tuez-moi, tuez-moi. Je veux mourir, je veux mourir. Tuez-moi, mais avant je veux faire l'amour avec vous. Ensuite, vous me tuerez. Je serai si heureux, une fois mort! »

Madame Lamarre s'effondra à nouveau en sanglots. Fortier ne savait plus à quoi s'en tenir à propos de ces subites crises de larmes. Les sanglots avaient l'accent de la sincérité mais il y a des femmes qui croient tellement à ce qu'elles imaginent. . .

— Il ne semblait pas avoir peur du revolver. Il s'est. . . il s'est approché. J'ai eu peur de tirer sous le coup de la panique. J'ai. . . j'ai replacé le revolver dans le tiroir. A ma grande surprise, il a commencé à me raconter une autre histoire: une histoire de fille qui posait nue dans un atelier de peintre. Mais il s'est arrêté net dans son récit, a paru revenir complètement à lui. Il a reculé vers la porte, les yeux égarés comme s'il se réveillait d'un long cauchemar puis il est sorti en titubant, Je me suis précipitée à la porte et je l'ai verrouillée. Ah! je n'oublierai jamais son regard à travers la vitrine, un regard qui poussait des cris. Enfin, il est disparu dans l'obscurité.

Ces faits recoupaient encore une fois ce qui était raconté dans le journal de Gontran. Comment la marchande pouvait-elle connaître ces choses ou ces récits imaginaires sans que Gontran lui-même ne les lui ait racontés? Par contre, la marchande, tout en disant une partie de la vérité, pouvait mentir sur le reste. Fortier fit signe à la femme de poursuivre, mais elle demeura muette, les yeux plantés dans le vide.

— Madame Lamarre, connaissez-vous les parents de Gontran?

— Je les connais comme ça. Ils viennent parfois au magasin acheter de petites choses. Ils me paraissent être de bons parents, des gens normaux quoi! Mais vous savez, les bouts de conversations entre un marchand et ses clients sont le plus souvent très superficiels.

— Pensez-vous que monsieur et madame Gauthier se doutaient de la conduite. . . disons. . . anormale de leur fils?

— Non, je ne crois pas. D'ailleurs, la plupart des parents, à mon avis, connaissent très peu ou très mal leurs enfants.

— Avez-vous des enfants?

— La marchande écrasa son mégot dans le cendrier et alluma une autre cigarette. La question semblait l'agacer car ses gestes trahissaient son impatience.

— Non, monsieur. Pourquoi?

— Il ne vous est jamais venu à l'idée d'avertir les parents de Gontran de l'étrange conduite qu'il avait eue envers vous?

— Ce sont des choses difficiles à raconter, surtout à des parents. Même à vous, je ne voulais pas les dire. Et puis, je ne suis pas chargée de l'éducation des enfants des autres. De plus, je craignais que ces gens ne me croient pas; et puis, j'avais peur de Gontran. Si seulement vous aviez vu ses yeux dans ces moments-là. . .

Le ton était devenu agressif. Madame Lamarre avait tellement peur qu'elle attaquait. Mais peur de quoi? De dire quoi? Fortier laissa passer un long silence avant de poser la question suivante.

— Madame, croyez-vous aux histoires que vous a racontées Gontran?

— Non, je n'y crois pas. Je pense que Gontran était un jeune homme refoulé. Il avait tellement réprimé ses instincts qu'un jour ç'a explosé. En attendant, il s'inventait des histoires dans lesquelles il se donnait un rôle qui satisfaisait son imagination.

— Comment expliquez-vous que Gontran ait tué Rachelle et qu'il l'ait fait d'une façon aussi horrible? Comment expliquez-vous aussi son suicide et ses coups de feu sur ses camarades de classe?

— Je ne sais pas. Je ne sais vraiment pas. Un geste désespéré, un geste bête comme il en arrive. Vous savez encore mieux que moi combien le monde est devenu fou autour de nous. Alors, un jour, on craque, on explose, on tue et on se tue sans raison.

— Dans son journal, Gontran raconte qu'il a obtenu une revue dans laquelle vous étiez photographiée nue. Est-ce exact?

— Jamais de la vie! Quelle revue? Je voudrais bien la voir.

— Malheureusement, nous n'avons pas d'exemplaire de cette revue. Gontran raconte qu'il l'a lue sous la pluie, qu'elle s'est désagrégée dans ses mains. Il a dû la jeter dans une poubelle, quelque part. . . si elle a vraiment existé!

— Monsieur, je vous le répète, je suis une femme respectable, fidèle à son mari et je ne ferais jamais une chose pareille.

La marchande s'enflammait. Fortier crut bon de ne pas insister. Il décida de revenir à la question des enfants.

— Auriez-vous aimé avoir des enfants?

— Oui. Malheureusement, nous n'en avons jamais eu. Mon mari et moi, nous avons subi plusieurs examens et les médecins n'ont jamais pu établir pourquoi nous ne pouvions en avoir. Je n'en veux pas à mon mari. C'est peut-être de ma faute.

— Je vais vous poser une question très indiscrète. Vous y répondrez si vous voulez. Avez-vous déjà eu des relations sexuelles avec un adolescent?

La femme bondit de son fauteuil en criant d'une voix où se mêlaient colère et indignation:

— Monsieur le commissaire, vous n'avez pas le droit de m'accuser d'une chose pareille. . .

— Mais madame, je ne vous accuse de rien. . . Je vous pose une question. . .

— Vous ne m'accusez de rien? Allez-y voir! Votre question est pleine de sous-entendus insultants pour une honnête femme. Il y a plusieurs adolescents qui viennent au magasin. Il faut bien que je les regarde si je veux leur vendre quelque chose. Je ne suis attirée par aucun d'entre eux. Comme je vous l'ai raconté, Gontran m'a fait des avances assez osées et assez brutales. C'est tout. D'ailleurs, je peux dire que je n'ai pas le physique pour séduire des adolescents. Constatez-le vous-même.

— Je m'excuse, madame. C'est une question qui me passait simplement par la tête. Je n'aurais pas dû vous la poser.

Fortier fixa encore une fois cette longue femme sèche. Son regard se heurta aux mêmes yeux troubles. Puis il la remercia de sa précieuse collaboration.

17

23 juillet 1973.

« Je suis noire, mais je suis belle. Veux-tu voir la vie en rose? »

J'ai relu cette phrase des dizaines de fois. Franz m'a montré comment, dans les journaux, certaines filles offrent leurs services avec des annonces comme celle-là. J'ai relu et relu cette phrase jusqu'à ce que les mots dansent devant mes yeux, jusqu'à ce que la phrase se disloque d'elle-même en mots, en syllabes et en lettres. A la fin, cette phrase n'avait plus aucun sens. Je pouvais placer les mots dans n'importe quel ordre: « Je suis rose mais je suis belle. Veux-tu voir la vie en noir? » « Je suis belle mais je suis noire. Veux-tu voir la vie en rose? » « Je suis poire mais je suis cruelle. Veux-tu voir la vie en moire? » Peu importaient les mots, le sens de cette phrase restait toujours le même.

Je relisais et relisais. C'était comme un appel. Comme une porte qui s'ouvrait tout à coup et me livrait aux grands espaces. Comme une bouche qui s'ouvrait et me donnait son souffle. Comme le vent qui se levait pour balayer une chaleur accablante. Comme un cri poussé en plein coeur de la solitude. Les caractères imprimés m'arrachaient les yeux, embrouillaient mes idées.

Mais cet appel, ce cri, je ne voulais pas le comprendre, je ne savais pas exactement ce que cela déclenchait en moi. Quelque chose se mettait en marche au plus profond de mon être. Quelque chose montait et descendait, s'écroulait et se dressait. J'avais soif. J'avais faim. Un soleil m'écrasait et je cherchais l'ombre.

Pour chasser cette terrible fascination, j'ai relu la colonne des petites annonces érotiques. Mais à chaque nouvelle annonce, mes yeux sautaient malgré eux et s'accrochaient à cette phrase:

« Je suis noire mais je suis belle. Veux-tu voir la vie en rose? » Et il y avait une adresse: 7 rue Dupont. L'adresse et la phrase étaient gravées dans ma chair, dans mon coeur, dans mon âme. Je ne pourrais plus jamais m'arracher cette chose et l'oublier.

C'était hier. Aujourd'hui, je ne sais plus comment panser cette plaie ouverte dans mon cerveau. Toute la nuit, je n'ai rêvé que de femmes noires et très belles qui me souriaient, me tendaient les bras, devenaient toutes roses, puis toutes rouges. . . de sang. C'était un arc-en-ciel de couleurs sur leur peau. Elles étaient étendues sur un vague nuage qui parfois se changeait en banc de neige. Elles étaient vêtues jusqu'au cou de vêtements très lourds et très épais.

Je me débattais comme un déchaîné au milieu de ce rêve. Je tentais de les atteindre. J'étais fasciné par le changement des couleurs sur leur visage, sur leurs mains et sur leurs jambes. Tantôt elles semblaient me narguer et s'éloigner à mesure que j'avançais. Tantôt elles me tendaient leurs mains multicolores mais c'était moi qui reculais. Tout à coup, j'ai réussi à saisir la robe de la plus grande et j'ai essayé de lui arracher ses vêtements. Au moment où je croyais y être enfin parvenu, je me suis réveillé en tenant mon oreiller à deux mains comme si j'avais voulu l'étrangler.

J'étais couvert de sueur. La nuit était très chaude. Je m'étais couché sans vêtement pour pouvoir dormir un peu mieux. La fenêtre était ouverte, mais aucune brise ne soufflait. Je me suis levé et je me suis rafraîchi en m'aspergeant d'eau froide. Puis, je me suis recouché pour dormir jusqu'à l'aube.

Ce matin, durant le petit déjeuner, ma mère n'a pas cessé de me questionner. Il paraît que je n'étais pas dans mon assiette. Elle disait que je m'ennuyais en vacances. Que je devais faire quelque chose, travailler un peu.

Tout à coup, mon père a quitté son journal jauni et il m'a demandé si j'avais fait ma demande pour entrer dans l'armée. J'ai répondu que je la ferais au cours de la journée. Il en a profité pour recommencer son petit discours sur l'Armée bienfaitrice des Nations: l'avenir y est assuré; on apprend des métiers; il y a de l'avancement. On visite beaucoup de pays. On devient un homme. Surtout moi, j'aurais la chance de devenir officier.

Je veux bien entrer dans l'armée. J'avoue même que je serais très déçu d'être refusé. Mais en période de paix, l'armée est bien moche pour un officier. Mon père prétend le contraire. L'armée, selon lui, c'est le paradis en temps de paix. S'il y avait au moins une petite guerre quelque part. Ça ne m'intéresse pas de servir bravement dans des inondations, des glissements de terrain, des tremblements de terre, des mesures de guerre et autres niaiseries pareilles. Je ne trouve pas plus emballant d'aller surveiller des frontières entre deux ennemis qui ne demandent qu'à se battre. La guerre pour moi, ce serait une sorte de délivrance. Je ne serais plus obsédé par toutes ces choses qui montent en moi, qui rampent en moi comme des vipères, qui me ravagent jour et nuit.

A ce moment, la phrase m'est revenue comme un coup de fouet: « Je suis noire mais je suis belle. Veux-tu voir la vie en rose? » Ma mère me demandait quelque chose. J'ai dû la faire répéter. Cette phrase de feu m'avait jeté dans le vague.

A l'autre bout de la table, Irène pépiait comme une petite sotte. Ses petits rires pointus semblaient me tourner en ridicule. Mon père, qui déteste ces manières, ne l'a même pas réprimandée. J'ai failli me mettre en colère. Mais je me suis maîtrisé comme toujours. Quand je suis avec d'autres, je me sens comme réprimé par moi-même. Je ne peux pas me fâcher, m'emporter. Je ravale tout. Je refoule tout. Parfois, je me sens gonflé au point d'exploser.

Encore une fois, j'ai quitté la table le plus rapidement possible. J'ai senti que j'avais dans le dos, plantés comme des banderilles, les yeux de mon père, de ma mère, et d'Irène-la-Sotte.

Je suis sorti pour marcher un peu. Il me fallait absolument rédiger ma demande d'inscription à l'armée et la mettre à la poste. J'aurais ainsi l'impression d'avoir fait quelque chose dans ma journée.

J'ai fait une bonne marche dans les rues du quartier. Puis je suis revenu à la maison. Irène jouait dans la cour avec ses petites amies. Ma mère faisait son lavage au sous-sol, à côté de ma chambre.

Je me suis installé sur la table de la cuisine et j'ai rédigé ma lettre à l'armée. Je crois que j'ai toutes les chances d'être accepté. On consultera mes professeurs et ils diront tous que je suis un garçon modèle. D'ailleurs, l'armée a besoin de jeunes. Ils en demandent tous les jours à la télévision.

La phrase me revenait continuellement: « Je suis noire. . . » Il me fallait de l'argent. Combien? Je n'en savais absolument rien. Je suis allé fouiller dans le sac à main de ma mère et j'ai pris quinze dollars sans réfléchir davantage. J'étais décidé.

En cours de route, j'ai jeté ma lettre dans une boîte. Puis j'ai filé tout droit à la recherche de la rue Dupont. Je ne savais pas exactement où était cette rue. Ce n'était sûrement pas dans la partie nouvelle du quartier. Je me suis dirigé tout de suite vers les petites rues étroites et tortueuses du vieux quartier.

Le soleil montait dans le ciel et la chaleur se faisait de plus en plus accablante. Je me suis promené longtemps dans ces rues crasseuses. J'allais abandonner lorsque j'ai aperçu droit devant moi, juste au-dessus de ma tête, la rue Dupont. Le panneau indicateur, tout craquelé, avait perdu quelques lettres en chemin. C'était sans doute la rue la plus vieille, la plus sale, la plus pauvre de tout le voisinage.

A mesure que j'avançais dans cette rue, j'avais l'impression d'entrer dans un autre monde. Entre les maisons vieillottes qui l'étranglaient, la chaleur s'enflait comme un énorme cri muet. Toute cette chaleur me rongeait les yeux. Les gens étaient affalés sur leur perron, le ventre à l'air, crucifiés par le soleil. Il se faisait un lourd silence déchiré par le bourdonnement des mouches. Dans cette rue étroite, on pouvait presque entendre le soleil battre comme un coeur géant.

Les enfants, morveux et crottés, s'arrêtaient de jouer pour me regarder passer. J'étais trop bien habillé pour eux. Pourtant, j'étais vêtu très simplement: jeans et chandail à manches courtes. Derrière les fenêtres, je devinais des regards qui m'épiaient dans l'ombre. Je me sentais tout nu en plein soleil.

Tout à coup, dans mon dos, une fenêtre a grincé et j'ai entendu distinctement: « Tu veux t'amuser, mon grand? Tu me plais. Viens. Il fait si chaud. » Je me suis retourné et j'ai eu juste le temps d'apercevoir la silhouette d'une grande blonde fadasse, maigre, boutonneuse. Elle avait retiré son visage dans l'ombre de la fenêtre mais ses deux mains restaient appuyées sur le rebord.

J'ai pu remarquer ses ongles cassés, écaillés et crasseux. J'ai senti une nausée monter en moi et ma tête a chaviré sous le soleil implacable.

J'ai continué à avancer. Les numéros des portes allaient en décroissant. Ils étaient difficiles à lire. Les chiffres étaient à moitié effacés. La fatigue me mordait à la nuque, au dos et aux jambes. La canicule couronnait l'été de son fer rouge. Un gros soleil flasque s'étalait de tout son long dans un ciel crémeux.

Deux filles balayaient le trottoir en bavardant. Lorsqu'elles m'ont aperçu, elles se sont arrêtées et ont éclaté de rire. Je ne savais pas pourquoi elles riaient ainsi. Peut-être parce qu'elles devinaient ce que je cherchais. Cette pensée m'a fait rougir de timidité et de colère. Je suais à grosses gouttes sous la honte et la chaleur. Enfin, je suis arrivé au numéro 7: une maison en bois, légèrement penchée. Un reste de peinture s'accrochait encore aux vieilles planches grises. Des carreaux sales. Un perron crevé à plusieurs endroits. La nausée à nouveau. Je ne pouvais aller plus loin. D'ailleurs, il était midi. Ce n'était pas le moment de frapper chez les gens.

J'ai rebroussé chemin. J'avais soif. Comme je passais devant les filles, elles se sont esclaffées encore plus fort. Mais la fenêtre de la grande blonde maigrichonne est restée fermée. Au restaurant du coin, j'ai avalé deux gros « seven up ». Je voulais noyer ma nausée. Des odeurs rances rampaient sournoisement dans ce restaurant. Les ongles sales de la serveuse m'arrachaient les yeux. Tout le menu du jour était soigneusement étalé sur son tablier. La nausée est remontée du fond de mon estomac.

Je me suis jeté dehors pour respirer un peu mais j'ai été reçu par une bouffée de chaleur qui m'a étourdi comme un coup de poing. Je n'avais plus du tout envie de rencontrer cette Noire. Mais la curiosité m'y poussait. Je ne la désirais pas. Je voulais la voir.

Je suis revenu au numéro 7 et j'ai frappé à la porte. A ce moment, derrière moi, le rire insolent des filles a explosé dans le silence et la chaleur. Je me suis vivement retourné. Elles se sont tues immédiatement. Je devais avoir quelque chose d'effrayant dans les yeux.

J'ai cogné encore. On ne venait pas répondre. Finalement, j'ai entendu des pas. La porte s'est entrouverte. C'était elle. J'en avais le souffle coupé. Je n'aurais jamais pu m'imaginer qu'une telle beauté puisse se cacher, se terrer dans une maison pareille. A cause de la chaleur, elle était en petite tenue. Son corps était superbe, sculpté au couteau par un grand artiste. Ce n'était pas une vraie négresse, crépue, les traits épais, le nez camus. Non! Elle avait les cheveux longs et très noirs qui coulaient sur ses épaules et jusqu'à ses hanches. Ses yeux d'un noir éclatant me transperçaient comme des épées de feu. Sa bouche très sensuelle évoquait un fruit savoureux dans lequel j'avais envie de mordre à pleines dents.

Elle a ouvert la porte et m'a tendu une longue main très belle aux ongles laqués de rose. La douceur et la moiteur de sa paume m'ont fait frissonner des pieds à la tête. Je suis entré et elle m'a fait signe de pénétrer dans la chambre.

Il y faisait une chaleur épouvantable. L'humidité me collait à la peau comme une sangsue. La propreté n'y régnait pas, mais les draps du lit étaient nets.

Elle a commencé à me déshabiller, ce qui m'a excité tout de suite. Mais dans cette chambre, il rampait des odeurs de poussière, de vieux meubles, de vieilles choses indéfinissables. La nausée m'a repris.

Elle s'est déshabillée à son tour. Nue, c'était une merveille. Son corps était très mince, élancé et ses petits seins semblaient très durs. Elle s'est étendue à côté de moi et s'est mise à me caresser lentement, savamment. Le plaisir et la nausée me chamboulaient la tête, le ventre, le coeur.

Je l'ai caressée à mon tour. A la moindre caresse, elle vibrait comme une corde de guitare. Je n'arrivais pas à jouir comme elle. Sa bouche était un nid de feu où je déposais mes baisers de glace. Ma langue sondait le puits de sa bouche rose. Ma langue plongeait dans cette bouche pour y pêcher en vain le bonheur ou du moins le plaisir. Cette négresse n'était plus qu'une bouche où je me perdais. Le désir enfin s'est ouvert en moi comme une fleur immense. Mon coeur comme un tambour battait le grand rythme de l'amour et du sang. Écrasé sur elle, je faisais l'amour à ma solitude et ma solitude râlait son plaisir à mon oreille.

Lorsque le dénouement de la cérémonie est arrivé, je n'ai pas pu, comme d'habitude. Elle m'a aidé à finir. A mesure qu'elle me caressait, la nausée montait irrésistiblement. Je voulais l'arrêter, mais je ne pouvais me décider à choisir entre le plaisir et la nausée. Les deux sont arrivés ensemble. J'ai vomi abondamment sur le lit et sur elle. La négresse a poussé un oh! et elle a éclaté de rire.

Elle est revenue pour tout nettoyer. Je me suis rhabillé. Je me sentais faible, prêt à m'évanouir, mais soulagé, libéré. Tout s'embrouillait devant moi. J'ai jeté sur le lit mes quinze dollars. Elle a dit simplement: « Merci. » Et je suis sorti en chancelant dans la chaleur qui déclinait. Il devait être trois heures environ.

J'avais peur de m'étaler sur le trottoir. Les deux filles auraient bien rigolé. Je suis passé devant elles. Cette fois, elles n'ont pas ri. Au contraire, elles ont semblé effrayées en me voyant aussi pâle, les yeux perdus, égarés dans le vague, tout le corps baigné d'une sueur abondante. Elles se sont même rangées pour me laisser passer. Je ne sais plus si elles balayaient encore le trottoir à cette heure. Je ne voyais que leurs visages.

J'ai refait en sens inverse la longue rue Dupont, étroite, tortueuse. Les ombres étaient plus longues mais elles se brisaient encore sur cette lumière de métal pur. Le silence, comme une eau fraîche, glissait sur toutes choses. Le soleil poudreux s'effritait sur le bleu vivant du ciel.

La grande blonde fadasse a voulu réitérer son invitation. Mais elle aussi a eu peur et elle a laissé mourir sa phrase dans l'ombre de sa fenêtre. Les gens sur les perrons étaient toujours crucifiés par le soleil. Certains se promenaient d'un pas mou. Partout, l'ombre se noyait encore dans la lumière. Et moi, je suivais mon ombre qui allait devant moi. L'été rampait lourdement sous un soleil de fer et moi, je rampais sous le soleil de ma honte. Le feu de la colère dans mon coeur n'avait même plus la force de s'allumer.

Avant de rentrer à ma chambre, je suis allé me tremper le coeur dans la bière, à la taverne. J'ai goûté le blond baiser de la bière froide sur mes lèvres en fixant les deux trous noirs sans fond des yeux de la négresse.

Revenu à ma chambre, je me suis couché et j'ai dormi. Je viens juste de me réveiller. Il est deux heures quinze du matin. Tout est noir. Par la fenêtre, les criquets chantent à se fendre en deux. Et moi, j'écris mon journal.

Je tourne et retourne la phrase dans ma tête: « Je suis noire, mais je suis belle. Veux-tu voir la vie en rose? » C'est maintenant que je voudrais avoir cette belle Noire dans mon lit. Ah! si j'étais millionnaire, j'en ferais une princesse. Un jour, c'est sans doute ce qui lui arrivera: un homme riche la découvrira et la sortira de son trou. J'en parlerai à Franz. Il doit y avoir certainement quelque chose à faire pour elle.

Il faut que je trouve des phrases pour exprimer mon état d'âme actuel. Je peux toujours essayer:

« Mon coeur est un serpent qui me dévore l'intérieur. Je vis à l'ombre de ma noire solitude. La haine tombe en moi comme un caillou. . . interminablement. Mon âme traverse un long désert rouge. . . »

18

25 juillet 1973.

Hier, j'ai parlé de la négresse à Franz. D'abord, il n'a pas semblé me croire. Je lui ai montré l'annonce dans le journal. Puis je l'ai invité à venir la voir. Il a refusé. Puis il s'est ravisé.

— Je crois que j'ai quelque chose pour elle.

— Quoi?

— J'ai un ami qui est peintre-sculpteur dans le quartier. Il fait venir des filles et des gars dans son sous-sol pour lui servir de modèles. Ta négresse pourrait peut-être poser pour lui. Jérôme a plusieurs relations dans le monde artistique. De gros messieurs lui achètent ses oeuvres. Il pourrait la présenter à ces gros bonnets qui cherchent toujours de nouvelles sensations.

— Ce serait formidable, Franz. Alors, viens la voir.

Nous nous sommes rendus tous les deux au 7 rue Dupont. Elle n'était pas seule. Il a fallu attendre que son client ait fini et qu'il s'en aille. Franz était comme effrayé par cette rue sale et cette maison croulante. Finalement, nous sommes entrés.

J'ai compris tout de suite que Franz était fasciné par cette beauté noire. Elle était en petite tenue. Son beau corps mince luisait de sueurs. Ça le rendait brillant comme une sculpture sous la pluie. Elle nous a dit de nous asseoir. Je lui ai fait comprendre que nous ne venions pas pour la cérémonie habituelle. J'étais un peu gêné devant elle car je pensais à mes vomissements. Je me dégoûtais moi-même. Il me semblait que l'odeur de mes vomissures rampait dans toute la maison.

Franz lui a parlé de Jérôme, le peintre-sculpteur. Il lui a proposé de servir de modèle. Bien sûr, ça ne rapporterait pas beaucoup, au début. Mais avec le temps, elle pourrait devenir un modèle réputé, recherché et même célèbre. Elle pourrait rencontrer des hommes importants au lieu de rester à croupir, seule, dans cette vieille baraque, et à recevoir des clients de troisième classe.

Franz m'a jeté un coup d'oeil pour s'excuser mais j'ai rougi quand même. A nouveau, j'ai vu devant moi la grande flaque de vomissures. J'avais envie de me donner des coups de poing sur la gueule.

La négresse a promis d'y aller au moins une fois; ensuite, elle verrait. Franz a fixé le rendez-vous pour aujourd'hui. En sortant, il a gardé le silence pendant un bon bout de trottoir. Puis, il a exprimé son admiration par un vibrant: « Eh! bien, mon vieux, c'est quelque chose, cette Noire! Une vraie beauté! »

Il faisait chaud à pierre fondre. Énorme ventouse vorace, le soleil suçait l'âme de la terre. Un clochard, sur un banc, la bouche ouverte, avalait le soleil à grandes lampées. Un gros sourire se vautrait sur son visage porcin.

En passant devant une fenêtre, une voix comme venant du fond d'une caverne nous a interpellés: « Eh bien! mes cocos frisés, ça vous tente pas de vous amuser avec la belle Anita? » Franz s'est arrêté brusquement et il a murmuré au travers de la persienne: « Eh! grand-mère, va te montrer les fesses en enfer pour voir si j'y suis. » Puis il a éclaté d'un grand rire, comme un grand coup d'épée dans le soleil épais. Et nous avons repris notre marche. J'envie Franz d'avoir des répliques cinglantes qu'il décoche sans avertissement. Moi, la réplique m'arrive toujours avec cinq minutes de retard.

J'aime bien Franz lorsqu'il se laisse aller ainsi à la plaisanterie. J'aime bien aussi son silence. Je sens que ce n'est pas un ami, un vrai. Il me domine trop. Et je n'aime pas être dominé. Au contraire, je rêve d'en écraser quelques-uns, un jour. Mais je l'aime bien quand même à cause de son étrangeté, de ses réactions inattendues. Je garde mes distances avec lui. Il sent peut-être que parfois, j'ai besoin de lui. Mais il sait aussi que je n'aime pas avoir besoin des autres. De toute façon, je suis content qu'il ait eu la même réaction que moi en voyant la négresse.

Comme d'habitude, nous nous sommes arrêtés à la taverne pour nous rafraîchir. Nous avons parlé longuement de cette beauté noire. Les yeux de Franz brillaient un peu trop. Il aimerait bien un jour déguster la jolie Noire. Et nous avons parlé de son ami Jérôme. Franz m'a même invité à l'accompagner à son atelier. « Tu verras de beaux modèles », a-t-il lancé avec un clin d'oeil.

Aujourd'hui, je suis allé chez Jérôme. Lorsque je suis entré, Franz n'était pas encore arrivé. La négresse non plus. Il y avait cependant une fille qui posait dans un coin sombre. Jérôme était seul avec elle. Il n'a pas fait attention à moi. Tout attentif à son travail, il ne m'a pas vu.

Je n'ai pas fait de bruit. Je me suis glissé jusqu'au fond et je me suis assis à même le sol, sur un mince tapis. C'était rafraîchissant. Dehors, le soleil brûlait tout sur son passage.

Jérôme était en train de peindre la jeune fille dans la pénombre. L'expérience semblait très intéressante. Tout de suite, j'ai été fasciné. Le coin de l'atelier baignait dans une demi-obscurité. Un projecteur éclairait le corps du modèle. On ne voyait surgir de la pénombre que les seins, le ventre, le sexe et les cuisses. Pas la tête. On la devinait à peine. Ni les jambes. Ni les pieds. Cela ressemblait à un morceau de femme suspendu dans le noir.

Sur la toile, Jérôme s'efforçait de rendre dans la pénombre de son tableau une forme vague de femme: une chevelure diffuse, une hanche brouillée, des jambes évanescentes. Et au milieu de ce brouillard sombre éclataient en taches de lumière les seins, le ventre, les cuisses et le sexe.

Jérôme peignait avec une extrême concentration. J'étais ensorcelé par cette fille vivante que je voyais surgir de l'ombre et par le travail du peintre aux prises avec un clair-obscur difficile à rendre.

Franz n'arrivait toujours pas. Je jetais souvent des regards en direction de la porte. Rien. La beauté noire n'arrivait pas non plus. Pourtant, je me souvenais très bien que le rendez-vous avait été fixé au tout début de l'après-midi.

Je revenais sans cesse à cette fille nue, dans l'ombre, et à cet homme qui essayait désespérément de rendre sur la toile les formes et les nuances de couleurs avec une application de bon ouvrier. Que je voudrais être peintre!

J'avais le goût de caresser ces formes vivantes, chaudes, impersonnelles, suspendues dans l'obscurité. La fille bougeait un peu, de temps à autre, mais cela ne semblait pas déranger le peintre. A un moment donné, elle a passé ses longs doigts blancs dans sa chevelure très noire. Son geste semblait gourmand de vie et de bonheur.

Je suis resté là pendant de longues heures à contempler cette fille superbe. L'ombre autour d'elle se déplaçait légèrement. Mais le peintre continuait à la peindre de mémoire sans se soucier de cette ombre vivante. J'étais étonné de voir le peintre et le modèle demeurer ainsi pendant des heures dans le plus parfait silence. Ils ne s'échangeaient pas le moindre mot. J'entendais parfois la fille lâcher un grand soupir de fatigue. Une fois, elle a frissonné un peu. Il commençait à faire très frais dans l'atelier, malgré la chaleur humide du dehors.

Tout à coup, la fille a parlé. Elle a dit tout simplement: « Jérôme, je suis fatiguée. » Jérôme n'a pas bronché. Mais moi, j'ai été remué par cette voix familière sortant de l'ombre. A qui pouvait bien appartenir cette voix?

Franz n'arrivait toujours pas. Ni la beauté noire. Jérôme a enfin déposé son pinceau et il a dit simplement: « Très bien, c'est tout pour aujourd'hui. »

Alors la fille est sortie de l'ombre et je suis resté estomaqué. C'était Rachelle. Rachelle-que-je-n'aimais-plus.

Je ne sais pas si elle m'a reconnu. J'étais moi-même dans la pénombre. J'ai poussé un cri de surprise et, fou de honte et de rage, je me suis précipité dehors en me rongeant les poings jusqu'au sang.

J'ai passé une interminable nuit blanche. J'ai essayé de dormir un peu mais mon sommeil naufrageait dans des cauchemars indescriptibles. Je suis tatoué de pourriture. Ma solitude m'effrite. J'ai les lèvres écorchées par des injures que je ne dirai jamais. Contre Rachelle-la-maudite-putain. Contre ce peintre voyou et voyeur. Un vrai peintre ne devrait peindre qu'avec son sang. Contre Franz et la beauté noire qui ne sont pas venus. Ils ont dû se payer un bon coin de paradis, tous les deux ensemble pendant que je poireautais dans mon trou d'ombre.

Je n'arriverai jamais à finir cette page de journal . . . et déjà le jour blanc efface le paysage . . . il fera encore très chaud aujourd'hui . . . mais moi, j'en suis sûr . . . j'aurai très froid. . .

19

— Bonjour, commissaire. C'est une histoire bien triste. Un tel élève finir de la sorte! C'est incroyable! Je ne peux pas encore le croire.

L'homme qui entra en faisant cette déclaration ne semblait pas du tout impressionné par sa convocation devant le commissaire. Fortier commença par des questions générales.

— Monsieur Landry, vous étiez le professeur de français de Gontran, je crois?

— Oui, cette année, je suis professeur de français en secondaire V. C'était la troisième année consécutive que j'enseignais à Gontran.

— Pourriez-vous me donner votre opinion de professeur sur la conduite générale de Gontran?

Le professeur enleva ses grosses lunettes et les examina longuement avant de répondre. Ce devait être chez lui un tic professionnel. Il porta la monture à ses dents et la mordilla légèrement dans une attitude de profonde réflexion.

— Gontran Gauthier était un élève brillant et travailleur. Toujours premier de classe dans toutes les matières et surtout en français. J'enseigne depuis dix-huit ans au secondaire et je peux dire, sans crainte de me tromper, que c'est le meilleur élève que j'aie eu durant ma carrière.

Monsieur Landry s'exprimait avec lenteur. Chacun de ses mots bien pesés et prononcés avec application étaient servis par une voix riche et profonde. Il devait exercer un certain charme sur ses élèves. C'était le genre d'homme qui peut prononcer les phrases les plus banales avec une assurance qui retient l'attention.

— Gontran lisait beaucoup. Peut-être trop. Il m'avait demandé l'an dernier de le conseiller dans ses lectures. J'ai été embarrassé. Il avait besoin de lire les grands écrivains mais j'avais peur que les problèmes abordés dans ces livres soient trop complexes pour un garçon de son âge. Bien sûr, il possédait une maturité plus grande que la plupart de ses camarades de classe. Je lui ai conseillé de lire Saint-Exupéry, Conrad, Hemingway, mais je sais qu'il lisait des écrivains plus difficiles comme Camus, Malraux, Sartre.

Le professeur s'arrêta et sortit une pipe qu'il bourra minutieusement avant de l'allumer. Il tira quelques bouffées puis il reprit:

— Je crois que le jeune Gontran avait tout le talent nécessaire pour devenir écrivain. Je ne le lui ai jamais dit mais je le conseillais en ce sens. Dans ses dissertations, il faisait preuve d'une grande imagination. Mais c'est peut-être par déformation professionnelle que je souhaitais qu'il devienne écrivain. Il aurait pu tout aussi bien devenir chimiste, médecin, mathématicien. Il était fort en tout.

— Saviez-vous que Gontran était un amateur de lectures pornographiques, qu'il dévorait des Playboy et autres revues de ce genre, et, ce qui est plus grave, qu'il se délectait de livres encore plus morbides comme ceux de Sade, de Masoch?

— Non, je ne le savais pas. Jamais, dans ses dissertations, il ne m'avait donné l'occasion de soupçonner de telles lectures. Sauf. . .

Monsieur Landry hésita. Il tira longuement sur sa pipe qui venait de s'éteindre; il la ralluma. Fortier attendait la suite, les yeux dilatés par l'attention. Tout à coup, le professeur plongea la main dans sa poche de veston et en sortit deux ou trois feuilles.

— La dernière dissertation de Gontran m'a laissé songeur. Je l'ai relevée sur ces feuilles. Vous pourrez les lire tranquillement. J'avais demandé de choisir un camarade de classe et d'en faire un portrait. Lorsque j'ai lu la composition de Gontran, j'ai été surpris, pour ne pas dire consterné. Ce n'était pas le genre de travail qu'il me remettait d'habitude. Non seulement les fautes d'orthographe pullulaient-elles, mais la phrase était torrentueuse, la ligne conductrice plutôt échevelée. Il ne faisait pas le portrait d'un camarade mais de plusieurs garçons et filles à la fois. Cela ressemblait à un texte surréaliste. Plus le texte progressait, plus ça devenait du délire à l'état pur. . . Je dirais même du délire paranoïaque. J'ai été vraiment bouleversé par ce texte.

— Et vous lui avez donné une mauvaise note?

— Je n'avais pas le choix. Je ne savais trop que faire: rencontrer ses parents, le rencontrer d'abord? Je ne savais pas.

— Monsieur Landry, savez-vous que, dans son journal, Gontran parle de cette fameuse composition? Votre appréciation, très sévère, l'a grandement affecté. Je ne vous tiens pas responsable de la conduite de Gontran, bien sûr; ce que je veux savoir, c'est ce qui, à votre avis, a provoqué un tel changement dans son attitude.

— Je ne sais pas exactement. Gontran était un élève modèle mais un peu trop renfermé. Il ne communiquait pas beaucoup avec ses camarades, encore moins avec ses professeurs. Il était à sa manière la tête de turc de la classe. Cela peut paraître étrange qu'un premier de classe soit la tête de turc de ses camarades mais c'était exactement ça. De plus, je sais qu'il s'était passé quelque chose de grave lors de l'élection du président de la classe. Mon confrère Chartrand m'en a glissé un mot. Mais c'est un jeune professeur, à sa première année d'enseignement, et je ne sais pas s'il a évalué à sa juste mesure le retentissement d'un tel incident chez Gontran.

— Monsieur Landry, croyez-vous que Gontran était capable d'un tel geste, je veux dire, de tuer cette jeune fille?

— Non, je n'aurais jamais cru qu'il était capable d'une telle chose. Mais quelqu'un qui est dans un état dépressif peut poser des gestes inattendus.

— Parlez-moi un peu de cette Rachelle. Est-ce que vous la connaissiez depuis longtemps?

— J'ai été son professeur de français durant les trois dernières années. Rachelle et Gontran ont été dans la même classe pendant quatre ans. C'était une très belle fille. Elle faisait marcher tous les garçons; elle jouait un peu avec le feu. Souvent, durant les cours, à la réaction de certains garçons entre eux, j'ai pu deviner des tensions. Elle aimait allumer la jalousie. De plus, elle adorait parader devant les autres filles qui n'arrivaient pas à lui livrer une concurrence valable. Elle était en quelque sorte la reine de la classe.

— Je m'excuse de poser une telle question. Mais iriez-vous jusqu'à dire que son charme pouvait toucher ses professeurs?

Monsieur Landry hésita, sourit et porta sa pipe à sa bouche pour en tirer une longue bouffée avant de répondre.

— Monsieur le commissaire, vous savez comme moi qu'une jeune fille de seize ans peut séduire des hommes d'âge mûr. Je ne peux pas vous dire si des professeurs étaient attirés par Rachelle. Mais je ne vois pas ce que ça viendrait faire dans cette histoire.

— Je posais simplement la question pour savoir si certains professeurs, par leur conduite envers Rachelle, auraient pu favoriser cette jalousie entre les garçons.

— Non, je ne crois pas. Vous savez, à cet âge, les jeunes ne sont pas aveugles et ils comprennent très bien qu'un professeur masculin ou féminin ne peut pas être toujours indifférent au charme d'un élève du sexe opposé.

— Est-ce que Rachelle Lanctôt avait parfois une attitude provocante avec les garçons?

— Ça pouvait arriver. L'adolescente aime vérifier la puissance de ses charmes. Mais encore une fois, je ne crois pas que son attitude ait joué un rôle quelconque dans cette histoire.

Fortier tournait autour du pot. Il voulait savoir jusqu'à quel point la jeune Rachelle avait été responsable de ce qui lui était arrivé. Le professeur, avec habileté, évitait de compromettre ses collègues et son élève.

— Dans son journal, Gontran revient plusieurs fois sur l'attitude de Rachelle envers lui. Il pensait qu'elle l'aimait. Il avouait qu'il en était lui-même éperdument amoureux. Mais il la détestait en même temps parce qu'elle jouait à la petite reine entourée de sa cour de garçons. Il écrit que Rachelle le regardait d'une façon qui lui laissait croire qu'elle avait un certain sentiment pour lui. Avez-vous remarqué quelque chose en ce sens?

— Non, pas précisément. Je ne vais jamais aussi loin dans l'observation de mes élèves. Vous savez, on remarque bien quelques idylles; elles se nouent et se dénouent comme la vie. Mais on ne prend jamais trop au sérieux ce genre d'amourettes. De là à analyser la conduite de chacun, comme vous le supposez, non, vraiment, non.

— Gontran parle également d'une certaine Gisèle. Auriez-vous quelque chose à me dire sur elle avant que je ne l'interroge?

Le professeur esquissa un large sourire. Il ralluma sa pipe, heureux de cette question.

— Ah! Gisèle, c'est le boute-en-train de la classe; elle organise tout. Même si elle n'est jamais présidente de quelque chose, elle joue toujours le rôle de cheville ouvrière. C'est une bonne fille, une élève moyenne, assez travaillante, gentille avec tout le monde.

— Est-ce une fille qui a du charme?

A nouveau, les yeux du professeur pétillèrent, et avec un large sourire, il répondit:

— Non, rien de spécial. Ni laide ni jolie, mais très sympathique. Voilà!

Le commissaire trouva enfin le courage de poser une question délicate qui ne lui révélerait probablement rien, mais il avait envie de la poser sans trop savoir pourquoi.

— Monsieur Landry, je vais vous paraître indiscret, et je vous laisse entièrement libre de répondre à cette question. Vous est-il déjà arrivé d'être un peu, je dis bien un peu, amoureux de vos élèves féminins?

Le professeur s'étouffa avec la bouffée de fumée qu'il venait d'aspirer longuement. Il toussa et reprit rapidement son sourire mais dans ses yeux, il y avait quelque chose d'imperceptible que Fortier n'arriva pas à identifier. La surprise? La gêne? La peur d'être soupçonné de quelque chose? Il ne savait trop.

— Monsieur le commissaire, je vous ai dit tout à l'heure qu'un professeur peut ne pas être insensible au charme d'une jeune fille, mais de là à être amoureux, même un peu, je crois que vous exagérez. Je sais que la chose peut arriver. Mais pas pour moi. Je vous assure que je suis bien marié. J'aime ma femme et elle m'adore. Et puis, je me permets de vous demander encore une fois ce que le sentiment d'un professeur peut bien venir faire dans cette histoire?

— Je vous demande pardon. Déformation professionnelle peut-être. Il nous arrive de poser des questions qui semblent n'avoir aucun rapport direct avec une affaire. Je vous remercie et je compte sur vous si j'ai besoin de renseignements supplémentaires.

20

26 juillet 1973.

Depuis hier, je suis complètement bouleversé. Je n'aurais jamais cru que Rachelle était capable d'une telle bassesse. C'est pour moi comme une trahison. Je me sens jaloux. Tout à coup, je découvre que je l'aime. Je l'aime et je la déteste de tout mon corps, de toute mon âme, de tout mon coeur. Je l'aime et je ne pourrai jamais le lui dire. Et pourtant, je pourrais peut-être la sauver . . . et me sauver avec elle. Je sais que tout est irrémédiablement compromis. Je ne pourrai jamais posséder une fille qui s'expose ainsi au regard d'un peintre.

Il est vrai qu'il n'y a rien d'érotique dans le fait de poser comme modèle. Tout doit relever uniquement de l'art le plus pur. Les sens se doivent d'être assoupis pour laisser libre cours à l'esprit. Mais il arrive souvent que les modèles soient les maîtresses, du moins temporaires, de l'artiste. Rachelle, la maîtresse de ce Jérôme! C'est tout à fait répugnant!

Mais pourquoi me surprendre? Depuis que je la connais, Rachelle adore s'entourer de garçons béats d'admiration. Cela devait arriver fatalement. Et puis, elle ne m'aime pas. Elle a tout juste de la pitié pour moi. De la pitié. . .

Franz n'est pas venu avec la beauté noire. Je sais trop bien ce qu'il a fait avec elle tout l'après-midi. Là encore, à ma grande surprise, je me découvre jaloux. Jaloux de Franz! C'est ridicule! Je ne suis tout de même pas jaloux à cause de cette négresse. Mais je la considère un peu comme ma propriété, ma découverte. Je sais que je n'ai aucune chance contre Franz. Il est beau, lui! Peut-être que je suis en train de le détester. Je ne sais plus trop quels sont les sentiments qui se bousculent en moi.

Aujourd'hui, je n'avais vraiment rien à faire. Comme il m'arrive souvent dans ces moments-là, je me rends dans un centre commercial pour observer les gens. C'est une véritable passion chez moi que de regarder les gens passer et repasser dans les endroits publics. Il y a quelque chose de fascinant dans le visage de chacun.

J'essaie de deviner, simplement en voyant passer une personne, ce qu'elle est, ce qu'elle pense, ce qu'elle désire, ce qui la préoccupe. Il m'arrive même de bâtir tout un roman autour d'un couple qui déambule nonchalemment en se tenant par la main. Mon imagination s'emballe et j'oublie. Oublier, déjà, à mon âge!

Et aujourd'hui, j'avais besoin de les oublier tous: Rachelle, Jérôme, Franz, la beauté noire. Je me suis rendu au grand centre commercial sur le boulevard. Je me suis assis sur un des nombreux bancs destinés aux personnes fatiguées de magasiner. J'ai grillé cigarette sur cigarette.

Dans les endroits publics, je travaille sans conviction à l'extraction de ma solitude. Pour quelques brefs instants, j'ai le coeur en foule.

J'ai vu un couple de vieux qui se donnaient le bras comme de grands amoureux. Je me suis demandé s'ils étaient vraiment aussi amoureux qu'ils le paraissaient. Peut-être qu'ils voulaient donner aux autres une fausse image ou se donner à eux-mêmes une fausse impression. Mais en admettant qu'ils soient profondément amoureux après de si nombreuses années de vie commune, comment pouvaient-ils avoir été si longtemps ensemble sans se fatiguer un peu? Comment peut-on entretenir si longtemps la flamme sacrée de l'amour? Mais peut-être qu'il s'agit de deux vieux récemment mariés en secondes ou troisièmes noces. Ils désirent goûter encore quelques années de bonheur. Je me perdais et me perds encore en conjectures.

Puis j'ai observé une femme dans la cinquantaine, fatiguée, sans aucun maquillage et qui se promenait lentement devant les vitrines. Elle ne semblait pas vouloir acheter la moindre chose. Elle attendait peut-être quelqu'un ou quelque chose. Elle regardait pour regarder. Elle marchait pour marcher. C'était peut-être la mère de nombreux enfants, qui avait quitté la maison pour quelques heures, histoire de se changer un peu les idées.

Bien sûr, elle n'avait pas d'argent, mais elle se payait le luxe de rêver devant les vitrines. Elle n'entrait dans aucun magasin. Je l'ai regardée s'éloigner. Je me suis levé et je l'ai suivie. C'était peut-être une femme découragée, vivant avec un homme alcoolique, paresseux et brutal. Peut-être qu'elle venait tout juste de divorcer et qu'elle errait comme ça un peu perdue dans sa nouvelle vie.

Elle s'est finalement arrêtée devant un magasin de vêtements pour homme. Elle s'est retournée et j'ai cru lire une sorte de détresse dans ses yeux éteints. Elle aurait pu être étonnée de voir un jeune homme comme moi la suivre ainsi. Mais elle ne semblait pas s'en être aperçue. Troublé, je suis allé me rasseoir sur un autre banc.

Les visages et les corps se sont remis à défiler devant moi comme un fleuve toujours recommencé. Certains visages étaient fermés comme des poings prêts à frapper. D'autres étaient tendus par la hâte d'en finir avec ce magasinage.

Un jeune couple semblait au désespoir devant les cris répétés de son petit garçon qui ne voulait plus marcher et qui réclamait des bonbons. Un monsieur entre deux âges, cigare au bec, marchait avec importance comme s'il avait traversé le Parlement sous le regard des députés.

Trois jeunes filles s'approchaient toutes pétillantes de jeunesse et d'entrain. En passant devant moi, elles ont éclaté de rire. Je devais avoir l'air hébété d'un campagnard qui vient en ville pour la première fois et qui observe tout avec de gros yeux ronds. Ou bien, tout simplement, ai-je un charme irrésistible qui fait rire les filles.

Tout à coup, j'ai cru reconnaître Rachelle. Mon coeur a bondi. Ma rage aussi. Mais non, ce n'était pas elle. C'était une fille qui lui ressemblait de loin, seulement de loin. Elle est venue s'asseoir à côté de moi en replaçant ses cheveux qui tombaient dans ses yeux. Elle a dû sentir mon regard sur elle, car elle s'est retournée. Elle ne savait pas si elle devait me sourire ou me fermer son visage. Moi non plus d'ailleurs, je ne savais quelle attitude prendre. Nous avons tous les deux détourné nos regards. Mais le mien est revenu rapidement sur elle. Ses petits seins tendaient sa robe mince. Elle n'avait pas de soutien-gorge car, lorsqu'elle bougeait, ils se déplaçaient légèrement et avec une certaine gaminerie.

Je n'ai jamais abordé quelqu'un que je ne connaissais pas, dans un endroit public. Je suis trop timide pour commettre une telle audace. J'aurais voulu parler à cette jeune fille. A nouveau, son regard a ricoché sur le mien. Elle devait se sentir un peu trop observée. Elle s'est levée précipitemment et s'en est allée d'un petit pas nerveux.

Des visages et des corps sont encore passés devant moi. Une femme énorme roulait tant bien que mal sur ses grosses jambes. Je me suis demandé comment un homme pouvait réussir à faire l'amour avec une telle boule. Je me sentais méchant tout à coup. Deux filles ont passé, grandes, minces. En me voyant, elles n'ont pas ri. La peur les retenait peut-être. Mais au fond de moi-même, j'entendais leurs rires claquer comme des castagnettes.

Une femme plutôt laide s'est arrêtée à quelques pas de moi et m'a regardé étrangement. J'ai senti la sueur perler à mon front. Si tous les passants allaient s'arrêter et me regarder comme elle! Je ne pourrais une seule seconde supporter tous ces regards sur moi comme des cloportes. J'étouffais déjà. Dans une foule, habituellement, je me sens noyé dans l'anonymat. Je retrouve ma solitude isolée dans cette grande solitude. Et je me sens bien. Mais subitement, la panique s'empare de moi et je me sens dévorer tout vif par cette foule. Alors je fuis.

Mais non, j'ai été tout de suite soulagé. La femme ne me regardait pas. Elle fixait quelque chose dans la vitrine d'un magasin juste derrière moi. Cette femme ressemblait bizarrement à la marchande de tabac. L'idée saugrenue de faire l'amour à cette femme m'a fait sourire. Si je me ruais sur elle et la violais, là, devant tout le monde, ce qu'ils en feraient une drôle de tête. Un geste gratuit! Comment un jeune homme pouvait-il désirer à ce point une femme aussi laide? Les journaux en feraient un cas de psychiatrie étonnant. Mais moi, je trouvais ça normal. Cette femme avait peut-être des charmes cachés, une manière bien à elle de faire la cérémonie. La marchande aussi. Je n'aurais pas dû lui refuser. C'était peut-être ma planche de salut. Un gamin, en me voyant sourire dans le vide, m'a pris pour un cinglé et m'a fait une grimace.

Plus loin, un grand garçon tenait par la taille une belle Noire. Ils sont passés devant moi sans me regarder. J'ai cru tout de suite que c'était Franz avec ma beauté noire. J'ai bondi. Je les ai rattrapés. J'ai marché parallèlement à eux pour les reluquer. Non, ce n'était pas eux. Le garçon a ralenti le pas et m'a regardé comme s'il allait me tailler en petits morceaux. J'ai rebroussé chemin. Il fallait que je m'en aille. J'étais en train de devenir complètement fou. D'un moment à l'autre, j'allais voir à nouveau Rachelle au bras de Jérôme . . . et je me tromperais encore une fois.

Comme j'allais sortir, je suis passé devant une librairie. Un livre en montre a immédiatement attiré mon attention. C'était un livre de peintures. Sur la couverture, une femme entièrement nue enlaçait par le cou la statue d'un homme, nu lui aussi mais ayant les jambes et les bras coupés. La statue était posée sur une sorte de caisse de bois. Ce tableau m'a intrigué; je suis entré.

J'ai demandé le livre et je l'ai feuilleté. Il s'agissait d'un peintre belge nommé Paul Delvaux. Je n'avais jamais entendu parler de ce peintre mais dès les premières pages, je me suis senti envoûté par ces tableaux étonnants, déconcertants.

On y voit des femmes entièrement nues se promener sur les places publiques, dans les rues. Elles croisent des hommes guindés, habillés jusqu'au cou. Dans certains tableaux, les femmes sont également habillées jusqu'au cou mais elles sont assises sur des fauteuils, les yeux perdus dans un rêve immense. Elles semblent attendre là depuis des années, des siècles même. Dans d'autres tableaux, certaines femmes sont étendues, complètement nues, sur des canapés ou au travers d'une rue ou d'un chemin. Elles ont toujours leurs grands yeux ouverts sur l'abîme de leur rêve. Quelquefois, elles portent de grands chapeaux fleuris, des colliers, des diadèmes et d'immenses noeuds de ruban.

Ce triangle du sexe féminin, juste au milieu des tableaux, me brûle l'oeil. Ces couleurs froides incendient mon imagination. C'est l'effroi devant la femme si proche mais inaccessible.

Dans ce monde étrange et fascinant, les hommes sont rares. En général, ils portent des lunettes ridicules sur un grand nez. Leur rachitisme, leur crâne rasé ou chauve et leur regard distrait en font des pantins dérisoires. Dans un tableau, en particulier, la situation devient grotesque: un homme très laid, en compagnie de plusieurs femmes nues ou à moitié nues, se regarde dans un miroir. Ici et là, il y a des hommes nus mais ils semblent maladroits dans leur nudité et aussi guindés que s'ils étaient vêtus.

Je tournais les pages lentement comme si j'avais été plongé moi-même dans un rêve énorme.

Le libraire s'est approché: « Ça vous plaît? » J'ai dû rougir car ses yeux ont fait le tour de mon visage avec une impudeur qui m'a fouetté. Puis il s'est éloigné. Quelques bouquineurs me jetaient des regards obliques. Je me sentais épié de tous côtés. J'ai entrevu le tableau suivant et tout de suite, j'ai oublié ce qui m'entourait.

Ce tableau était d'une cruauté insoutenable. Un homme coiffé d'un chapeau melon passait en lisant son journal. Autour de lui, des femmes, en proie à une passion amoureuse, enlaçaient des arbres ou tout simplement étreignaient le vide devant elles. Sur leur visage, la passion se figeait dans une insoutenable attente sans espoir. Et sur cette scène atroce s'étalait une douce lumière lunaire.

Après avoir peint le mur qui se dresse entre les sexes, Delvaux présentait des tableaux d'un lesbianisme éthéré. Des femmes se caressaient mollement, sans passion, leur regard toujours absent, égaré. Sur leur visage, il y avait de la souffrance, du rêve, de l'espoir. Mais tout cela semblait figé, sans mouvement, baigné d'une lumière de fin du monde. Leur corps était sensuel, opulent, généreux. Mais je n'ai pas pu m'expliquer pourquoi Delvaux flanque dans tous ses tableaux des tramways, des trains, des temples grecs et des usines. Peut-être qu'il veut nous dire que l'homme et la femme sont toujours les mêmes à travers les temps, dans une sorte de départ immobile. Il faut dire que tout cela ajoute à l'atmosphère insolite de ses tableaux.

Tout à coup, mon regard est tombé sur une peinture qui m'a sauté à la figure. J'avais sous les yeux mon drame tout entier: une femme complètement nue tendait les bras dans la direction d'un squelette agenouillé, la tête tournée vers un point vague; ce squelette avait une telle expression qu'on aurait dit un squelette vivant; derrière, une femme habillée d'un collant noir et coiffée d'un grand chapeau rouge marchait vers lui.

Je me suis mis à tourner les pages fébrilement. Toute mon histoire y était racontée. Une scène entre autres était criante de vérité. Au milieu, moi, nu, maigre, les yeux perdus. Devant moi, la dame noire, à moitié nue, de profil, offre généreusement sa poitrine à personne. Derrière moi, Rachelle, à moitié nue aussi, assise à une table, regarde la rue vide. Au premier plan, un squelette, la Mort, debout, m'attend. Dans un coin, des hommes cravatés et vestonnés attendent, comme des spectateurs distraits, les yeux trop grands ouverts sur leur vide. Des hommes glabres à face de cauchemar. Des regards avides de vide lançant un appel dérisoire, absurde. Érotisme onirique! Nudité du monde aussi!

Et un autre: au centre de la toile, je suis nu et je me cache les yeux avec le bras droit. Devant moi, des femmes nues m'attendent. Derrière moi, une femme court on ne sait où, une autre est assise. Au fond et sur les côtés, il y a des femmes par dizaines. Dans le coin inférieur droit du tableau, Rachelle à demi nue, me cache la Mort assise, squelette aux dents serrées, au sourire diabolique.

C'en était trop. J'ai refermé le livre. Je l'ai déposé sur une table et j'ai fui. Il faudra que je retourne à cette librairie un jour pour acheter ce livre. Après avoir vu ces terribles tableaux, je ne pourrai jamais plus regarder de la même façon les posters et les nus des magazines.

Ces tableaux sont bouleversants. La lumière est froide, les personnages semblent animés d'une passion encore plus froide. C'est un monde figé, hiératique, presque mort dans sa terrible beauté.

En arrivant à ma chambre, je me suis rué sur les murs et j'ai arraché, déchiré, lacéré tous les posters qui me tombaient sous la main. J'ai l'impression de vivre une sorte de conversion. Une flamme me dévore.

21

5 août 1973.

Je n'ai pas revu Franz depuis une semaine. Mais aujourd'hui, il s'est passé quelque chose de nouveau. Durant cette semaine, il a dû se payer du bon temps avec la belle négresse. J'ai réussi, je crois, à ravaler ma jalousie. Ça ne me sert à rien d'ailleurs de faire des histoires avec Franz. Le mieux est de ne plus le revoir.

Je suis retourné chez le marchand de tabac. J'avais l'intention de lui demander s'il avait des posters de femmes nues. Pour me délivrer des tableaux obsédants de Delvaux, je voulais avoir des femmes dans des pauses provocantes, audacieuses, choquantes.

Tout autour de moi, le soleil faisait encore éclater ses grandes orgues. Toute la nature se métamorphosait en une gigantesque cathédrale infernale. Il faisait un soleil à vous désosser tout vivant. Un petit vent sournois glissait dans la chaleur perfide. Là-bas, tout au fond du ciel, il se préparait quelque chose de rafraîchissant. Enfin!

En me voyant, le marchand m'a fait signe. Il semblait avoir quelque chose à me montrer. Mais une cliente est entrée et il a dû la servir. Comme à l'habitude, j'ai feuilleté quelques revues. Tout à coup, j'ai senti une présence derrière moi. Je me suis retourné; c'était la marchande qui m'observait de son oeil tordu de volupté.

De ses longues mains osseuses aux ongles brûlés par la nicotine, elle m'a tendu une revue que je n'avais jamais vue auparavant. C'était une revue spéciale, tirée à très peu d'exemplaires car elle semblait de fabrication clandestine. La marchande m'observait toujours, le sourire écorché par ses longues dents. Elle a fini par me murmurer à l'oreille.

— C'est une revue faite par un club d'érotisme. Les membres posent dans leur propre revue. Regardez! Regardez! Il y a des gens que vous connaissez là-dedans.

Cette incitation m'a piqué à vif. Je triturais la revue entre mes doigts nerveux. J'avais peur de quelque chose de vague. La marchande a jeté un coup d'oeil à son mari, toujours en train de servir la cliente.

— Ne montre pas cette revue. A personne, c'est compris? Surtout pas à mon mari. C'est une revue très spéciale. Tu verras. C'est le premier numéro.

— Je vais regarder ça à la maison, ai-je répondu en pliant la revue en deux pour la glisser sous mon chandail.

— Dommage, j'aimerais voir ta réaction tout de suite. Viens ce soir. Je serai seule. Nous la regarderons ensemble.

Un autre client est entré. Le marchand nous regardait. Il a paru surpris de me voir parler avec sa femme. Mais il s'est occupé tout de suite du nouveau client et j'en ai profité pour sortir.

Dehors, il faisait plus frais. Les nuages s'amoncelaient et le ciel menaçait tout le monde d'un orage biblique. J'ai marché un peu jusqu'au parc. Là, je me suis assis sur un banc. En face de moi, une sorte de vagabond se mouchait avec un torchon d'une émouvante saleté. Il s'est arrêté, m'a regardé par en-dessous comme si je lui cachais une partie du paysage.

Des nuages noirs et lourds tournaient en rond dans le ciel comme pour fondre sur quelque proie indéterminée. Je me suis mis à feuilleter la revue. Au début, on expliquait l'organisation du club et le but. En résumé, on disait que les revues pornographiques à grand tirage faisaient appel à de jeunes filles et à de jeunes garçons inconnus. Ces modèles avaient tous l'air de statues sans vie, de mannequins désincarnés. Le but de la revue était d'exposer le corps humain tel qu'il existe autour de nous. Le corps humain a ses beautés quels que soient l'âge, la race, le sexe. Les membres du club avaient donc décidé de poser eux-mêmes pour leur revue qui ne devait être diffusée que par les membres et à des personnes sûres. Le recrutement devait se faire avec beaucoup de prudence.

Tout à coup, il s'est mis à tonner. Le vent caressait les arbres à rebrousse-feuilles. Le tonnerre se gargarisait à ciel ouvert. J'ai regardé les nuages qui descendaient vers moi comme pour écraser la terre.

J'ai continué à feuilleter avec fébrilité. Ce premier numéro retraçait l'évolution du corps humain selon l'âge. Les premières photos représentaient des bébés naissants puis de petits enfants nus. L'adolescence était généreusement étalée. Il s'agissait de filles et de garçons bien ordinaires que je pouvais rencontrer tous les jours dans la rue, à l'école et dans les différents endroits publics.

La pluie commençait à tomber. Tout mon corps buvait cette fraîche caresse. En tournant les pages, j'ai été frappé en plein coeur. La photo représentait une jeune fille de quinze ou seize ans, toute nue. Je n'avais pas la berlue: c'était Rachelle. J'en avais plein les yeux. C'était dégoûtant!

La pluie maintenant tombait comme des clous. Je n'étais pas au bout de mes surprises. Dans les pages suivantes, j'ai reconnu Franz, nu lui aussi, et la négresse, et enfin, comble de l'étonnement, la marchande elle-même. Sa photo était prise au grand angle. Au premier plan, elle tendait ses longues mains osseuses aux ongles longs et sales. Le reste de son corps, maigre et desséché, fuyait à l'arrière-plan, déformé encore davantage par le jeu du grand angle.

Les photos suivantes montraient des personnes de plus en plus âgées que je ne connaissais pas. Les dernières photos poussaient très loin l'audace en montrant des vieux et des vieilles complètement nus. Je me demandais comment ils avaient bien pu faire de telles photos. C'était impensable!

Au-dessus de ma tête, l'orage a subitement crevé comme une gigantesque poche d'eau. Atterré par ma découverte, je n'ai pas bougé. Je suis resté assis, sous l'averse froide. Entre mes mains, sur mes genoux, la revue était déjà imbibée et commençait à se désagréger rapidement. Le papier cédait à plusieurs endroits. J'étais fasciné par cette chose qui se défaisait entre mes doigts. La revue était ouverte à la photo de Rachelle et je voyais la belle Rachelle, la cruelle Rachelle devenir toute grise, toute molle et de plus en plus déformée. L'encre de mauvaise qualité lâchait le papier et le corps de Rachelle était torturé par les grosses gouttes de pluie qui la criblaient, la flagellaient, l'anéantissaient.

J'ai tendu le visage vers le ciel et j'ai reçu en plein dans les yeux une rafale de pluie cinglante. Le tonnerre se déchaînait au-dessus de ma tête. Les éclairs sillonnaient le ciel. Derrière le banc, il y avait un arbre. Ma position était dangereuse, mais le danger me stimulait. J'ai décidé de braver la nature en colère, de défier la mort avec cette fille nue que j'aimais et qui s'effilochait entre mes mains.

A mon grand étonnement, là, sous cet arbre et cette pluie torrentielle, j'ai tout à coup ressenti un immense bonheur, un bonheur qui me gonflait au point de crier. Un passant courant sous la pluie s'est arrêté brusquement pour m'observer une seconde. Il a dû penser que je devenais complètement fou. Il m'a crié quelque chose mais je n'ai pas entendu et il a poursuivi sa course vers un abri.

Je n'étais plus de ce monde. Mes pieds ne sentaient plus la terre ferme. Je jouissais éperdument. Mes doigts ont finalement lâché les lambeaux imbibés de la revue qui ont glissé lentement sur le gazon. A travers le rideau de pluie, le visage de Rachelle m'est apparu. La pluie n'arrivait pas à déformer ce visage, plus beau que jamais. Puis son sourire s'est tordu. Il est devenu une horrible grimace et ses yeux, deux grosses taches d'encre. Je n'avais plus devant moi que le visage d'une vieille femme qui s'en allait à la dérive de la pluie et de la vie. Sans moi. Ou avec moi, je ne sais pas.

Dans mon délire de bonheur, j'ai cru entendre la foudre tomber quelque part au loin. Cela a fait un petit soleil au bout d'un arbre ou d'un pylone. Le spectacle était grandiose. La bouche ouverte, je buvais à même la pluie. Tout mon corps dégustait avec gourmandise la caresse froide du ciel qui tombait sur moi.

Plus rien ne comptait. Ni mon inscription à l'armée. Ni mon impuissance à faire l'amour. Ni Rachelle qui se prostituait avec des peintres et des photographes. Ni Franz qui s'amusait avec la beauté noire. J'étais follement heureux d'un bonheur physique qui m'emplissait tout le corps d'une extase divine.

L'orage était terminé depuis longtemps et j'étais encore assis sur le banc à dévorer mon étrange bonheur. Je suis revenu lentement sur la terre. Des mouches gonflées de chaleur agitaient le silence de leur paresseux bourdonnement. Une immense solitude tournait autour de moi en un doux vertige. Le soleil à nouveau dévorait tout sur son passage. Le ciel blanc était nettoyé jusqu'à l'os par un soleil redevenu subitement fou. Même le vent n'avait plus la force de souffler, étouffé qu'il était par toute cette chaleur. Ma haine elle-même semblait fondre dans cet enfer.

Je n'avais plus la force de me lever. La chaleur tuait jusqu'à la moindre volonté de mouvement. Le Canada, un pays froid? Allez-y voir en plein juillet!

Les passants traversaient à nouveau le parc. La chaleur était comme un mur. Les gens se croisaient sans se parler. Tout semblait rongé par le soleil. Pourtant, Rachelle, ton ombre a emprisonné mon soleil. L'asphalte aveuglé de lumière noyait les jambes des passants.

Lorsque la faim a commencé à poindre, je suis revenu à la maison. Ma mère fut étonnée en me voyant tout fripé par la pluie. Mais j'ai fermé à clé la porte de ma chambre et je me suis jeté sur mon lit . . . en pleurant de joie. D'où me vient ce bonheur? Je me le demande.

22

7 août 1973.

Je viens de refermer un livre de planches sur l'oeuvre de Van Gogh. Quel peintre! La sensualité torturée de ces tableaux me transporte. Il met de la passion et du désir jusque dans les arbres, dans les collines et même dans les nuages. Et quelle lumière! Le soleil baigne la nature de sa brutale volupté.

C'est étrange que deux peintres aussi diamétralement opposés que Van Gogh et Delvaux exercent sur moi une telle fascination: le chaud et le froid, la ligne sinueuse et la ligne droite, les couleurs flamboyantes et les couleurs glaciales.

Depuis deux jours, tout tourne dans ma tête. J'ai relu mon journal depuis le début. Je trouve que ça ne vaut peut-être pas la peine de continuer. Je n'ai éprouvé aucun plaisir à relire ces pages remplies de mes déboires et de mes humiliations. Mais, ce soir, je reprends encore ma plume dans l'espoir d'écrire quelque chose de stimulant. Je ne peux secréter que ce qui bouillonne en moi.

A l'école, les professeurs ont toujours trouvé que j'étais bon en composition française. J'ai toujours eu de très bonnes notes. Les profs ont souvent inscrit comme remarques: « Beaucoup d'imagination, vocabulaire riche, originalité. » Moi, je pensais que j'écrivais comme un pied. A quatorze ans, je lisais les grands écrivains: Saint-Ex, Mauriac, Colette, Gide. Comment ne pas trouver alors que j'écrivais comme un cancre? Je me foutais pas mal de la comparaison avec mes camarades, qui ne savaient pas mettre un mot devant l'autre. Il s'agissait de moi! J'aurais voulu écrire comme un dieu.

J'ai toujours trouvé extraordinaire le fait d'écrire un livre. Très jeune, j'admirais les écrivains qui avaient réussi à bâtir un grand livre ou même toute une oeuvre comme un architecte bâtit une cathédrale, un stade ou un monument impérissable.

Depuis quelques années, je rêve de devenir écrivain: un écrivain, soldat comme Apollinaire, aviateur comme Saint-Ex ou marin comme Conrad; un écrivain d'action, quoi! En entrant dans l'armée, je pourrai peut-être connaître l'action. Je n'ai aucun goût pour l'armée, pour le génie militaire, comme mon père le proclame si souvent. Je veux tout simplement connaître l'ivresse de l'action, vaincre l'oisiveté, ma chère solitude et cette sorte d'impuissance congénitale devant la vie. Je pourrai peut-être alors devenir écrivain.

Parfois, tout cela me semble inutile, vain, splendidement ridicule. Surtout après avoir relu ces pages. Écrire pourquoi? Écrire pour qui? Est-ce vraiment si important? Écrire l'activité des insectes que nous sommes! J'admire alors par-dessus tout Kafka et tous les écrivains de l'existence, comme lui. L'action intérieure devient la seule dimension véritable de l'homme. J'ai l'impression et le pressentiment que l'expérience de l'armée serait pour moi un peu comme l'expérience de Kafka dans la bureaucratie. Cette expérience ferait peut-être éclore quelque chose quelque part en moi.

Ce journal servira à me lancer hors de moi-même. Mais en relisant ces pages, je m'aperçois que je me replie sur mon petit moi en écrivant. Je rumine mes minables aventures comme si elles étaient vraiment importantes. Aucun souffle n'anime ces pages. Cela retombe à plat. Il n'y a rien qui flambe, ne serait-ce que le temps d'un feu de paille.

Tout le monde est content de moi. Mes parents sont contents de me voir indépendant, aussi valeureux devant la vie, aussi déterminé à entrer dans l'armée. Mes professeurs sont contents de moi. J'ai de bonnes notes, je suis un élève modèle, tranquille dans son coin, un peu timide, bien sûr, mais on ne peut pas tout avoir. Cela passera avec l'âge. Selon eux, je suis promis à un grand avenir. J'ai des aptitudes, de grandes possibilités. Tout le monde est content de moi. Je suis le seul à ne pas être satisfait. Je suis le seul à me dégoûter jusqu'à l'écoeurement. Toute cette boue qui grouille en moi!

Un tel écoeurement! J'ai parfois envie de me faire sauter la cervelle. Ils me promettent tous une vie facile, brillante, prospère, même si je ne suis pas très beau. L'argent fera le reste, et le succès aussi. Et puis la beauté, ce n'est pas important pour un homme. Mais moi, si je ne veux pas entrer dans leur monde! Si je ne veux pas de leur âge adulte et adultère! Je me ferme moi-même la porte du futur. Ils veulent me l'ouvrir toute grande, mais moi, je la referme, et je reste emmuré en dehors de la vie, en-deçà de la vie.

Aujourd'hui, il s'est passé un petit fait sans importance, mais que je tiens à noter. J'ai été fort surpris. D'abord, ça m'a troublé profondément. Puis, j'ai réfléchi. Je crois que c'est une mauvaise blague.

A l'arrivée du facteur, ma mère m'a appelé: il y avait un paquet pour moi: pas d'adresse de l'envoyeur. J'ai pensé l'ouvrir tout de suite devant ma mère qui attendait ce geste avec de gros yeux, ronds de curiosité.

Heureusement, je me suis ravisé à temps. Je suis descendu dans ma chambre. J'ai déposé le paquet sur mon lit. Je me suis assis pour réfléchir un peu. J'ai bâti tout un roman autour de ce paquet.

C'était peut-être un paquet piégé qui allait m'éclater en pleine figure en l'ouvrant. Une erreur, ça peut arriver. C'était peut-être Franz qui m'envoyait un gadget nouveau. Il avait assez de culot pour faire ça. On ne s'est pas vu depuis un bon bout de temps. J'évite complètement d'aller à la taverne pour ne pas le rencontrer. A bout de patience, il m'envoyait peut-être une nouvelle poupée qui disait: « Merci, merci, petit monsieur. » C'était peut-être aussi le marchand ou la marchande qui m'envoyait un paquet de revues ou un truc quelconque. Je ne savais plus trop quoi imaginer. Peut-être que le sculpteur m'envoyait une de ses pièces. Ou bien Rachelle m'envoyait quelque chose pour me calmer.

Finalement, j'ai ouvert. J'ai été consterné par l'objet qui s'y trouvait. Des menottes, de vraies menottes comme en utilisent les policiers. Dans le paquet, aucune adresse, aucun nom, aucun mot même anonyme, pas la moindre trace de l'envoyeur. J'étais troublé surtout par l'objet. Pourquoi des menottes? Quelle pouvait bien être l'intention de l'envoyeur? Est-ce que ces menottes m'étaient vraiment destinées? On voulait peut-être me suggérer de me les passer aux poings et de m'enfermer dans ma chambre pour y crever comme un rat. Ou bien, on voulait me laisser entendre que l'armée était une sorte de prison, ou l'amour, ou la mort, ou le sexe. J'étais furieux.

J'ai rangé les menottes dans mon armoire et j'ai décidé de n'y pas penser. Le farceur en question finirait bien par se montrer le bout de l'oreille et par se vendre lui-même si je faisais l'innocent.

Je me suis couché et me suis laissé dériver à la surface de la somnolence. Mes souvenirs me sont revenus comme des noyés. Ils remontaient, mais ils me tournaient le dos. Puis Rachelle m'est apparue à travers le brouillard d'un demi-rêve. Je lui parlais mais elle demeurait muette. Elle semblait morte malgré toutes les apparences de la vie. « O Rachelle, nous nous sommes rencontrés au carrefour d'un sourire, à la croisée d'un regard, aux quatre saisons de l'amour, je ne sais plus où, ni quand, ni dans quel pays étrange. C'était un immense pays de feu et de sang. Le soleil, dans le ciel, faisait comme un énorme noeud de lumière. Nos yeux, nos mains, nos lèvres étaient ivres de cette lumière. Un vent mou caressait les arbres. . . De subtils poisons chantaient dans nos coeurs. . . »

Je me suis réveillé en sursaut. Une chute vertigineuse dans la réalité. J'étais à nouveau seul dans ma chambre.

A nouveau, il me fallait jouer seul avec la vie dans mon petit coin de patinoire. Je ronge ma solitude et je suis rongé par elle. Je suis une fleur vivante qui sèche entre les pages jaunies d'un vieux « scrap-book ». Devant moi, l'exil s'ouvre comme un pays sans fin. Il me faut vaincre ma solitude avec mon ombre.

Je suis seul, seul, seul. Tout à l'heure, je mettrai le feu à mon journal. Je mettrai le feu à cette maison et à la terre entière.

23

La tête entre les mains, les yeux rivés sur une page du journal de Gontran, Fortier tournait et retournait dans son esprit tout ce qu'il venait d'apprendre sur l'assassinat de Rachelle. Il n'arrivait pas à tirer quelque chose de cette affaire. Tout semblait clair, trop clair, trop évident et, tout à coup, tout devenait embrouillé, inextricable. Les interrogatoires s'ajoutaient aux interrogatoires, sans apporter plus de lumière. Au contraire, à mesure qu'il interrogeait les principaux témoins de cette affaire, il semblait à Fortier que tout devenait de plus en plus obscur.

Deux questions demeuraient toujours comme un bloc de granit inattaquable: pourquoi le jeune Gontran avait-il violé, assassiné et brûlé cette jeune fille et pourquoi, le lendemain, avait-il tiré sur ses camarades en pleine classe?

Évidemment, les réponses à ces deux questions ne manquaient pas. Gontran avait d'abord violé Rachelle dans un irrésistible défoulement sexuel. Il le disait clairement dans son journal: Rachelle le fascinait et il la désirait. Puis, pris de panique, de vertige, de folie, il l'avait torturée et tuée. Il ne se possédait plus. C'était la réaction classique d'un impuissant. Devant le cadavre de la jeune fille qu'il adorait, la peur l'avait saisi à la gorge et, pour tout faire disparaître, preuves et souvenirs, il avait mis le feu à toute la maison. Pourtant, le médecin-légiste prétendait que Gontran n'avait pas tué Rachelle avant de la faire brûler. Revenu dans sa chambre, il avait écrit dans son journal ce qu'il venait de faire. Dans son affolement, il avait oublié de mettre la date. Comment avait-il pu raconter ce drame avec un tel luxe de détails, une telle force de conviction? Il était pourtant encore sous le choc de l'émotion. Vraiment, il y avait quelque chose qui ne collait pas.

Fortier rêvait de se retrouver au fond de l'âme de Gontran pour y lire en toutes lettres les pensées que celui-ci avait pu nourrir à ce moment. Mais un policier n'est pas un voyant, un charlatan, un sorcier. Il doit se contenter de témoignages et y déchiffrer la vérité comme il le peut.

Sorti de sa folie, Gontran avait probablement réalisé toute l'horreur de son geste. Persuadé qu'il allait être arrêté un jour ou l'autre, il avait décidé de ne pas se priver et d'assouvir sa vengeance jusqu'au bout. Alors, il avait subtilisé le revolver de son père, s'était précipité le lendemain à l'école et avait tiré sur Stéphane qu'il haïssait. Le délire l'avait repris et il avait déchargé son révolver sur tous ses camarades. Comment avait-il pu avoir assez de lucidité pour se réserver la dernière balle? Mystère! Ou simple jeu du hasard. Peut-être était-il persuadé qu'il ne restait plus de balle. Peut-être avait-il voulu créer l'illusion d'un suicide ou de la folie. Pourquoi avait-il écrit ce journal où le réel et l'imaginaire s'entremêlaient? Qui pouvait savoir ce qui avait mijoté dans la tête de cet adolescent désespéré?

Gontran avait-il vraiment voulu se suicider? Question inutile mais fascinante. Pourtant, le ton du journal était trop sincère pour être facilement mis en doute. Fortier, en était certain: Gontran avait voulu se suicider. Tout dans son journal l'annonçait avec clarté.

Le commissaire alluma une cigarette et laissa monter vers ses yeux une épaisse bouffée de fumée bleuâtre. Il aimait sentir l'odeur du tabac à pleines narines. Mais il faillit s'étouffer, toussa un peu et chercha à retrouver le cours de ses pensées.

Tous les témoignages concordaient, jusqu'ici: Gontran était un garçon brillant mais renfermé. Son journal révélait un paranoïaque, une sorte de déséquilibré. Fortier n'avait jamais poussé très loin l'étude de la psychologie: il avait lu comme tout le monde des ouvrages de vulgarisation. Malgré tout, il n'arrivait pas à se délivrer d'un pressentiment: quelque chose lui échappait dans cette histoire. Peut-être avait-il un préjugé favorable envers Gontran. Son journal ne révélait-il pas un garçon écorché vif, emmuré en lui-même, un garçon qui criait dans le silence, un silence qui l'écrasait.

Fortier consulta du regard la liste des témoins. Le suivant était monsieur Leroux, professeur de catéchèse, un témoin oculaire du drame. Peut-être était-il déjà arrivé et attendait-il pour entrer. Fortier se renversa dans son fauteuil en un geste de grande lassitude. Encore un interrogatoire qui ne lui révélerait rien de nouveau. Il eut l'idée d'annuler ou du moins de l'expédier rapidement. Puis, par conscience professionnelle, il se ravisa. Il marcha jusqu'à la porte et lança dans le couloir: « Faites entrer le témoin suivant. » La journée était vraiment longue. . .

L'homme qui entra était âgé. Il se dégageait de lui une force et un charme qui frappaient dès le premier abord. Une bonté diffuse irradiait de tout son visage.

— Vous êtes bien monsieur Leroux, professeur de catéchèse?

— Oui, monsieur. Je suis professeur dans la région depuis maintenant quarante ans. J'ai enseigné quinze ans à l'école primaire et le reste au secondaire. Je prends ma retraite à la fin de l'année.

La voix du professeur était chaude et grave. Fortier pensa qu'ils terminaient tous deux leur carrière avec cette affaire triste et obscure. Leur longue vie les avait conduits dans cette pièce afin de parler d'un jeune homme qui avait rempli de sang le vide qui l'entourait. Tous deux avaient consacré leur existence à la justice, à l'ordre et au bon fonctionnement de la société. A quelques mois de leur retraite, ils étaient là, l'un en face de l'autre, pour faire l'autopsie d'un échec.

— Pouvez-vous, monsieur Leroux, me raconter avec le plus de détails possible ce qui est arrivé le jour du drame? Prenez bien votre temps pour ne rien oublier.

Le professeur croisa les jambes, parut réfléchir un instant. Mais en fait, il devait laisser remonter à son esprit tout ce qu'il venait de préparer pour répondre à cet interrogatoire.

— Je venais de commencer mon cours lorsque Gontran est entré dans la classe, revolver au poing.

— Pardon. Aviez-vous constaté son absence au début du cours?

— Oui. Je relève toujours les absences à chacun de mes cours. J'ai donc noté celle de Gontran. Cela m'avait d'ailleurs surpris, car il ne manquait jamais un cours. Pendant mes exposés, il était toujours très attentif. Il semblait même attacher une importance exagérée à tout ce que je disais. Mais à la fin de mes cours, il ne venait jamais me poser de questions ou tout simplement bavarder avec moi comme le font souvent beaucoup d'autres élèves.

— Est-ce que Gontran posait souvent des questions pendant les cours?

— Non, jamais. Il me regardait avec attention, suivait le moindre de mes gestes, buvait la moindre de mes paroles, prenait constamment des notes, même durant les discussions, mais il ne posait aucune question. Et quand je l'interrogeais, il paraissait toujours fort embarrassé, gêné. Aussi, je n'insistais pas. Je lui posais rarement des questions, sauf pour vérifier certaines notions. Mais j'aurais tellement aimé savoir le fond de sa pensée.

— Est-ce qu'il paraissait sympathique ou hostile à votre matière?

— Je dirais ni l'un ni l'autre. Il était là comme quelqu'un qui cherche, qui attend une réponse. A chaque cours, il me fixait et attendait probablement la réponse qu'il cherchait.

— Mais venons-en, si vous le voulez bien, à cette fameuse journée du drame. Poursuivez votre récit, je vous en prie.

— Quand je l'ai aperçu, je dois vous dire que j'ai eu un choc. J'ai déjà vécu des événements semblables dans ma carrière. Un élève est déjà entré dans ma classe avec un couteau. J'ai su plus tard qu'il avait été profondément troublé par un de mes cours. Il était d'une famille farouchement anti-religieuse. Il s'était aussi intéressé à ces pseudo-mouvements qui voient dans chaque professeur de catéchèse ou dans chaque prêtre un danger pour la société. C'était un peu par mysticisme à l'envers qu'il s'était donné la mission de me tuer. Mais l'affaire a tourné court. Je l'ai désarmé facilement et le garçon a été bien traité dans un hôpital. Lorsqu'il est sorti, nous sommes devenus de bons amis. Mais Gontran, ce n'était pas la même chose. . .

Le professeur s'arrêta, passa une main dans son épaisse chevelure argentée et poursuivit:

— En voyant Gontran, je n'ai pas pensé qu'il voulait s'en prendre à moi. Il m'a à peine vu. Puis il a fouillé du regard toute la classe comme s'il cherchait quelqu'un. A ce moment, malgré moi, j'ai regardé Stéphane. Je savais que ces deux garçons ne pouvaient pas se sentir. Je les connaissais bien tous les deux. Je leur ai enseigné deux ans. J'ai aperçu tout de suite Stéphane dans le fond de la classe. Il a bougé en voyant Gontran entrer. Il se sentait traqué. Dans ses yeux, j'ai vu la peur éclater. Il a voulu se jeter derrière son pupitre mais la balle l'a atteint en pleine poitrine. Je me suis retourné vers Gontran. Il tremblait de panique. J'aurais voulu lui crier quelque chose mais il n'y avait rien à faire: il était déjà dans un autre monde. Je me suis réfugié derrière mon bureau en poussant un cri: « Couchez-vous. » Et j'ai entendu les coups de feu. J'ai vu Jean-Pierre se tenir la joue à deux mains. Des cris de filles. Puis le silence. . .

Monsieur Leroux sortit un grand mouchoir avec lequel il s'épongea le front, où perlaient de grosses gouttes de sueurs.

— Je me suis relevé, croyant que tout était fini. C'est alors que j'ai vu Gontran porter le revolver à sa tempe. Je n'ai pas eu le temps de crier. Il a tiré. J'ai vu le jet de sang sortir par l'autre tempe et un peu de cervelle couler sur son oreille. Je m'excuse des détails mais. . . Il est resté debout une fraction de seconde. Dans ses yeux, j'ai cru lire la surprise, un grand éblouissement et une flamme qui s'éteignait. Je crois qu'il ne savait pas qu'il y avait encore une balle dans le revolver. Puis ses lèvres ont finalement esquissé un sourire alors qu'il s'écroulait de tout son long. . .

Fortier respecta le silence qui suivit. Le professeur Leroux suait à grosses gouttes. Il était bouleversé par le souvenir de tous ces détails; sa respiration était courte et difficile. Le commissaire eut peur que le professeur ne se sente mal. Mais heureusement, monsieur Leroux retrouva rapidement son calme, s'essuya le visage et reprit son récit.

— Les secondes pendant lesquelles Gontran a chancelé, puis s'est écroulé, m'ont paru une éternité. Le silence qui a suivi sa chute a été une chose horrible. Personne ne semblait vouloir ou pouvoir revenir à la réalité. Un véritable cauchemar! Il y a eu un grand bruit dans les classes voisines. L'encadrement de la porte s'est rempli de visages consternés. Les cris ont alors jailli de toutes parts. Les filles surtout criaient à fendre l'âme. Les garçons étaient blancs de peur.

Monsieur Leroux s'arrêta et passa encore lentement son mouchoir sur son front moite, puis, d'une voix encore plus basse, poursuivit:

— Depuis ce jour, je ne cesse de m'interroger sur les motifs réels et profonds de ce geste. Je me demande si je n'ai pas une grande part de responsabilité dans ce drame. À titre de professeur de catéchèse, j'aurais dû intervenir plus tôt auprès de Gontran et de ses parents. Depuis longtemps, je sentais qu'il souffrait beaucoup. J'attendais que le fruit soit mûr et que Gontran vienne me voir de lui-même pour parler franchement. Vous savez, il ne faut pas brusquer ces jeunes. Il faut être patient. Mais je crois qu'il était incapable de venir se confier. J'aurais peut-être dû le diriger vers un prêtre. Le directeur de la pastorale est un homme absolument remarquable. Vous savez, avec ces jeunes, on se sent tellement maladroit et impuissant. On attend, de peur de les effaroucher. Et parfois, il est trop tard.

Monsieur Leroux avait les yeux gonflés de larmes retenues et la voix brisée par l'émotion. Fortier laissa une fois de plus planer le silence. Il ne savait trop quoi dire devant un homme pareil.

— Monsieur Leroux, je tiens à vous dire que vous m'avez appris un détail qui renverse une de mes hypothèses. Je crois vraiment que Gontran n'a pas voulu se suicider. Il a joué avec la mort. Chaque page de son journal associe la vie et la mort. Peut-être jouait-il avec la mort comme avec son imagination. Lorsque j'aurai fini mon enquête, seriez-vous intéressé à lire son journal? Je pourrais vous le prêter. J'aimerais avoir votre opinion.

— Merci, monsieur le commissaire. Ce sera très dur, mais j'aimerais le lire quand même pour mieux réfléchir à ce drame.

Fortier reconduisit le professeur Leroux jusqu'à la porte et en lui donnant la main, il ajouta:

— Moi aussi, je prends ma retraite à la fin de l'année et, comme vous, je me sens bien impuissant devant la jeunesse d'aujourd'hui. Elle est terriblement malade et nous sommes de piètres médecins pour une si grande maladie.

Le professeur sortit d'un pas lourd et traînant. Il sembla à Fortier qu'il était un peu plus voûté qu'à son entrée.

24

8 août 1973.

Décidément, moi qui n'ai jamais de courrier, j'ai encore reçu quelque chose ce matin. Cette fois, c'était une lettre de Franz. Il m'invitait à me rendre aujourd'hui même chez le sculpteur Jérôme. Il m'en promettait!

Je ne sais vraiment pas pourquoi Franz s'acharne ainsi à me poursuivre de façon systématique. Il pense peut-être que j'ai besoin de lui pour vivre. Sans lui, je vivoterais à la recherche de moi-même! Il m'agace à la fin avec ses trucs, son silence lourd, sa concurrence déloyale et son peintre-sculpteur à la manque.

Mais la curiosité l'emporte souvent chez moi sur tout le reste. Je n'avais jamais vu un sculpteur à l'oeuvre. Ça m'intéressait. Je me suis donc rendu à l'atelier de Jérôme au début de l'après-midi.

Lorsque je suis arrivé, Franz n'était pas là comme l'autre jour. Il a le don celui-là de se faire invisible puis de surgir au moment où on ne l'attend plus. Il me prend ainsi toujours à contre-pied, en déséquilibre et il en profite pour m'imposer son étrange vérité. C'est une sorte de stratégie.

Jérôme était seul. Il n'a pas semblé me reconnaître. Je lui ai dit que j'étais un ami de Franz. J'étais fier de constater qu'il ne se souvenait pas de ma fuite de l'autre jour. J'ai toujours eu honte de mes fuites sans motif apparent. Je suis parmi des gens et tout à coup, il se produit quelque chose autour de moi, mais le plus souvent en moi, et subitement, j'ai besoin de fuir, de ne plus voir personne et de n'être vu par personne. C'est ridicule.

Je me suis assis. Jérôme était en train de préparer une moulure de plâtre. Soudain, il s'est retourné vers moi et son visage s'est éclairé.

— Je t'ai déjà vu. Franz m'a parlé de toi. Je te reconnais. C'est toi qui es venu l'autre jour pendant que je peignais Lola.

Je m'étais préparé à tout nier s'il venait à me reconnaître, mais le nom de Lola m'a fait perdre mon assurance. Je n'ai pu m'empêcher de lui demander si c'était bien Lola, cette fille qui se tenait dans la pénombre et non une autre.

— Enfin, elle dit qu'elle s'appelle Lola, mais tu sais, les modèles se donnent souvent des noms comme ça.

J'en étais certain. C'était bien Rachelle, cette Lola. Si elle revenait, je la démasquerais avec un féroce plaisir. Je tenais ma vengeance.

Mais en attendant Franz, je me suis remis à douter. Peut-être que cette Lola ressemblait à Rachelle. Dans la pénombre, j'avais sans doute été victime d'une erreur sur la personne. Ce doute me faisait du bien. Et si je m'étais trompé! Si c'était vraiment Lola et non Rachelle. Et dans la revue, ce n'était peut-être pas Rachelle non plus. C'était assurément cette Lola qui posait si effrontément pour cette revue vulgaire. Rachelle était peut-être la fille que j'imaginais, légère, vaniteuse, mais intacte. Je pouvais l'aimer encore une fois et un jour, être aimé d'elle.

Franz est enfin arrivé. Il a paru très heureux de me voir fidèle à son rendez-vous. Il était seul. Il s'est aussi excusé d'être en retard. Lui et Jérôme ont échangé des regards qui m'ont intrigué.

— Alors, qu'est-ce qu'elle a de si extraordinaire, cette séance de sculpture? ai-je demandé avec une certaine agressivité dans la voix.

— Attends, tu vas voir.

— Est-ce que tu connais Lola?

Franz, visiblement, ne s'attendait pas à cette question. Il a froncé les sourcils comme s'il fouillait dans sa mémoire. Jérôme s'est retourné et ses yeux ont rencontré ceux de Franz.

— Lola? Non, je ne connais aucune fille de ce nom. C'est un nom espagnol, je crois.

Jérôme a cru bon d'intervenir.

— Lola pose pour moi de temps à autre. Tu ne la connais pas. C'est une fille absolument extraordinaire. Je te la présenterai. Elle est très belle. C'est un modèle parfait.

Jérôme s'est remis à brasser son plâtre. Mais il y avait une sorte de gêne qui planait. Je sentais que Jérôme et Franz ne voulaient pas dire tout ce qu'ils savaient sur cette Lola.

La porte du sous-sol s'est ouverte et la négresse nous est apparue, plus belle que jamais. La surprise devait se lire clairement sur mon visage, car Franz m'a regardé avec un sourire indéfinissable. Elle s'est avancée vers nous, sans faire de bruit, comme si elle avait glissé sur un nuage. En passant devant moi, elle m'a souri.

Elle semblait un peu honteuse de venir ainsi s'exposer devant un artiste. Elle s'est dévêtue tout simplement devant nous sans utiliser le paravent que Jérôme tenait à la disposition de ses modèles. Elle était prête.

Jérôme lui a demandé de se tenir debout en plaçant sa main gauche derrière la tête et l'autre main appuyée sur la hanche. Il a placé les projecteurs de façon à donner un certain relief au corps.

Puis il est allé chercher dans un coin une armature métallique qu'il a placé au milieu de l'atelier. En utilisant de la plasticine, il s'est mis à modeler une forme quelconque. A mesure que le travail avançait, je ne voyais pas très bien où il voulait en venir. Rapidement, je me suis intéressé beaucoup plus au modèle qu'au travail de l'artiste.

Dans la pénombre, le corps très noir lançait des reflets éblouissants. Les yeux brillaient d'un éclat sombre. C'était une symphonie de lignes pures, un chef-d'oeuvre de formes gracieuses. J'avais devant moi l'incarnation de la femme idéale.

Au milieu de l'atelier, la sculpture prenait de plus en plus forme. Je pourrais plutôt dire de moins en moins. Car entre l'oeuvre de l'artiste et le modèle, il n'y avait pas plus de ressemblance qu'entre le bossu de Notre-Dame et le David de Michel-Ange. Jérôme s'amusait follement à déformer ce corps superbe. D'ailleurs, plus la sculpture progressait, moins il y avait de corps. C'était davantage une forme vague qui s'élevait en rampant, ou plutôt en chancelant, laissant au passage des excroissances de plasticine baveuse.

A un moment donné, j'ai eu envie de crier: « Assez! » Mais je me suis retenu.

C'est alors que Jérôme a demandé à Franz de poser à son tour. Franz s'est déshabillé avec une certaine grâce. Ce n'était sûrement pas la première fois qu'il servait de modèle. Jérôme lui a demandé d'enlacer la négresse par la taille tout en posant un genou par terre, comme si l'homme s'accrochait à la femme ou se laissait emporter par elle. La pose était sublime, géniale. L'éclairage jetait une petite note tragique sur ce mouvement en spirale. La femme dominait complètement l'homme. Elle le repoussait et l'entraînait à la fois dans une sorte d'élan puissant, irrésistible, triomphal!

J'étais dans l'admiration la plus béate. Mais les mains de Franz plaquées avec force sur la peau noire de la négresse me brûlaient les yeux et le coeur. J'aurais voulu être à sa place. Bien sûr, mon corps n'est pas très sculptural. Et d'ailleurs, je ne pourrais jamais me déshabiller devant Franz comme il l'avait fait avec une aisance qui me terrifiait.

Lorsque j'ai aperçu ce que Jérôme avait fait de ces deux corps enlacés avec une si grande perfection, une colère folle s'est emparée de moi. L'amas de plâtre était devenu une sorte de monstruosité qui s'étirait dans tous les sens, comme une pieuvre grotesque, balourde, cherchant à dévorer tout l'espace. Il n'y avait pas cet élan sublime de deux corps accrochés l'un à l'autre.

Je n'ai pu me retenir. J'ai renversé de toutes mes forces cet amas de plâtre obscène et sacrilège. Le plâtre s'est brisé en mille morceaux à mes pieds. Comme dans une séquence de film au ralenti, j'ai vu les yeux de Jérôme agrandis par la surprise et la colère, j'ai vu les corps de Franz et de la négresse se détacher lentement, j'ai vu le plâtre jaillir de partout et rouler comme dans un rêve.

J'ai fui encore une fois. Derrière moi, j'ai entendu les cris de Franz et de Jérôme, aussitôt noyés dans la rumeur du boulevard. J'ai traversé en me jetant devant les voitures comme si j'avais voulu me suicider.

Je me suis retrouvé de l'autre côté du boulevard avec une longue écorchure au bras droit. Mais je ne ressentais aucune douleur. J'ai couru jusqu'à la maison. Je me suis enfermé dans ma chambre, mon refuge contre tout et contre tous.

Je n'aurais jamais dû aller à cette séance de sculpture. Franz m'en voudra éternellement. Jérôme a peut-être déjà décidé de se venger avec éclat. Je ne pourrai plus jamais dormir.

25

15 août 1973.

Je ne sais pas pourquoi je reviens à ce journal. Je n'ai pas du tout le goût d'écrire ce que j'ai vécu aujourd'hui. Pourtant, il y a quelques semaines, j'aurais pensé dur comme fer que ça valait vraiment la peine de raconter un événement comme celui-là.

Au contraire, ce soir, en prenant mon journal, j'ai eu tout de suite l'idée de le brûler, de le détruire lentement, de le voir se consumer sous mes yeux. Quelle délectation ce serait! Mais je n'en ai pas le courage. Comme on peut tenir à sa petite vie!

Ça a commencé à midi. A table, nous avons eu une discussion vive. Je ne sais pas pourquoi j'appelle ça une discussion. Car je les ai laissés parler. J'aime garder le silence. Si je parle un jour, ils se boucheront les oreilles pour ne pas m'entendre. Mais je parlerai avec des actes. Pas avec des mots. Un jour, je poserai des gestes décisifs et il sera trop tard pour eux et pour moi.

Ma mère m'a d'abord reproché de ne pas travailler durant les vacances. Elle m'a cité en exemple tous les jeunes de la rue et du quartier qui travaillent, eux. Ils font quelque chose de leur peau. Et j'ai ajouté pour compléter sa pensée: « Et ils rapportent de l'argent à la maison. » C'était de trop. Ma mère a éclaté.

Mon père l'a fait taire. Le silence a fait le tour de la table. Je ne sais plus si nous en étions à la soupe ou au dessert. Le repas me paraissait interminable. Puis mon père, laissant tomber sur ses genoux son vieux journal jauni, a tenté de calmer ma mère. Selon lui, je suis un rêveur. Je trouverai bien un jour mon chemin et je le suivrai jusqu'au bout. Il ne savait pas si bien dire, mon pauvre père, enfermé entre les quatre murs de ses terribles souvenirs.

Le silence a fait un deuxième tour de table. Irène, seule faisait un bruit de forge avec sa cuillère dans son assiette. A chaque repas, c'est la même chose. Elle me regarde en plein dans les yeux, comme pour me défier, pour me faire dire ce que je pense d'elle. Je baisse les yeux et elle regarde ailleurs. Et la paix revient. Moi, Gontran Gauthier, je suis obligé de baisser les yeux devant cette gamine!

Ma mère était d'humeur guerrière aujourd'hui. Elle a fini par me relancer.

— Et cette demande d'inscription à l'armée, est-ce que tu vas finir par l'envoyer?

Je n'ai pas répondu tout de suite. Bien sûr, je l'ai envoyée mais je n'ai pas senti le besoin de la rassurer ou de la détromper, ma petite mère chérie. Au contraire, j'éprouvais un malin plaisir à me laisser accuser comme le dernier des vauriens. Je sais que cette attitude passe aux yeux de mon père pour un signe de supériorité, d'indépendance et de force de caractère. Quoi de plus beau que le silence devant les accusations et les attaques de toutes sortes?

— Tu sais, a finalement dit mon père, ils vont t'accepter sans la moindre condition. Tu es assez frêle physiquement, mais ta conduite est exemplaire et tes notes vont t'ouvrir toutes grandes les portes de l'armée. Tous les professeurs sont là pour appuyer à cent pour cent ta demande. On a besoin de têtes dans l'armée. Tu devrais envoyer ta demande le plus tôt possible. L'école va recommencer dans quelques jours et il sera peut-être trop tard.

J'ai fait signe que oui. Je voulais la paix. Mais ma mère me jetait des regards agressifs et je sentais qu'elle allait revenir à la charge. Ça n'a pas tardé.

— Écoute, Gontran, il y a bientôt cinq ans que tu nous interdit l'entrée de ta chambre. Je t'en ai parlé très souvent. Au début, ton père et moi, nous avons fermé les yeux. On voulait que tu te sentes à l'aise dans ta chambre parce que tu n'avais plus celle d'en haut. Il fallait bien. On ne pouvait faire coucher un bébé dans le sous-sol. Depuis huit ans, tu dois bien avoir compris cela. Maintenant, tu devrais laisser ta chambre ouverte. Sois sans crainte, je n'irai pas fouiller, mais je me sentirais moins excluse de ton petit monde, moi, ta mère.

Lorsque ma mère commence ses phrases par Gontran, je sais d'avance qu'elle va aborder un sujet délicat. Depuis huit ans, c'est toujours la même rengaine. A midi, elle abordait ce sujet pour la centième fois et pour la centième fois, je lui opposais le plus farouche des silences.

Tout le reste du repas, je n'ai pas ajouté un traître mot. Mon père, satisfait de son intervention pacifique, s'était à nouveau réfugié derrière les grandes ailes jaunies de son journal de 1940. . . quelque chose. J'en ai profité pour repasser dans ma tête ces huit années de réclusion volontaire.

Dès les premiers jours de mon installation dans le sous-sol, j'ai commencé à ramasser mon argent de poche pour m'acheter un cadenas. Un soir, en arrivant de l'école, je l'ai installé à ma porte. La première crise a eu lieu le lendemain lorsque ma mère est allée au sous-sol pour faire le ménage de ma chambre. Et depuis ce temps, les crises se renouvellent à intervalles réguliers.

Ce fameux premier jour de ma réclusion, ma mère m'a fait des observations mordantes. Durant le repas, elle a continué mais mon père lui a fait signe de laisser tomber.

Les jours qui ont suivi, j'ai surpris des conversations entre eux. Mon père disait que c'était chez moi un signe de maturité et qu'il fallait respecter l'indépendance d'un enfant. Chacun avait droit à son petit monde et à ses petits secrets. Il disait aussi que cela passerait avec le temps s'ils avaient le tact de fermer les yeux et de laisser faire. Ma mère a cédé.

Mais un mois après, elle a recommencé à m'asticoter et depuis ce temps, elle y revient périodiquement. C'est son cheval de bataille. C'est pour elle comme une offense, un affront à sa maternité. Un soir, elle s'est écriée, hors d'elle-même:

— Mais qu'est-ce que tu nous caches dans cette chambre, mon dieu? Ce n'est pas normal, ça. Nous avons le droit de savoir, nous, tes parents.

Je n'ai pas répondu, mais cette fois, le lourd regard de mon père a pesé sur moi comme s'il attendait enfin une réponse. J'ai baissé les yeux. Je me suis senti subitement un tout petit enfant impuissant devant l'intrusion des adultes dans sa vie intime. J'étais humilié, écrasé. J'ai repris contenance. J'ai levé les yeux, j'ai rencontré le regard lourd de mon père, et, à ma grande surprise, il a baissé les yeux à son tour. Mon silence a toujours impressionné mon père. Je ne sais trop pourquoi. Il y voit une sorte de supériorité. Lui-même fait une très grande consommation de silence. Il a des choses à nous dire et je sais qu'il ne les dira jamais. Il parle trop souvent de la guerre lorsqu'il veut bien parler. C'est une façade qui cache autre chose. Justement, lorsqu'il parle de la guerre, il y a cette petite ombre qui passe dans son regard. Je n'aime pas cette ombre.

Aujourd'hui, mon père a tout sauvé en se mettant à parler de la guerre et des vertus viriles du soldat. A chaque fois qu'il en parle, j'attache mes yeux sur lui et je suis fasciné par ce qu'il raconte. Il parle, il parle et j'attends le moment où l'ombre va noyer son regard. Il doit sentir que je l'admire dans ces moments et mes yeux rivés sur les siens l'enflamment. Il en remet un peu mais j'aime ça.

Pendant qu'Irène cherche déjà à quitter la table pour aller jouer et que ma mère s'affaire au service en levant les yeux au ciel, moi, je jouis de voir mon père écraser les Allemands, ces sales Boches, comme il dit. Je le vois les écraser car il en parle avec une telle ferveur! C'est moi qui, à sa place, les écrase. C'est moi qui commande aux soldats, qui leur ordonne d'écraser l'ennemi. Tout à coup, au moment où je m'y attends le moins, l'ombre passe dans les yeux jaunes de mon père et le charme s'évanouit. Il paraît sortir d'un rêve. Il bafouille un peu. Je sens qu'il ne veut pas aller plus loin.

Aujourd'hui, ma mère a bousculé un peu mon père du regard et il a cessé de raconter avant que l'ombre pointe. Il a sorti sa pipe et est passé au salon pour écouter les nouvelles. Le repas s'est terminé comme d'habitude, par une dispersion de la famille: Irène dehors, ma mère à la cuisine, mon père au salon et moi dans ma chambre. Nous avons une famille très unie mais qui possède une formidable capacité de dispersion rapide et instantanée. Les repas, ce champ de bataille des belles familles très unies!

Dans ma chambre, je me suis étendu sur mon lit et j'ai regardé mes nouveaux posters de femmes nues. Ils sont merveilleux! On dirait des femmes vivantes. Elles me regardent toutes comme si elles m'appartenaient. Je voudrais les avoir toutes à mes pieds et leur commander de m'aimer, de m'aimer, de m'aimer.

Alors, tous les souvenirs des jours récents ont afflué: Rachelle, Jérôme, Franz et ma beauté noire, et la marchande et tout le reste. J'entendais le désespoir tomber goutte à goutte dans mon âme, dans ma solitude. J'entrais nu dans ma mort. J'étais un gouffre dans lequel je tombais interminablement. Je perdais l'équilibre sur le roulis sombre de mes pensées. Je me sentais habité comme par une immense folie. J'avais envie de me jeter à la mort comme une bouteille à la mer. On fait de la vie avec de l'âme et quand on n'a plus d'âme. . .

A travers mon songe, j'ai entendu la voix de ma mère. Il y avait quelqu'un qui me demandait. Je suis monté. Franz était là. Je l'ai regardé pendant de longues secondes sans parler.

— Tu viens faire une marche. J'ai quelque chose d'important à te dire.

Je croyais qu'il venait enfin m'engueuler au sujet de ma conduite dans l'atelier de Jérôme. J'étais soulagé de constater qu'il ne paraissait même pas s'en souvenir.

Par bravade envers ma mère, je l'ai invité à descendre dans ma chambre. Ma mère nous a regardés passer en roulant des yeux de furie déchaînée mais muette.

En entrant, Franz a jeté un long regard circulaire sur les murs. Puis il a laissé partir un sifflement qui aurait pu percer les oreilles d'un sourd.

— Eh bien, mon vieux! Tu as là des poupées bien taillées dans le suif pur à cent pour cent.

Je n'avais jamais entendu Franz parler de la sorte. Sa phrase était d'un vulgaire qui ne lui allait pas du tout. Mais il s'est ressaisi tout de suite et il a commenté longuement, du geste et du regard, chacun des posters. J'étais fier de son étonnement mais je tentais de garder un visage impénétrable pour lui montrer un peu que je l'attendais d'un pied ferme.

— Tu sais, Gontran, tu as été extraordinaire l'autre jour à l'atelier. C'est Jérôme lui-même qui me l'a dit. Il a été hypnotisé par ta réaction violente et saine. Ton geste était génial. Jérôme m'a affirmé que c'était la première fois qu'il se faisait renverser un moulage de la sorte. Il a ajouté que tu avais raison. Son travail était moche, complètement moche. Il m'a chargé de te dire son admiration et de te remercier de lui avoir ouvert les yeux. Bien sûr, sur le coup, il a piqué une colère noire. Oh! c'était pas joli à voir! Mais le lendemain, après avoir réfléchi toute la nuit, il m'a dit que ton geste était une sorte de tournant dans sa carrière.

Depuis, il a recommencé la sculpture de la négresse et il a réussi un petit chef-d'oeuvre. Tu devrais venir le voir. C'est encore tout chaud. Il vient juste de le terminer cet après-midi.

J'étais complètement abasourdi par les paroles de Franz. Non seulement Jérôme et lui ne m'en voulaient pas, mais ils me remerciaient. Et en plus, Franz venait me chercher pour leur donner mon avis sur ce soi-disant chef-d'oeuvre.

— Vraiment, Franz, je suis très surpris. Je ne comprends pas. Je croyais que c'était fini entre toi et moi. Mais pourquoi as-tu attendu si longtemps?

— Je voulais que Jérôme termine sa sculpture avant de venir te chercher. Et puis, avoue que tu t'es fait invisible depuis plusieurs jours. Je ne t'ai pas vu une seule fois à la taverne. Il faut dire aussi que j'ai hésité longtemps avant de me décider à venir chez toi. J'avais peur d'être mal reçu.

Avant de partir, Franz a insisté pour voir tous mes trucs et mes gadgets. J'espérais qu'il ne trouverait pas les menottes parce que je ne pouvais pas lui expliquer le comment et le pourquoi. Pendant qu'il fouillait un peu partout, je me demandais pourquoi je ne trouvais pas le courage de lui interdire cette perquisition déguisée. Sa trop grande gentillesse peut-être. Ou une certaine lâcheté. . .

— Alors, monsieur le détective ne trouve rien à son goût?

L'allusion était trop claire. Franz m'a regardé en cherchant au fond de mes yeux mes véritables intentions. Ses yeux étaient plus noirs et plus durs qu'au début de notre entretien. Il semblait sur le point d'abandonner ses recherches lorsque la boîte de menottes est tombée et l'éclat du métal a brillé une fraction de seconde dans les yeux de Franz. Il les a ramassées, les a examinées attentivement, puis il m'a regardé avec des points d'interrogation plein les yeux.

Heureusement, j'ai trouvé une explication tout de suite. Ça m'est tombé du ciel comme la foudre.

— J'ai mis ces menottes à la poupée pour que ça fasse plus vrai.

Il a souri. Mais j'ai regretté tout de suite de l'avoir mis sur la piste de la poupée.

— Et comment tu trouves ça, avec une poupée de caoutchouc? Au fait, où est-elle, ta poupée chérie?

Je m'étais tendu un piège en blaguant à propos des menottes. J'ai voulu continuer à badiner sur le même ton, histoire de lui faire comprendre que ça ne le regardait pas.

— Je ne suis pas jaloux. Je l'ai laissée sortir aujourd'hui avec un pneu de ma connaissance. Un gars bien correct, radial, quatre saisons, tout pour plaire, mais loyal.

Franz a souri à nouveau. Mais il a paru vexé en même temps. Pour dissiper son embarras, il a lancé à tout hasard:

— Alors, on va le voir, ce petit chef-d'oeuvre?

Nous avons dû passer encore une fois devant ma mère. J'ai subi sans broncher le feu roulant de ses gros yeux. Elle n'a posé aucune question et je n'ai pas cru bon de lui fournir une explication quelconque.

Pendant que nous marchions d'un bon pas, j'ai pensé à un moment donné qu'il me tendait un piège, avec la complicité de Jérôme. On m'attendait peut-être quelque part pour me flanquer une bonne raclée en guise de douce vengeance. Ils n'avaient sans doute attendu aussi longtemps que pour endormir ma méfiance et ils avaient inventé cette histoire de petit chef-d'oeuvre pour mieux m'attirer.

Mais j'imaginais mal Franz et Jérôme ruminer des idées de vengeance et de violence. De toute façon, j'avais accepté. Il était trop tard pour rebrousser chemin.

Jérôme nous a accueillis à bras ouverts. Il s'est empressé de me faire admirer son chef-d'oeuvre. En somme, c'était pas trop mal réussi. Le corps de la négresse était encore déformé, mais c'était un peu elle. Du moins, cela faisait penser à une femme.

Pour ne pas me rendre trop désagréable, j'ai manifesté la plus vive admiration. Et pour faire un peu savant, pour me montrer fin connaisseur, je lui ai parlé de sa façon originale d'utiliser l'espace et la matière, de distribuer les volumes, de l'équilibre de l'ensemble. J'ai même fait semblant de découvrir des qualités à la déformation qu'il infligeait à la sculpture. Jérôme pétillait de fierté légitime et d'orgueil mal placé. Mais, un peu en retrait, Franz m'observait d'une curieuse de façon.

Je me suis à peine rendu compte de l'arrivée de deux gars, eux aussi, fervents admirateurs de Jérôme. Ils ont tourné longtemps autour de la chose en poussant des oh! et des ah! du plus grand comique.

Jérôme nous a servi à tous une bière et il a commencé à nous expliquer la sorte de conversion que j'avais provoquée dans son évolution en renversant son modelage de l'autre jour. Il parlait avec volubilité et les deux gars approuvaient bruyamment. Franz gardait toujours un sourire énigmatique, accroché à ses lèvres pincées. Tout à coup, Franz a lancé:

— C'est le temps, les gars, on lui donne la bascule.

Avant que je n'aie eu le temps de faire un seul geste, les deux gars m'ont empoigné par les bras et les jambes et ils m'ont couché sur la table de service où Jérôme avait servi les bières. Franz, à son propre signal, avait bondi comme un tigre. Jérôme, derrière lui, avait les yeux pétillants de férocité.

— Déshabillez-le. Vite. Ne le ménagez pas.

Ils m'ont mis complètement à poil et ils m'ont tenu ainsi crucifié à la petite table qui menaçait de s'effondrer sous mon poids. Jérôme a sorti d'un tiroir quelque part un appareil photographique et il a croqué ma nudité d'un flash éblouissant. Une boule de feu a tourné devant mes yeux puis s'est évanouie en une pulsation de points noirs. J'étais aveuglé. Lorsque l'éblouissement s'est dissipé, j'ai vu émerger d'une sorte de brouillard deux belles filles: Angella, la négresse, et Rachelle, du moins celle que je prenais pour Rachelle. Elles étaient dissimulées dans la pénombre. Seul un projecteur me dardait dans toute ma nudité.

Je me suis mis à crier comme un perdu. Jérôme m'a assuré, avec un malin plaisir, que son atelier était parfaitement insonorisé. Je pouvais donc crier comme bon me semblerait à moins qu'il ne se fatigue et qu'il décide de me bâillonner.

— Ça te fera au moins quelque chose sur le dos, a-t-il dit en poussant un rire méchant repris par les autres. Nous avons besoin d'un modèle pour quelques photos très spéciales, mon vieux. On a pensé tout de suite à toi. Curieux, hein? On se servira peut-être de ces photos pour faire des sculptures comme tu les aimes, bien déformées et bien torturées. Mais je te jure que tu n'auras jamais plus l'occasion de venir les briser. Vandale! Ça, je te le garantis!

Pendant que les deux gars me tenaient solidement, Jérôme a pris quelques photos. D'abord, Angella, la beauté noire, m'a fait subir des caresses que je n'ose décrire ici, dans mon journal. J'aurais trop honte de les relire. D'ailleurs, je ne pourrai jamais les oublier. A chaque caresse, un flash venait illuminer la scène et me faire rouler dans les yeux un soleil cuisant. Puis Rachelle m'a infligé elle aussi quelques caresses spéciales et particulièrement odieuses, obscènes, ignobles. Les flash ont mitraillé à nouveau. J'avais la tête en bouillie, les yeux cautérisés.

La cérémonie terminée, j'ai repris tranquillement mes sens sous leurs regards impitoyables. Ah! il faut dire que leur petit scénario était bien monté. Franz se tenait un peu en retrait dans la pénombre. Les deux gars m'ont poussé jusqu'à la porte et m'ont jeté dehors comme un déchet.

Jusqu'à la maison, j'ai pleuré de rage et de honte.

Je me sens étreint par la haine, écrasé par la rage. Ma vengeance est comme une corde tendue de guitare. Seul dans ma chambre, je déguste la saveur amère de la solitude. Je chancelle au bord d'un trou noir. La mort est peut-être un grand trou noir qui débouche sur la lumière totale. J'ai un caillot à la place du coeur. Mon coeur est un os à ronger. Dans mes mains, une poignée d'ombre. La vie est morte en moi.

Je suis à bout de vengeance, à bout de solitude. Ma haine crève en cris muets. La réalité perd pied autour de moi, elle chavire, et tombe à la renverse. Mon jardin est torturé, asphyxié par les mauvaises herbes têtues et tenaces. Le soleil sabre l'ombre dans ma tête. Ah! Cette honte qui me ronge!

26

4 septembre 1973.

Encore une fois, je reviens à mon journal et je ne sais pas pourquoi. Je pensais pouvoir l'abandonner complètement, mais c'est plus fort que moi. Pendant les trois semaines qui viennent de s'écouler, j'ai ruminé ma honte comme une vieille vache enragée.

Aujourd'hui, c'était la rentrée des classes. J'ai été parqué comme tous les autres camarades de l'année dernière dans une classe de secondaire V. Mes camarades sont presque tous les mêmes que l'année dernière.

Je n'ai pas encore reçu la réponse de l'armée. Je commence à croire que ma lettre s'est perdue en chemin. Si je n'ai pas reçu de nouvelles d'ici la fin du mois, je vais écrire une autre lettre et cette fois, je la ferai recommander.

Lorsque je suis arrivé dans la cour d'école, les gars et les filles m'ont regardé sans me saluer. Ils veulent construire autour de moi un mur d'hostilité. Ils n'ont pas digéré mes gaffes du party de fin d'année.

Je suis resté dans mon coin. Seule Gisèle est venue me parler mais je l'ai reçue comme une espionne. Je lui ai dit quelques mots d'un air bourru. Elle a semblé gênée, puis vraiment peinée. Mais il ne faut pas se fier aux filles; elles sont d'excellentes comédiennes.

La vengeance serpente dans mon coeur. Je m'en ronge l'âme. J'ai de l'ombre plein la tête. C'est comme une frontière qui me traverse le milieu de l'âme et du corps.

Rachelle était là, toujours entourée de sa petite cour de garçons. Elle lançait ses feux de tous côtés, riait à la dégringolade pour montrer qu'elle avait passé de belles vacances. Elle ne m'a pas vu.

Stéphane, le beau Stéphane, était aussi entouré de son paquet de filles. Il m'a aperçu à un moment donné et il en a profité pour me faire sentir son triomphe.

C'est une autre belle année qui commence! Je ne me sens pas capable de les supporter tous encore dix mois. Non, il faut que je sois accepté dans l'armée, ou bien. . .

J'ai regardé encore Rachelle. J'étais comme possédé par un sortilège. Rachelle, ce coup de lumière dans ma nuit! Rachelle, fracture de ma solitude. Son sourire lézarde ma vie. Sa bouche, fleur de sang que je ne pourrai jamais boire. Et ses cheveux qui tombent en pluie molle sur ses frêles épaules. Et ses yeux noirs, deux petits lacs de mensonge et de fascination. Son visage, comme une griffe sur ma solitude. Je dois tuer en moi la bête du désir. Mais mon désir s'aiguise à ma souffrance.

La grosse Suzanne s'est approchée. Plus grosse et plus boutonneuse que jamais. Elle m'a raconté ses vacances plutôt tranquilles. Elle se vantait un peu trop d'un voyage dans l'Ouest canadien. Pendant qu'elle me parlait, je jetais souvent un regard à Rachelle en me demandant si c'était bien elle que j'avais vue à l'atelier de Jérôme et dans la revue.

J'ai eu l'idée tout à coup d'aller lui demander si c'était elle, comme ça, devant tout le monde, pour lui faire mal un peu. Mais j'étais certain qu'elle trouverait le moyen de s'en sortir et, comme d'habitude, je risquais d'être tourné en ridicule. Quelle garce, cette Rachelle! Mais quelle garce!

Ses cheveux emprisonnaient le soleil neuf du matin. Et son sourire! il ferait tourner la tête même de ceux qui n'en ont pas.

Suzanne m'asticotait avec ses questions sur mes vacances. Elle me cisaillait les nerfs avec son petit rire acéré. Pour m'en débarrasser, je lui ai dit, sur un ton bourru, que j'avais connu des tas de filles très bien durant les vacances. Cette phrase lui a cloué le bec. Elle a fait nager ses gros yeux de poisson dans une épaisse couche de larmes, et elle m'a quitté sans ajouter un mot. Elle est allée se réfugier dans un coin, comme moi. Je me trouvais odieux mais il faut bien se défendre dans la vie, autrement, on y laisse sa peau.

Ces derniers temps, je n'ai pas revu Franz. J'en ai profité pour lire l'histoire de la deuxième guerre mondiale en cinq gros volumes. J'attends toujours mon admission dans l'armée. J'aimerais être pilote, commandant d'escadrille ou capitaine de bateau.

Une cloche a sonné et nous nous sommes rendus chacun dans sa classe. Un nouveau professeur, très jeune, cheveux longs et barbe en panache, nous a souhaité la bienvenue. Nous avons rempli un tas de formules. Tout le monde parlait. Je me suis choisi une place derrière, un peu en retrait.

J'étais le seul à ne parler à personne. Stéphane s'est retourné vers moi à plusieurs reprises pour me narguer. Il était fier encore une fois d'être le cancre de la classe, le beau cancre aux cheveux blonds, et il rigolait à la pensée que je serais comme d'habitude, le premier de la classe, seul en tête, tout fin seul. Il ne soupçonne même pas, cet imbécile, les délices de la solitude.

Suzanne s'était placée au premier rang. Elle aussi s'est retournée et a fait rouler ses gros yeux sur moi. J'ai baissé les miens sur mon formulaire et je ne sais plus ce qu'elle a fait par la suite.

Gisèle est venue me demander des explications au sujet de la fiche à remplir. Le nouveau prof était déjà accaparé par la pétillante Rachelle qui lui parlait en faisant des manières et en l'éclaboussant de sourires. Le prof était déjà enjôlé. Tout cela me dégoûte. Mais bon dieu, comme Rachelle est belle lorsqu'elle sourit!

Finalement, on nous a donné congé pour le reste de la journée. En sortant de la cour, Franz a surgi devant moi telle une apparition. Il a marché à côté de moi, d'abord sans dire un mot. J'ai gardé le silence. J'ai pressé le pas pour lui signifier de me laisser la paix. J'étais plein de paroles, mais je distillais du silence.

— Ne fais pas l'idiot, Gontran. Je sais très bien que tu as envie de me dire des choses, de me poser des questions. Tu sais bien que les photos n'ont servi absolument à rien. Nous avons jeté le film. On voulait simplement te remettre un peu le change, histoire de te montrer que nous ne sommes pas tout à fait des imbéciles. Je crois que tu admires ceux qui ne se laissent pas malmener par la vie. Alors?

J'ai continué à garder un silence obstiné.

— Pour te montrer que je ne t'en veux pas. Tiens, voilà, c'est pour toi.

Et il m'a tendu un petit paquet. J'ai gardé les mains dans mes poches et j'ai continué mon chemin.

— On ne pourrait pas aller à la taverne parler un peu. . . ou dans ta chambre?

Au fond, je jouissais de voir Franz me supplier ainsi. Je le sentais beaucoup moins indépendant. C'était moi qui le dominais avec mon silence et ma rancoeur. C'était pour moi un triomphe que de mettre à mes pieds ce garçon mystérieux qui m'avait tellement fasciné au début de l'été.

J'ai pris le paquet en lui jetant un regard meurtrier. Il a souri. J'ai interprété son sourire comme le signe d'un certain soulagement. Mais, en y repensant ce soir, je me demande si ce n'était pas un sourire de défi ou de victoire. Il l'avait finalement emporté sur moi en me faisant accepter son petit cadeau.

Le paquet aiguisait ma curiosité et j'ai faibli. Voilà tout. Mais j'ai gagné un point: je n'ai pas dit un traître mot et nous ne sommes pas allés à la taverne ni dans ma chambre.

Arrivé à la porte de la maison, j'ai éprouvé un très grand plaisir à laisser Franz en plan sur le trottoir sans l'inviter à entrer. Je suis sûr qu'il a ressenti l'affront très profondément. Dans ses yeux, j'ai saisi d'abord un éclair de surprise puis de haine. La haine est réciproque et la fascination aussi. Là aussi, je marque un point.

J'ai déposé le paquet sur ma table sans l'ouvrir. J'ai pris le Playboy du mois et je l'ai feuilleté. Mais le paquet attirait sans cesse mon attention et mon regard. J'ai fini par l'ouvrir. C'était une sorte de vibro-masseur. J'ai explosé de colère.

Vraiment, Franz me dégoûte et l'idée qu'il se fait de moi me fait lever le coeur. Je lui lancerai son vibro-masseur à la tête à la première occasion. Il sait que je suis obsédé par toutes ces choses mais il ne peut savoir à quel point j'en ai honte. Je lutte en perdant toujours. Mon âme est une belle fleur qui n'arrive pas à éclore dans tout ce fumier. Une fleur avec une tache de sang.

Parfois, je voudrais partir au bout du monde et m'installer dans une île déserte. Personne. Seul! Enfin!

27

9 septembre 1973.

Je viens de recevoir la réponse de l'armée: c'est un refus. Je ne peux pas m'en expliquer la raison. Je suis terriblement déçu. C'est un refus catégorique et définitif. Sans raison. Sans explication. Et devant moi s'ouvre un grand trou noir.

Je devrai étudier encore toute l'année dans cette école. Ensuite le Cégep. Et l'université. Toutes ces études seront très longues. Je n'ai aucune idée de ce que je veux faire plus tard. Si je veux devenir professeur, dentiste, médecin, avocat, ingénieur, je devrai gravir lentement les échelons de ces professions. Je ne vois pas le jour où j'atteindrai enfin le sommet. Pour commander aux autres. Et même si j'y arrivais un jour, je ne pourrais vraiment pas commander et m'imposer comme je rêve de le faire depuis longtemps.

Dans l'armée, ce n'est pas la même chose. Si l'on est discipliné et compétent, on monte vite. Et il est difficile de descendre à moins d'une conduite vraiment mauvaise. On monte, on monte et on commande. On devient vraiment le maître. Même quand il n'y a pas de guerre.

Je pourrais bien m'engager dans une armée quelconque de libération, mais je n'ai pas l'âme d'un mercenaire. Toutes ces guérillas qui pustulent à la surface de la planète me dégoûtent. Ça me fait lever le coeur. Ce que je veux, c'est une grande guerre, avec des bataillons, des opérations d'envergure. Je veux avoir des milliers d'hommes sous mon commandement pour les dominer et pour écraser d'autres milliers d'hommes.

Je suis né trop tard. L'ère des grandes guerres est passée et nous croupissons dans un monde de petites guerres, de petites négociations, sans pour cela jouir d'une grande paix. Je ne me sens pas l'âme d'un guerrier. J'ai la vocation d'un chef. Je suis certain que dans l'armée, j'y arriverais, et rapidement. Mais non! Le grand trou noir s'agrandit devant moi.

Sur ma table, j'ai posé la lettre que je viens de recevoir. Je l'ai relue et relue des dizaines de fois. Cela s'agrandit, se déploie devant mes yeux comme un abîme. Je sais maintenant que je ne serai jamais adulte. Je mettrai fin à tout cela bien avant. Ils n'ont pas voulu de moi. Je ne veux plus d'eux. Je leur fermerai la porte.

Ma mère a été la première à prendre le courrier. Elle a remarqué la lettre de l'armée et a manifesté une grande surprise. Je lui avais laissé entendre que je n'avais pas encore envoyé ma demande. Elle m'a regardé avec étonnement mais elle semblait contente. Elle a voulu l'ouvrir mais je lui ai arraché la lettre des mains. Elle a paru consternée par mon geste, car d'habitude, je refoule tout et je garde le silence.

Comme je ne suis pas remonté avec la lettre en criant: « Ça y est, je suis accepté, » elle doit bien se douter maintenant que c'est un refus. Au souper, il va falloir faire face à la musique. Je n'ai pas hâte. . .

C'est bien ce que j'avais prévu. Durant le souper, l'atmosphère était lourde. Personne ne parlait. On attendait que je dise quelque chose. Ma mère avait dû mettre mon père au courant de la lettre avant que je ne monte.

J'ai gardé le silence jusqu'au dessert. Irène bavardait comme d'habitude. Elle était la seule à ne pas comprendre ce qui se passait dans tout ce silence. Mon père levait de temps à autre les yeux sur moi. Ma mère faisait des réflexions banales sur le temps ou autre chose. Et à nouveau, le silence. Comme une eau morte. Nous étions trois îles, entourées d'eau morte.

A mon grand étonnement, c'est mon père qui a tout déclenché:

— Il paraît que tu as reçu une réponse de l'armée? Alors?

Je n'ai pas répondu. J'ai regardé tour à tour mon père, ma mère et Irène. Et je me suis remis à manger le gâteau au chocolat que j'aime tant d'habitude; mais ce soir, chaque bouchée me passait dans la gorge comme une poignée de sable. Ma mère a voulu prêter main forte à mon père.

— Si l'on en juge par ton attitude, la réponse n'est pas très bonne. Est-ce qu'on retarde ton entrée dans l'armée à l'année prochaine?

— Non.

Alors, ils ont compris. Aucune question. Mais leurs regards m'accablaient tellement, m'écrasaient tellement que j'avais envie de leur lancer toute la table par la tête. Je me suis retenu.

Je ne me retiens pas pour rien. Un jour, ça va exploser. Et, peut-être trop tard, on saura qui je suis réellement.

Seul mon père a fini par comprendre ce qui se passait en moi. Ma honte. Ma rancoeur. Ma déception. Comme il devait souffrir lui aussi. Son fils, refusé par l'armée! Mais ma mère, avec sa haute diplomatie et son tact habituel d'éléphant dans un salon, a voulu aller plus loin.

— Si tu avais envoyé ta demande plus tôt aussi! On t'a refusé parce que les classes de l'armée sont complètes maintenant. Je ne vois pas ce qu'ils peuvent te reprocher. Premier de classe. Les meilleures références de la part de tes professeurs. Je suis certaine qu'il y en a qui ont été acceptés avec des références beaucoup moins bonnes. C'est de ta faute.

Je n'en pouvais plus. J'ai levé les yeux sur ma mère et j'ai fini par rencontrer les siens. Elle s'est arrêtée net. Je ne sais pas exactement ce qu'il y avait dans mes yeux. Mais dans les siens, c'était de la peur.

Mon père lui a demandé de rester tranquille et de changer de sujet. Alors la conversation a tourné sur l'école et ce n'était pas mieux. C'est alors qu'Irène en a profité pour annoncer à tout le monde qu'elle avait été choisie aujourd'hui comme présidente de sa classe. Tous les garçons de sa classe étaient amoureux d'elle à l'entendre et ils avaient tous voté pour elle.

C'est vrai qu'Irène est belle. Elle est même très belle. C'est une jolie fillette avec des joues très roses et des cheveux très blonds. C'est quand même curieux que je sois arrivé le premier et que ce soit elle qui ait tout reçu.

J'ai regardé le bonheur et la joie s'étaler sur le visage de mon père et de ma mère à cette bonne nouvelle. Ils me dégoûtaient eux aussi, tous les deux enlisés dans leur routine gommeuse. Mon père barricadé derrière un épais nuage de fumée et ma mère emprisonnée dans son arthrite claudicante. La dernière bouchée avalée, je suis descendu à ma chambre.

Étendu sur mon lit, le cafard m'a repris à pleines mains. Je me sens tatoué de mensonges et maquillé de poussière. Les heures égrènent la mort dans mon âme. Ma chambre est une barricade farouche. J'ai des éclipses d'âme et peut-être de coeur. Ma vie est une tombe où je m'éclaire moi-même à tâtons. Je palpe ma solitude, ce jardin secret et interdit. Je sors de la vie à reculons. Mon coeur est un horrible nid de vipères. Et dans ce coeur s'est nichée la vengeance.

Je me suis endormi replié dans mes songes étranges. Je voudrais bien me venger par le bonheur comme Irène, mais je suis impuissant là aussi. Toute la nuit, je me suis roulé dans l'ordure de mes rêves. J'ai le cerveau qui s'en va en fumée. La haine lave ma vengeance et la fait reluire d'un éclat fauve. Je suis à bout. Une grande fatigue plantée aux creux des reins. Ce matin, j'ai repris mon journal, triste et solitaire comme moi.

28

15 septembre 1973.

En classe, aujourd'hui, il s'est passé quelque chose de grave. Je ne sais pas encore ce que je ferai, mais ils me le paieront, tous, et très cher. On ne peut humilier quelqu'un de cette façon et l'emporter en paradis. Ça non! Jamais!

C'était l'élection du conseil de classe. Personne n'était vraiment intéressé à faire partie de ce conseil. A chaque année c'est la même chose: Stéphane est élu parce qu'il a une grande gueule et qu'il aime parader devant tout le monde. Les filles votent pour lui parce qu'il est beau et don Juan. Les garçons votent pour lui parce qu'il a de l'assurance et qu'il envoie promener tout le monde avec aplomb.

Ça s'annonçait comme les années passées: une élection par acclamation. Jean-Pierre, Rachelle et Gisèle allaient se joindre à Stéphane pour former le conseil de classe.

Mais voilà, cette année, le nouveau prof s'était mis dans la tête qu'il fallait une opposition comme en toute bonne et saine démocratie. Il a voulu faire de vraies élections. Il a voulu nous faire jouer à la démocratie. C'est comme ça que tout a commencé.

Le nouveau prof a donc réclamé la formation d'une autre équipe, d'un autre parti si l'on veut, avant de procéder à l'élection. Pour se moquer, les camarades se sont mis à nommer les élèves les plus. . . comment dire. . . les plus tranquilles de la classe.

Stéphane a lancé mon nom comme candidat à la présidence. Le professeur, qui savait déjà que j'étais le premier de la classe, a sauté sur l'occasion. Il a insisté en soulignant que je ferais un excellent candidat. Le cancre se pourléchait déjà les babines à la pensée de son triomphe facile.

Puis on a nommé la grosse Suzanne, la maigrichonne Sylvie et Chantal, la boutonneuse. C'était vraiment l'équipe de rêve, un rêve à se faire battre à plate couture.

D'abord, j'ai refusé. Je savais que j'allais être ridiculisé. Personne ne voterait en ma faveur. On voulait se moquer de moi pour se venger de ma conduite au party de fin d'année. Certains camarades ne voyaient là aucune vengeance, mais simplement l'occasion de se payer un bon moment.

Le professeur a insisté. Puis les camarades se sont mis à scander mon nom sous la direction de Stéphane: « On veut Gontran! On veut Gontran! » Une idée stupide m'a traversé à ce moment: « Si je leur montrais enfin qui je suis. » Je n'aurais aucune difficulté à prononcer un bon discours et Stéphane, avec ses âneries de cancre, serait ridiculisé.

J'ai accepté. Toute la classe a croulé en applaudissements dérisoires. Les rires fusaient de partout et me cinglaient dans le plus vif de mon orgueil. Eh bien! j'allais leur faire ravaler leurs rires. Ils allaient voir, tous, de quel bois je me chauffais.

Le professeur a demandé à Stéphane de parler le premier. Ce cher cancre a ânonné comme d'habitude deux ou trois insignifiances: « Chers camarades, je vous promets de faire mon possible. Je vais organiser plusieurs activités comme. . . comme. . . Nous allons avoir du fun cette année. Merci. »

Puis le prof m'a donné la parole. Tout le monde s'est mis à rire avant que je ne prononce le premier mot. Pourtant, ils sont tous très contents de venir me demander des explications lorsqu'ils comprennent tout de travers un problème de science ou lorsqu'il s'agit de bien tourner une phrase en composition française. Jean-Pierre m'a lancé: « Allons, parlez capitaine. Donnez vos ordres. » J'ai cru que c'était une allusion directe à mon refus de l'armée. Pourtant, il ne pouvait savoir que j'avais été refusé. A moins que cette bavarde d'Irène en ait glissé un mot à la soeur de Jean-Pierre. J'ai rougi comme un coq. Je me suis éclairci la gorge. On a ri encore. Enfin, j'ai pu commencer à parler.

— Mes chers amis, je ne vous promets pas d'organiser plusieurs activités cette année.

Des oh! et des ah! et même des chou! ont accueilli ma première phrase. J'ai laissé planer le silence. Puis j'ai repris, avec une certaine autorité dans la voix:

— Mais je vous promets d'essayer de toutes mes forces de faire de la classe un groupe uni. Il y a parmi nous des garçons et des filles timides, complexés qui n'osent jamais s'exprimer parce qu'on les écrase sous nos rires. On les écrase avant qu'ils n'ouvrent la bouche. C'est la loi du plus fort en gueule qui mène la classe.

J'ai regardé Stéphane qui m'a nargué en cherchant des rires approbateurs autour de lui. Mais les rires ne sont pas venus. Il faisait au contraire un silence très lourd dans la classe. Tout le monde me fixait avec de grands yeux dilatés de surprise. Rachelle elle-même me regardait avec un étonnement qui agrandissait ses beaux yeux noirs.

— Je veux faire de la classe une vraie démocratie. Tout le monde, cette année, aura le droit de parole. On écoutera les autres avec attention. Nous avons tous quelque chose à dire. Nos relations avec les professeurs sont plus ou moins bonnes selon les périodes de l'année. Le conseil servira de lien entre la classe et les profs. Si nous ne sommes pas contents de la façon d'agir d'un prof, nous ne parlerons plus dans son dos, nous ne tenterons plus de boycotter son cours. J'inviterai tous les élèves de la classe, sans exception, à venir apporter leurs remarques au conseil. Ce dernier en fera une synthèse et la présentera au prof en question. Puis j'inviterai le prof à venir s'expliquer devant la classe, franchement et ouvertement.

J'ai jeté un coup d'oeil au nouveau professeur. Il me mangeait des yeux. Le silence continuait toujours à peser sur la classe. J'ai poursuivi:

— Si un prof ne fait pas bien son travail, si l'on perd du temps avec lui, le conseil lui en fera part et si cela ne change pas, nous irons rencontrer le directeur de l'école. Si un élève est traité injustement, toute la classe devra faire front commun pour le défendre. Mais. . . si un élève ou des élèves font perdre du temps au professeur et à la classe, le conseil devra se charger de les rappeler à l'ordre. Et si, là encore, c'est sans résultat, nous irons jusqu'au directeur. Si certains d'entre nous trichent ou plagient, le conseil les dénoncera devant tout le monde. Notre classe doit être une classe propre.

Plus personne ne riait. On aurait pu entendre une mouche faire des pointes. Je jouissais avec gourmandise de mon emprise sur la classe et surtout de la surprise qui se déployait sur les visages. J'ai terminé mon discours sur cette phrase:

— Il faut que le conseil soit l'âme de la classe cette année.

Et je suis allé tranquillement m'asseoir pendant que la classe croulait sous les applaudissements. Le prof m'a félicité brièvement car il ne voulait sans doute pas influencer l'opinion de la classe. Le vote a commencé immédiatement.

Pendant le scrutin, Stéphane, Gisèle, Rachelle et Jean-Pierre se sont retournés pour me lancer des regards où je lisais tantôt l'étonnement, tantôt l'admiration, tantôt la jalousie ou l'envie. Enfin, on a procédé au comptage.

Stéphane a eu vingt-neuf votes et moi, cinq. Gisèle, Jean-Pierre et Rachelle ont été réélus à l'unanimité. Ce résultat a jeté la consternation dans la classe. Le prof était profondément déçu. Il n'a rien dit. Il a regardé longuement la classe et son regard était chargé de reproches. La cloche a sonné et toute la classe est sortie, lentement pour une fois.

Suzanne et Sylvie sont venues me dire tout de suite qu'elles avaient voté pour moi. Jean-Pierre s'est avancé pour me murmurer: « C'est incroyable, mon vieux. J'étais sûr que tu passais par acclamation. » Mais il n'a pas osé dire qu'il avait voté pour Stéphane. D'autres sont venus me dire qu'ils ne savaient pas que je pouvais parler aussi bien et que j'avais de si bonnes idées. Je n'ai répondu à personne. J'avais trop de bile à ravaler.

Ainsi, aujourd'hui, la classe a montré, comme toute société, qu'elle préférait s'amuser plutôt que de vivre dans la justice, qu'elle aimait mieux les démagogues que les vrais chefs. Je suis certain que j'aurais fait un excellent président. Tout le monde désirait que je sois élu mais personne n'a osé voter pour moi. Pourquoi? Mais pourquoi, bon dieu?

Aujourd'hui, je peux dire que j'ai reçu une bonne claque et en plein sur la gueule.

Au moment où j'allais sortir, le prof m'a appelé et il a prononcé la phrase qui couronnait le tout:

— C'est beau la démocratie, hein!

29

Le professeur Lucien Lemire était assis devant le commissaire Fortier, attendant d'un pied ferme les questions. C'était un homme dans la trentaine, barbe en collier légèrement rousse, yeux bleu pâle et pénétrants. Il avait commencé des études de médecine mais les avait abandonnées pour se lancer dans l'enseignement.

Fortier écrasa son mégot dans le large cendrier placé devant lui et posa la première question:

— Vous n'êtes pas sans savoir, monsieur Lemire, que je vous ai fait venir témoigner à cette enquête surtout pour en savoir plus long au sujet de cette fameuse élection à la présidence de la classe de Gontran. Dans son journal, celui-ci raconte qu'il a été forcé de se présenter contre Stéphane qu'il détestait. Selon lui, il aurait fait un discours retentissant mais il a été battu quand même. Êtes-vous de cet avis?

Le professeur Lemire pratiquait la dissection intellectuelle aussi bien que la dissection physique. Il commença par le commencement.

— Je dois vous dire d'abord que Gontran était mon meilleur élève en biologie. Je commence dans l'enseignement. Je n'ai pas beaucoup d'expérience. Mais j'ai senti tout de suite qu'il avait le sens de la biologie. Pour lui, la biologie, c'était plus que des mots et des organes. C'était un métabolisme général, un rouage, un ensemble comme disent les mathématiciens. Il semblait désireux que rien ne lui échappe dans cette machine complexe qu'on nomme le corps humain. Il venait très souvent me poser des questions à la fin d'un cours. Je trouvais que c'était l'élève le plus intéressé et le plus intéressant de toutes mes classes.

— Oui, je comprends. Tous ses professeurs sont unanimes sur le sujet: Gontran était un élève modèle, au comportement un peu bizarre, mais c'était tout de même un excellent étudiant. Pourriez-vous en venir à cette élection que vous avez dirigée?

— Une équipe s'est formée d'abord. Elle était organisée d'avance. Stéphane, Rachelle, Jean-Pierre et Gisèle se sont présentés spontanément lorsque j'ai fait appel. Mais comme en toute bonne démocratie, il faut de l'opposition, j'ai insisté pour qu'une autre équipe leur fasse concurrence.

— Est-ce vous qui avez incité Gontran à se présenter à la présidence?

— La classe s'est mise à nommer des « volontaires », comme il arrive si souvent. Je crois qu'on a nommé cette équipe un peu par dérision. Je l'ai senti tout de suite. On a nommé Gontran pour la présidence, Suzanne et Sylvie pour compléter l'équipe. Je ne savais pas si je devais intervenir. Les jeunes sont très chatouilleux sur ce sujet. Les élèves mentionnés ont accepté un peu malgré eux.

— Avez-vous remarqué quelque chose de spécial dans l'attitude de Gontran à ce moment?

Lemire se donna quelques secondes de réflexion. Sa pipe était éteinte. Il la ralluma en prenant tout son temps.

— Oui et non. Il a semblé d'abord se présenter à contrecoeur. Puis, il s'est avancé et lorsque son regard à croisé celui de Stéphane, il s'est animé. Je crois qu'il en a fait une affaire personnelle à cette minute précise. Alors, j'ai demandé si'il y avait d'autres candidats. Personne ne s'est présenté. J'ai demandé à chaque candidat de faire un petit discours. Stéphane a parlé le premier. Son discours a été plus que banal. Puis Gontran a pris la parole. . .

Lemire s'arrêta comme s'il attendait une autre question. Fortier fut d'abord interdit par ce silence brusque, puis il comprit qu'il devait poser une question.

— Est-ce vrai que son discours a produit un choc?

— Au début, il m'a surpris. Sa voix était sourde d'émotion. Il a parlé de l'esprit de la classe, de l'union entre les élèves, de la coopération avec les professeurs. Les étudiants l'écoutaient avec une grande attention. Mais à mesure qu'il parlait, le trac le gagnait. Il s'est mis à rougir violemment, puis à blêmir comme s'il était subitement malade. Il suait à grosses gouttes. Il y avait un silence extraordinaire dans la classe. Tout le monde le regardait, les yeux sortis de la tête. Même Stéphane buvait ses paroles. Rachelle, surtout, le mangeait des yeux. Je ne savais toujours pas si je devais intervenir. J'avais l'impression qu'il allait s'effondrer d'une seconde à l'autre. Mais une énergie fébrile l'enflammait. Finalement, il a cessé de parler. Il a jeté un long regard sur toute la classe puis il est allé s'asseoir en chancelant. Un grand silence a suivi.

Fortier était surpris: le récit de Lemire ne correspondait pas du tout avec celui de Gontran. L'adolescent avait dû imaginer une belle conclusion à son discours.

— Monsieur Lemire, je dois vous dire que ce n'est pas exactement ce que raconte Gontran dans son journal. Il dit qu'il a épaté toute la classe par son discours. Il affirme même que vous êtes allé le féliciter à la fin du scrutin. Tenez, lisez vous-même.

Le professeur prit bien son temps pour prendre connaissance du texte de Gontran. Une fois sa lecture finie, il balança la tête en signe de profonde réflexion. Il leva les yeux et répondit:

— Je regrette, mais je peux vous affirmer que la fin de ce texte n'est pas exacte. Vous pouvez le demander aux autres élèves. Je crois. . . je crois que Gontran, comme on dit en langage populaire, se faisait des imaginations.

— Oui, c'est vrai. Plusieurs témoignages viennent en contradiction avec les récits de Gontran. Par contre, certaines fois, les mêmes témoignages confirment étrangement ce qu'il écrit. J'en viens à ne plus savoir comment démêler la vérité de l'imaginaire. Car il ne s'agit évidemment pas de mensonges purs. Plusieurs fois, Gontran imaginait des situations qui dépassaient la réalité. Il souffrait de mythomanie jusqu'à un certain point. Vous n'avez pas remarqué ce penchant chez lui?

— Non, tout au contraire. En biologie, c'était un élève d'une rigueur scientifique remarquable. Il aurait pu devenir biologiste ou médecin. Il aurait très bien réussi dans la recherche. C'était son genre: solitaire, renfermé, très appliqué, et avec un grand sens de l'observation.

— Ma question peut paraître inutile, mais je tiens à vous la poser quand même. Croyez-vous que Gontran était capable de commettre un tel crime?

— Je serais porté à vous répondre non. Il donnait tellement l'impression d'être maître de lui en tout. Mais j'ai commencé à en douter après son fameux discours. Je ne savais pas qu'il avait été refusé par l'armée. Mais les quelques jours qui ont précédé l'élection, j'ai remarqué qu'il était plus sombre. Son dernier examen de biologie a été un fiasco. Cela m'a beaucoup surpris. Lorsque j'ai appris ce qu'il avait fait en pleine classe avant de se suicider, alors, tout est devenu clair. Gontran était une sorte de refoulé; tout a explosé, ce jour-là.

Fortier se leva pour indiquer que l'interrogatoire prenait fin. Le professeur Lemire se leva à son tour.

— Votre collaboration m'a été très précieuse, monsieur Lemire. Mais avant que vous partiez, j'aimerais vous poser une dernière question. Avez-vous compris ce qui se passait entre Gontran, Rachelle et Stéphane?

— Rien de spécial. Mais comme tous les professeurs, je savais qu'il y avait une sorte de flirt entre Rachelle et Stéphane. Rien de sérieux, bien sûr. Je devinais qu'un garçon comme Gontran pouvait être attiré par une belle fille comme Rachelle. Mais je ne pouvais jamais imaginer la haine qui le rongeait.

— Je vous remercie. Espérons que toute cette affaire pourra être éclaircie.

— Nous comptons tous sur vous, commissaire. Et si vous avez encore besoin de moi, n'hésitez pas.

Une fois le professeur Lemire parti, Fortier lut et relut les pages que Gontran avait écrites sur l'élection du conseil de classe. Il secouait la tête comme s'il avait voulu se libérer d'un inextricable réseau de contradictions.

30

19 septembre 1973.

Le trou noir s'agrandit devant moi. Après ce qui est arrivé hier, je rage, je piaffe, je rue et je fonce dans tout. Aujourd'hui, nous avons reçu les résultats des premiers tests en français et en biologie. J'ai raté les deux. Je crois que c'est la première fois que ça m'arrive depuis des années.

Le professeur de biologie a donné les résultats à voix haute devant toute la classe. Tout le monde a été surpris que je ne sois pas nommé le premier avec la meilleure note. Mais, à mesure que le prof donnait les résultats, l'étonnement est devenu de la stupéfaction pour moi et pour tous les élèves de la classe. Enfin, mon tour est arrivé: 47 pour cent. J'aurais aimé mieux me voir à cent milles de l'école plutôt que de subir une telle humiliation. Le prof, en me remettant ma feuille, a murmuré comme à regret:

— Je ne sais vraiment pas ce qui t'est arrivé, Gontran. Tu as pensé à autre chose pendant tout l'examen.

À la fin du cours, mon humiliation en a pris un autre coup lorsque Stéphane m'a montré sa feuille avec un gros 61 pour cent. Il avait un sourire triomphal sur les lèvres et dans les yeux. Je lui ai lancé un regard de colère et j'ai crispé les poings.

Au cours suivant, le prof de français a donné les résultats des compositions de jeudi dernier. Le français est ma matière forte. Je n'ai pu en croire mes oreilles lorsque j'ai reçu ma copie avec un cinquante pour cent. Le prof de français n'a pas remis les notes devant toute la classe, mais en me voyant la figure, tout le monde a compris que ça n'allait pas très bien, là non plus. J'avais fait des fautes d'orthographe grossières; certaines phrases étaient cahoteuses et même inachevées. Le prof a mis dans la marge: style surréaliste inquiétant.

Oui, j'avais la tête ailleurs. Tout ce qui m'arrive depuis quelques semaines m'a rendu dépressif. Pendant de longs moments, durant les cours, je n'écoute plus le prof. Durant les tests, je pense à Rachelle, à Franz. . .

Le trou noir s'agrandit devant moi. Je n'arrive plus à m'endormir le soir. Et quand je dors, je fais d'horribles cauchemars. Tantôt je suis en pleine guerre et je massacre des enfants et des femmes toutes nues. Je marche dans le sang et dans la viande humaine. On dirait qu'il y a un autre Gontran qui se déchaîne en moi et je le vois agir avec horreur. Tantôt je suis nu sur une île avec des dizaines de filles très belles et toutes nues elles aussi. Je veux faire l'amour mais je n'y arrive jamais. Fou de rage, je saisis un couteau et je les tue toutes en les dépeçant en morceaux. Je me réveille en poussant des cris, couvert de sueur. Et je tremble.

Ce matin, au déjeuner, ma mère m'a dit qu'elle m'avait entendu crier durant la nuit. Elle a remarqué que je mangeais de moins en moins et que j'étais pâle comme un mort.

— Tu devrais aller voir le médecin. Veux-tu que je prenne un rendez-vous pour toi?

— Non.

J'ai presque crié la réponse. Ma mère m'a regardé comme si je lui avais annoncé mon suicide prochain. Mon père a replié les deux grandes ailes de son journal jauni et lui a demandé de ne pas insister.

Ce soir, tout a recommencé. Après le souper, le prof de français a appelé à la maison. Comble de malchance, c'est ma mère qui a répondu. Pendant toute la conversation, qui a été très longue, ma mère a poussé des oh! et des ah! Lorsqu'elle a raccroché, elle a dit que mon prof de français s'inquiétait du changement qui s'était fait en moi depuis le début de l'année.

Elle a parlé encore de médecin. Elle m'a recommandé de faire un peu de sport. Comme d'habitude, j'ai gardé le silence. Mais mon père m'a couvé longtemps du regard. Je n'aime pas ses yeux dans ces moments-là. C'est pire que tout ce que dit ma mère. Le regard de mon père est comme un coup d'épée en plein estomac. Ça me transperce et ça fait mal.

Je suis descendu m'enfermer dans ma chambre. J'avais plus que jamais besoin de solitude. J'ai voulu commencer à écrire dans mon journal. Mais tout à coup, mon père a frappé à la porte. Je n'ai pas répondu. Il a essayé d'ouvrir mais j'avais verrouillé, comme d'habitude.

— Ouvre, Gontran, j'ai besoin de te parler seul à seul. Ouvre.

Sa voix était autoritaire sans être fâchée. Il voulait m'apprivoiser peut-être. J'ai tout de suite caché mon journal sous le matelas de mon lit. Mon père a forcé à nouveau la porte.

— Gontran, je t'en supplie, ouvre-moi. Réponds-moi du moins, dis quelque chose, je sais que tu es là.

Je ne pouvais plus garder le silence. J'ai voulu l'éloigner avec quelques paroles réconciliantes.

— Je suis là, je t'assure que je n'ai pas envie de parler. J'ai besoin d'être un peu seul ce soir. Je suis très fatigué. Je vais me coucher de bonne heure. J'ai des devoirs à faire pour demain et des choses à étudier. Nous avons. . . un examen de. . . de chimie. . . demain.

— Peu importe, Gontran. Je veux que tu m'ouvres. Je n'en ai pas pour longtemps. Juste quelques minutes. C'est important.

Ma mère est descendue à son tour et elle s'est mise de la partie.

— Ouvre à ton père, Gontran, autrement il va se mettre en colère. Tu le connais. Si ce n'est pas épouvantable! Un enfant refuser d'ouvrir à ses parents! Pourquoi ne veux-tu pas ouvrir? Qu'est-ce que tu caches dans ta chambre? Nous avons le droit de savoir, m'entends-tu, Gontran?

Alors je l'ai entendue dire à mon père qu'il y avait sûrement une fille sous cette affaire-là. C'était une fille qui me tournait la tête sans doute. Qu'il fallait intervenir tout de suite et y mettre bon ordre. Aujourd'hui, il y a tellement de petites salopes qui ne demandent pas mieux que de retourner un bon garçon contre ses parents.

Je restais debout au milieu de ma chambre et j'attendais qu'ils s'en aillent. Ils avaient déjà essayé d'entrer dans ma chambre et ils y avaient renoncé. Je connaissais le scénario par coeur. Les premières fois, j'avais eu peur. Je m'étais empressé de cacher mes posters, mes Playboy et autres revues pornos. Mais je me suis habitué à leurs menaces. J'étais tranquille. A la fin, ils s'en iraient.

— Si tu n'ouvres pas, Gontran, je défonce, tu entends, je défonce!

Cette fois, la voix de mon père avait changé. Elle était pleine de colère et de menaces. C'était l'ancien soldat qui parlait à l'ennemi et non le père à son enfant.

— Si tu défonces, je m'en irai d'ici. Je ne mettrai jamais plus les pieds dans cette maison et vous ne me verrez plus jamais de votre vie. Vous entendez, tous les deux, à votre tour. C'est ma chambre, c'est mon refuge, mon royaume. S'il y a quelque chose à cacher dans ma chambre, ça me regarde. Allez-vous-en. Laissez-moi tranquille.

Alors, d'après les bruits, j'ai cru comprendre que mon père allait à la chambre de chauffage où il y a l'atelier. Cette fois, j'ai eu peur. Ça tournait vraiment mal. Mais j'en avais assez de subir tout en silence. J'étais décidé à résister. Je me suis précipité pour enlever les posters aux murs. Mais il y en avait trop. La porte a cédé. Mon père tenait une hache. La hache lui est tombée de la main lorsqu'il a vu les posters. Ma mère a poussé un cri de stupéfaction.

J'ai lancé les posters que j'avais dans les mains sur la table de mon bureau. Mon père a roulé des yeux de feu. Je ne l'avais jamais vu dans une aussi grande colère. Ma mère en sanglots répétait sans cesse comme une litanie: « Ce n'est pas possible! Ce n'est pas possible! » Mon père a d'abord examiné les posters qui restaient sur les murs puis il a fouillé dans l'armoire. Il a jeté les revues en vrac sur le plancher. Il était blanc de colère. Il a tout vidé, tout lancé en rugissant comme un tigre. Tout s'envolait dans la chambre. C'était la perquisition en règle.

— Tu vas brûler ça, tout de suite. Tu as compris? Tout de suite! On va faire un grand feu de joie avec ça.

Pour le défier, je n'ai pas dit un mot. Dès cet instant, ma grande résolution était prise. Ils vont tous voir de quel bois je me chauffe. On ne peut humilier quelqu'un à ce point sans en subir les conséquences.

Tout à coup, mon père a soulevé le matelas de mon lit. Le cahier était là. Je me suis rué et je l'ai attrapé avant lui.

— Donne-moi ça, tu entends. Donne-moi ça.

— C'est mon journal et personne ne peut me l'enlever.

Mon père s'est ravisé et il n'a pas insisté. Il a saisi les revues et les posters à pleines brassées et il est monté les brûler dans le foyer. Ma mère avait déjà quitté le sous-sol et je l'entendais pleurer et gémir dans sa chambre. Irène est arrivée. Elle semblait terrifiée. Elle braquait sur moi de grands yeux vitreux. Je l'ai chassée.

Mon père est revenu chercher le reste des revues. Avant de quitter ma chambre, il a lancé en claquant la porte:

— Nous reparlerons de tout cela, demain.

Comme dans les tragédies grecques, tout semble maintenant irrémédiable. Je sais très bien ce que je vais faire maintenant. Je vais me coucher. J'ai toute la nuit pour mettre mon plan au point.

Je sens ma vieille peau qui tombe, mais en-dessous, la nouvelle est très mince, presque à vif. J'ai l'âme dans le cirage noir du crime. « Un jour, je tuerai quelqu'un. . . » Je patauge dans le noir, dans le vide, dans la grisaille de l'angoisse.

Je suis une huître. On entrouve ma coquille et je pince. Je me laisse enculer par ma solitude. Ce n'est pas beau, je sais. Mais personne ne lira ce journal, même pas moi. Ma chambre est une île, une île d'exil, comme celle de Napoléon. La différence? Je n'ai pas encore gagné de batailles.

Je n'ai plus d'âme. Je n'ai que des déchirures, que des rognures d'âme. Je sens l'appétit de la mort en moi. Son gros oeil assis sur moi. La vie est enfermée dans une grande prison. Et moi, dehors, je la regarde par le trou de la serrure.

Il faut que je fasse l'amour avec une fille avant de mourir. Et cette fille, ce sera Rachelle.

31

La jeune fille assise devant le commissaire Romuald Fortier n'était pas au premier abord plus jolie que les filles ordinaires de son âge mais elle dégageait une sorte de magnétisme qui retenait l'attention. Elle paraissait impressionnée d'être ainsi convoquée à une enquête policière.

Fortier remarqua qu'elle avait de grands yeux noirs, une peau laiteuse, des lèvres bien ourlées et légèrement sensuelles, une taille très fine et des mains délicates aux petits ongles très blancs. Elle se redressa sur la chaise comme pour se donner un peu d'assurance. Ce qui frappait surtout chez elle, c'était l'impression vague et diffuse d'être d'une autre époque: pas de jeans, pas d'ongles cassés, sales ou à demi vernis. Bref, elle était très féminine.

Par contre, sa beauté discrète devait pâlir devant le charme saisissant de Rachelle. Fortier avait une photo de celle-ci devant lui. Elle était vraiment très belle, cette Rachelle. Dommage!

— Vous êtes bien Gisèle Gosselin, camarade de classe de Gontran Gauthier et de Rachelle Lanctôt?

— Oui, monsieur. . .

— Vous avez été témoin des tragiques événements qui ont entouré la mort de Gontran et de Stéphane?

— Oui. . .

Devant les réticences de Gisèle, Fortier décida de ne pas orienter l'interrogatoire sur le jour du drame. Il y viendrait tranquillement par la suite.

— Pour toi, quel genre de garçon était Gontran?

— Je. . . C'est difficile à dire. Qu'est-ce que vous voulez que je vous raconte exactement?

— Par exemple. . . Est-ce que Gontran était un garçon étrange? Est-ce qu'il t'a déjà fait des propositions? Est-ce que tu le trouvais beau ou insignifiant? Je ne sais pas, moi!

— Oh! il n'était pas insignifiant. Il ne m'a jamais fait de propositions, comme vous dites. Je ne suis même jamais sortie avec lui. Il était très timide. Il savait qu'il n'était pas très beau. Il portait d'énormes lunettes qui lui grossissaient les yeux. Il n'avait pas non plus une très jolie peau. Mais je crois qu'il pensait toujours à quelque chose de précis qui ne se rapportait pas à ce qui arrivait; du moins, je ne sais pas comment vous expliquer. . . malgré son air un peu trop intellectuel, il possédait un grand appétit de vivre. . . une grande tendresse. . .

Gisèle s'arrêta, ne sachant plus comment finir sa phrase. Fortier attendit qu'elle reprenne le cours de ses pensées mais comme elle gardait le silence, il demanda:

— Dans son journal, Gontran prétend que tu voulais absolument l'avoir à ton party de fin d'année. Parle-moi un peu de ce party.

— Non. . . je. . . Gontran ne venait jamais aux parties de la classe. Cette année, il n'est même pas venu à la cabane à sucre. Il était le premier de la classe; mais comme il se trouvait laid, il croyait qu'il n'avait aucune chance avec les filles. De plus, les garçons le traitaient d'intellectuel à la manque. Je crois qu'il avait peur de ce genre de sorties. A chaque fois, il prétextait qu'il avait beaucoup de travail. Une fois, il m'a dit qu'il écrivait un roman. Je ne sais pas si c'était vrai. Il parlait peut-être de son journal. Il disait toujours aussi qu'il ne savait pas danser. Alors, je me suis dit que je réussirais à lui faire briser la glace. . .

— Pourrais-tu me raconter en détail ce qui s'est passé au cours de ce fameux party?

— C'était affreux. . . Je n'ai jamais eu si honte de toute ma vie. . .

— Honte de quoi ou de qui?

— J'avais honte pour Gontran et honte de moi aussi parce que je l'avais attiré dans ce piège. Il s'est ridiculisé alors que j'aurais tant voulu qu'il prenne confiance en lui. . .

— Étais-tu un peu amoureuse de Gontran?

— Amoureuse? Non, bien sûr que non. Mais. . . mais j'avais beaucoup de sympathie pour lui et une certaine amitié même.

Vous pouvez appeler ça de l'amour si vous voulez. Vous savez, l'amour, à notre âge, c'est un bien grand mot. Plus tard, j'aimerais épouser un garçon plus beau que Gontran mais qui aurait sa maturité et sa profondeur. Je ne sais pas si vous me comprenez, monsieur?

— Je crois te comprendre. A la suite de cette soirée, penses-tu que Gontran a gardé une rancoeur envers un ou une camarade de la classe? Je veux dire, est-ce que cette humiliation peut expliquer la fusillade?

— Je crois qu'il n'a jamais pu s'entendre avec Stéphane. Ils ne se parlaient jamais sauf lorsque Stéphane se moquait de Gontran. A chaque fois, j'en étais profondément humiliée. J'aurais voulu que Gontran se défende. Ces deux garçons étaient tout à fait différents: Gontran était intelligent et laid; Stéphane était beau mais peu brillant.

— Est-ce qu'ils se sont déjà battus?

— Non. Et c'était ça qui me fâchait le plus. A chaque moquerie, Gontran posait sur Stéphane ses gros yeux, appuyait longuement son regard, puis s'en allait. Il était comme sans défense devant ce cancre, beau, mais paresseux, grand parleur. . .

— C'est curieux, tu emploies le même mot que Gontran.

— Quel mot?

— Cancre. Mais passons. Penses-tu que depuis le party, Gontran aurait prémédité de faire un mauvais parti à Stéphane?

— Non, je ne pense pas. Gontran ne semblait pas capable de vengeance. Mais il prenait peut-être un malin plaisir à laisser couver la haine en lui. Il l'accumulait. Même envers moi qui pourtant essayais de le consoler.

— Si on en arrivait aux événements. Crois-tu que Gontran a voulu vraiment tuer Stéphane? Comment cela s'est-il passé exactement?

Gisèle parut légèrement oppressée par cette question. Elle finit par répondre en s'efforçant visiblement de se maîtriser.

— Nous sommes entrés en classe comme d'habitude. C'était le cours de sciences religieuses. Le cours a commencé.

— Est-ce que Gontran était dans la classe à ce moment?

— Non, il était absent. Mais je ne m'en suis pas aperçue, jusqu'au moment où la porte s'est ouverte. Je suis assise dans la première rangée. Je l'ai très bien vu. Il est entré. Il avait des yeux si effrayants que tout le monde s'est retourné pour le regarder. Même le professeur s'est arrêté de parler. Gontran était visiblement essouflé comme s'il avait couru une longue distance. Ses cheveux étaient en désordre et son pantalon était taché de boue. Il avait dû tomber en courant. Mais c'était surtout ses yeux, ses yeux. . .

Gisèle s'arrêta. Fortier respecta son silence. Elle était visiblement effrayée par ce regard que Gontran avait promené ce jour-là sur ses camarades de classe. Elle finit par reprendre son sang-froid et poursuivit son récit:

— Ses yeux étaient rouges et pleins de larmes. On aurait dit qu'il n'avait pas dormi depuis des jours et des jours. Il était comme aveuglé par sa haine, sa colère et son désespoir. Tout le monde le regardait dans le plus grand silence, un silence de terreur. Le professeur a fini par dire, je crois: « Tu peux entrer Gontran, le cours vient juste de commencer. » Gontran a regardé le professeur. Il ne paraissait pas avoir compris ce qu'on lui avait dit. C'est alors qu'il. . . oh! c'était affreux!

— Qu'est-ce qu'il a fait exactement à ce moment? Est-ce que tu t'en souviens d'une façon précise? N'oublie aucun détail. C'est très important.

— Oh! je ne m'en souviens que trop! J'étais comme hypnotisée par ses yeux. Il a sorti de sa poche un révolver. Il a cherché quelqu'un des yeux. J'avais l'impression qu'il avait la vue brouillée et qu'il n'arrivait pas à trouver ce qu'il cherchait. Ces quelques secondes m'ont paru une éternité. Personne n'a eu le temps de réagir. Tout le monde était cloué à sa chaise. J'ai entendu crier une fille. Une idée m'a traversée. J'ai pensé me précipiter sur Gontran et lui enlever son revolver. Mais je n'arrivais pas à faire le moindre mouvement. Tout à coup, il a trouvé celui qu'il cherchait et il a tiré. J'ai entendu un cri de douleur. Je me suis retournée. Dans le fond de la classe, Stéphane avait porté ses deux mains à sa poitrine et grimaçait de douleur. J'ai poussé un cri et j'ai voulu me ruer sur Gontran. Mais ses yeux ensanglantés par la fureur m'ont clouée à nouveau sur place. Il semblait être la proie d'une panique terrible. Alors. . . alors, il s'est mis à tirer au hasard. Tout le monde était déjà couché sur le plancher. Les balles passaient au-dessus de nos têtes. . . c'était. . . c'était. . .

Gisèle était suffoquée par la vision qu'elle évoquait. Pour lui donner la chance de reprendre son souffle, Fortier attendit avant de poser la question suivante:

— Est-ce que tu as pu voir ce qui a suivi?

— Oui, bien sûr. De grosses larmes coulaient sur les joues de Gontran lorsqu'il a cessé de tirer. Mais la peur avait pris possession de tout son corps. Il tremblait de désespoir. Il a dirigé le canon du revolver sur sa tempe et il a tiré. Ses yeux ont chaviré. C'était horrible! Je regardais, comme hypnotisée par ce qui se passait sous mes yeux. Et puis tout ça est arrivé tellement vite. Un gros jet de sang a giclé de son autre tempe. Il a chancelé puis s'est écroulé de tout son long juste à côté de mon pupitre. Alors, il y a eu un grand silence dans la classe. Tout le monde semblait attendre un autre coup de feu. Dans les classes voisines, il s'est produit un grand bruit. Un professeur et des élèves ont paru dans la porte pour constater le drame. Le professeur de sciences religieuses s'est relevé de derrière son bureau. Tout le monde a semblé comprendre que tout était fini. Et on s'est tous relevés. Les blessés se sont mis à se lamenter. Stéphane était étendu inconscient à côté de son pupitre. Jean-Pierre avait reçu une balle dans l'épaule. Suzanne avait la joue entaillée profondément.

— Qui a pris alors les choses en mains?

— Le directeur-adjoint est arrivé presque tout de suite. Il a demandé à tout le monde de ne pas bouger. Il nous a dit que la police et l'ambulance arriveraient dans quelques minutes. Puis il a couru à son bureau, pour appeler sans doute. Dans la classe, c'était la consternation. De petits groupes entouraient le cadavre de Gontran et les autres blessés. Le professeur, qui avait subi un choc nerveux, s'épongeait le front mais les sueurs continuaient à couler. Les blessés gémissaient doucement. Personne n'arrivait à comprendre ce qui venait de se passer. Toutes les filles pleuraient. Moi, je pleurais et je restais là, plantée devant le cadavre de Gontran.

— Est-ce que la police et l'ambulance ont mis beaucoup de temps à arriver?

— Non, cela m'a paru long mais je crois qu'ils n'ont pas pris beaucoup de temps pour arriver. La police a ordonné de prendre des photos du cadavre et des blessés. Puis on a emporté le cadavre de Gontran. On a transporté les blessés à l'hôpital.

Ceux qui avaient eu un choc nerveux ont reçu une injection. Les cours ont été suspendus. Les journalistes sont arrivés. L'un d'entre eux m'a demandé de raconter tout. Je l'ai fait du mieux que j'ai pu mais je ne me rappelle pas ce que je lui ai dit.

— D'après toi, est-ce que Gontran a eu l'intention de tuer Stéphane?

— Je ne sais pas. Je crois qu'il le cherchait et que c'est lui qu'il a visé lorsqu'il a tiré. Mais pourquoi? Bien sûr, ils ne s'entendaient pas bien tous les deux, mais ça n'explique pas pourquoi Gontran a voulu le tuer. Il y a sûrement une autre raison.

— Est-ce qu'il a voulu tuer d'autres élèves dans la classe?

— Non, je ne crois pas. Comme je vous l'ai dit, il était pris de panique et il a tiré au hasard.

— Dans son journal, Gontran semble avoir nourri une rancoeur envers tous ceux qui étaient présents à ton party, à la suite de l'humiliation qu'il a subie.

— C'est bien possible qu'il ait eu l'idée de se venger de tout le monde. Mais c'est vraiment incompréhensible qu'un garçon aussi sensible et aussi timide ait décidé de se venger de la sorte.

— C'est peut-être justement parce qu'il était sensible et timide qu'il s'est vengé d'une façon aussi horrible. Mais pourquoi s'est-il suicidé après?

— Je crois qu'il a compris tout à coup ce qu'il venait de faire. Il a cessé de tirer. Il était allé trop loin. Il ne lui restait plus qu'à se tuer.

— Sais-tu que dans son journal, Gontran parle souvent de son suicide? Avant les événements, as-tu pensé une seule fois que Gontran était capable de se donner la mort?

— Je savais que Gontran souffrait beaucoup de sa situation, mais je n'ai jamais pensé qu'il pouvait commettre un acte pareil. J'aurais aimé qu'il soit plus violent en paroles ou en actes lorsqu'on se moquait de lui. Il semblait jouir alors d'une maîtrise remarquable. Il essuyait tout en silence. Je crois qu'il a vraiment explosé, ce jour-là.

— Comment expliques-tu qu'il ait violé et brûlé vive Rachelle?

— Je crois que Gontran était amoureux fou de Rachelle. Il la regardait parfois avec des yeux qui me faisaient peur. Il l'aimait et il savait qu'elle ne pourrait jamais l'aimer en retour. Il se savait trop laid, trop gauche, trop timide pour réussir à lui plaire. Il était extrêmement jaloux de Stéphane et des autres garçons qui tournaient autour d'elle. Et puis. . . je pense qu'il se complaisait, d'une certaine façon, dans cet amour impossible. Gontran était fait pour le drame, il le cherchait presque. Il portait en lui la catastrophe. Parfois, je me demandais s'il n'aimait pas se faire insulter, bafouer. Il prenait plaisir à accumuler la haine en lui. Je ne sais pas pourquoi.

— Pour devenir un homme supérieur, peut-être.

Gisèle ne sembla pas comprendre la réponse de Fortier. Celui-ci lui tendit le journal de Gontran ouvert à une certaine page. Gisèle lut attentivement le passage. Lorsqu'elle leva les yeux sur Fortier, il crut qu'elle allait s'évanouir. Elle réussit à dire:

— Je ne comprends pas. Je n'aurais jamais cru. . .

32

Le trou noir continue de m'avaler. Je me suis réveillé en plein cauchemar. J'étais couvert de vermine. Je me suis levé. Depuis des heures, je tourne en rond dans ma furieuse solitude. Je m'acharne contre moi dans le silence. J'erre dans ma solitude comme dans un désert.

Je me regarde dans mon miroir. J'ai les yeux cernés par la honte. Le désespoir descend en moi comme une cendre noire et morte. Je me sens broyé par quelque chose d'innommable, une immense colonne de sang au milieu du corps. Dans ma poitrine, il y a des cris, des milliers de cris que je n'ai jamais poussés, qui m'étouffent, qui m'étranglent.

J'ai froid. J'ai très froid. Je suis glacé par le frisson de la haine. La peur est assise au plus profond de mon être. Dans le miroir, je regarde mon regard venimeux, ma lèvre féroce.

Après avoir longuement attisé mon rêve, il ne me reste plus qu'à en remuer les braises et les cendres. Je vis à côté de moi comme si j'étais mon ombre, m'observant de loin. J'ai l'âme courbaturée par toute cette haine si difficile à porter. Et vous tous, quand mon souvenir brûlera votre mémoire, quand mes souvenirs comme des squelettes dont je ne me rappelle plus la chair vous brûleront. . .

Je me sens l'âme en poussière. La vie expire doucement en moi et personne pour me secourir. Je me suis toujours fermé la porte. Lorsqu'elle s'ouvrira, je serai happé par l'extérieur. Je suis fait pour un avenir qui n'existe pas et je piétine dans le présent. Je voudrais me vomir tout entier, vomir ma haine et ma vengeance. Je sens mauvais. Je sens le désespoir. Une odeur horrible.

Hier, je suis revenu à la maison. Ils ont cru que je cédais, que je me rendais mais mon heure viendra et ce sera terrible pour tout le monde.

Je suis un oiseau royal qui se rassasie d'ordures et de charogne. J'ai horreur de me regarder ainsi dans le miroir. Je voudrais me crever les yeux. Je sens mauvais. Je suis plein d'ordures. Je ne peux plus me sentir. Je sens la haine et la vengeance.

La mort rôde en moi. Je sais qu'elle va me dévorer bientôt. Elle rampe en moi comme un serpent noir. Dieu m'avait quitté mais je sens qu'il revient. Je lui ouvre la porte et il entre. Il ressemble à Franz.

Je suis jeune et j'ai déjà tellement de souvenirs. Je suis plein de mon passé. Ma mémoire est un iceberg égaré dans la mer des Caraïbes et qui fond, et qui fond, en terribles souvenirs. Je caresse ma mort qui m'entre dans la chair et me possède.

Je suis une bombe amorcée. Ça, ils ne le savaient pas. J'exploserai à leur face.

Je porte en moi comme un germe la pulsion de la vie. L'ordure me dévore. Je ne peux lui résister. Je suis complice de moi-même, de ma propre décomposition, de ma propre destruction.

Je voudrais être dévoré par une ardente chasteté. Mais je suis un désert ouvert sur la mort et l'impuissance. Je suis un continent de négation et de révolte. Je suis un tourbillon qui s'enroule sur lui-même, qui s'étouffe, qui s'étrangle. Je suinte de haine et d'impuissance. Le mot « mort » jette la noirceur autour de moi.

Au-dessus de ma tête, la maison est silencieuse, sans vie, tel un immense cadavre couché sur moi. Ils sont tous partis à la messe du dimanche. Ils m'ont laissé seul. Le dimanche, cette île de silence au milieu de la semaine. La maison est écrasée par la mort où seul vit mon silence.

La haine et la mort m'embrochent et me secouent. La folie de tuer me ronge le sang. Le monde n'est qu'une gigantesque pourriture et pour vivre, il faut respirer cette pourriture. Elle est en moi et je deviens à mon tour, pourriture.

La nuit m'habite et je suis fait pour le jour, pour la lumière. Un oiseau en moi veut s'envoler mais il a les ailes trop courtes et trop lourdes. Je me sens vide et l'ombre me remplit, me comble comme un fossé. Le monde est un immense dépotoir. Dans cette mort qui m'entoure et que je porte en moi, il ne me reste plus qu'une petite tache de vie: Rachelle. Ah! si elle pouvait savoir seulement ce qu'elle est pour moi, ce qu'elle peut pour moi. Mais non, mon amour est mort. J'ai l'âme aux quatre vents, le coeur fatigué, en défaite. Le désert devant moi me rend aveugle, me bloque la vie.

La mort est en moi comme un roulement de tambour. Je vais rentrer nu dans la nudité de la mort. Je suis un damné de la vie. L'enfer, c'est moi. Franchir mes os, traverser mes muscles, sortir de ce corps et m'enfuir léger comme l'air.

Le jour où je me tuerai sera un dimanche comme aujourd'hui. Et pourquoi pas aujourd'hui justement? Car si je me tuais, les membres de ma famille souffriraient mieux et plus.

D'abord, j'ai pensé utiliser l'arme qui trône dans le bureau de mon père pour les tuer. Mais quand j'ai pensé que la mort était le vrai bonheur, je n'ai pas voulu le leur procurer. Je ne veux pas les voir pénétrer dans le royaume de la mort en même temps que moi.

Alors, j'ai décidé de mettre le feu à la maison en répandant de l'essence de façon à allumer partout de la cave au grenier. Le feu viendrait d'abord du sous-sol, de ma chambre; c'est moi qui les dévorerais.

Mais avant de me venger d'eux, j'ai autre chose à faire. J'ai bien mûri mon plan. Je l'exécuterai jusqu'à la dernière seconde. Puisque je ne peux faire triompher le bien en moi, je vais laisser se déchaîner le mal à sa guise. Je serai un instrument entre ses mains. J'irai jusqu'au bout du mal et peut-être que je ne pourrai jamais en revenir.

Je suis un voilier et je veux partir pour la haute mer. Je gonfle mes voiles déchirées par le vent fou. Non, plutôt je suis un papillon et je me cogne à la cage de la vie. Je me rogne les ailes à tenter d'ouvrir la petite porte qui donne sur la mort.

Mes rêves jonchent ma triste réalité. J'attends la mort debout. Un jour, ma parole enchaînée deviendra parole déchaînée. J'aurai alors les mains pleines de lumière et je me fouterai à la porte de la vie. Je me barricaderai contre les autres et je ferai feu sur moi-même. Mon jardin secret où prolifère le mensonge en mauvaises herbes pourrira au soleil.

Le jour glisse, la nuit monte et c'est l'envol somptueux des étoiles à mon firmament. Je mesure heure par heure l'allongement de l'ombre de la mort sur ce qui me reste de vie. Le temps s'épaissit à son propre ralentissement. Ma nuit bascule dans sa nuit. La nuit de Rachelle.

Je monte. Je grimpe dans une immense toile d'araignée et, à mesure que je grimpe, la toile se déchire sous mes pieds et je meurs un peu chaque minute. La mort veut me cueillir tout vif entre ses doigts tragiques. J'ai l'âme tatouée par la mort. Un grand oiseau noir s'est penché sur mon crâne.

Je tends l'oreille pour m'écouter vivre un peu. Je ne joue plus avec le feu. Je joue avec les cendres, avec mes cendres.

Rachelle, j'ai l'âme, le coeur et le corps pleins de toi. Je voudrais être sourd, aveugle et muet à l'amour. Mon coeur, ce haillon que je ne sais où jeter. Rachelle, je suis mordu par le désir de ton corps. L'enfer du désir grandit dans le moindre de mes muscles.

J'ai pris la vie par les deux bouts. La vie n'est toujours qu'un mauvais rêve et le coeur un cimetière. Il me faut rebrousser chemin, souvenir par souvenir, dans le passé, l'âme lovée par le silence de ma solitude.

Je crache toute mon âme. Je me recroqueville dans mon néant, cette couche épaisse de fumier sur ma mémoire et ma vie bien campée dans son vide.

Je voudrais mordre la vie jusqu'au sang. Je suis triste, si bêtement triste que j'aurais envie d'éclater de rire. Mon âme baigne dans les ordures. J'ai la mémoire comme une poubelle crevée. Comment vivre à fleur d'espérance?

La vengeance galope dans mes veines comme une bête sauvage. Leur regard qui me marque d'un fer rouge au front. Forçat à ciel ouvert.

33

La jeune fille qui entra dans le bureau du lieutenant Fortier était bien telle que Gontran l'avait décrite dans son journal: grosse, pour ne pas dire énorme, avec des joues constellées de boutons rouges piqués de pointes blanches, rougissante, avec des lèvres plutôt avachies. Elle s'avança les yeux baissés.

— Asseyez-vous, mademoiselle. N'ayez pas peur. Je n'ai que deux ou trois questions à vous poser pour tenter d'éclaircir le drame qui est survenu dans votre classe.

Fortier s'arrêta pour laisser le temps à l'adolescente de lever les yeux sur lui et de le regarder bien en face. Mais les yeux ne se levèrent qu'à demi et s'abaissèrent aussitôt. De grosses gouttes de sueur coulaient sur le front de Suzanne. Elle portait encore un petit pansement à la naissance du cou, sur la blessure causée par la balle qui l'avait effleurée lors de la fusillade. Fortier décida de la tutoyer, comme Gisèle.

— D'abord, je voudrais que tu me racontes ce qui s'est passé exactement lorsque Gontran est entré dans la classe.

— Je n'ai rien vu. Je ne me souviens plus de rien. Ça a été si terrible! Au premier coup de feu, j'ai poussé un grand cri. . . et. . . et j'ai vu Stéphane à côté de moi porter les mains à sa poitrine. Oh! c'était effrayant! Ce sang qui sortait de sa bouche et ses yeux qui tournaient. Vous savez. . . comme dans les films. Des yeux blancs. Puis il a glissé de tout son long sur le plancher. Moi. . . moi, je ne sais trop comment, j'étais déjà couchée à côté de mon pupitre. Puis. . . puis, il y a eu un deuxième coup de feu. J'ai cru que j'étais touchée et j'ai poussé un autre cri. Devant moi, Jean-Pierre s'est retourné. Il grimaçait de douleur, la main plaquée sur son épaule. Lui aussi était tombé. Et il y a eu un troisième coup de feu. J'ai cru qu'un autre camarade avait été atteint, mais je ne savais pas qui au juste. J'ai. . . j'ai pensé un moment qu'il allait tous nous tuer, les uns après les autres.

Suzanne s'arrêta, congestionnée, les yeux encore remplis de l'horreur de cette vision. Elle regardait maintenant Fortier en plein dans les yeux. Elle n'avait plus peur de parler.

— Alors, je me suis mise à hurler de toutes mes forces comme si on m'avait étranglée ou brûlée vive. La balle qui m'avait atteinte au cou, je ne l'ai même pas sentie sur le moment; j'étais folle de peur. Lorsque les coups ont cessé, j'ai relevé la tête. A travers le brouillard de mes larmes, j'ai vu, comme en rêve, Gontran porter le révolver à sa tempe et tirer. Comme dans un ralenti, je l'ai vu chanceler, puis s'écrouler. Alors, je me suis cachée la tête entre les mains et je me suis jetée par terre, comme si l'on avait bombardé l'école. Je ne me suis relevée que lorsque le professeur est venu me dire, en me prenant par le bras: « Lève-toi, Suzanne, tout est fini. »

L'adolescente suait à grosses gouttes, le visage gonflé par l'émotion. Ses mains tremblaient comme des ailes d'oiseau affolé. Fortier poussa vers elle un grand verre d'eau qu'elle avala d'une gorgée.

— D'après toi, Suzanne, quel genre de garçon était Gontran?

— Je l'aimais bien. Mais il semblait me mépriser. Le soir du party chez Gisèle, il a dansé avec moi. J'étais si heureuse! Il était timide et maladroit: c'est pour ça que je l'aimais bien. Et il était si intelligent! Il me racontait parfois des tas d'histoires sur les grands hommes comme Hitler, Staline et les autres. Il était toujours premier de classe. C'était un garçon renfermé; il ne parlait pas beaucoup. Très souvent, il me renvoyait brusquement lorsque je voulais lui parler. Je savais bien que je l'agaçais: il aimait trop Rachelle. Il la regardait. . .

— Comment sais-tu qu'il aimait tellement Rachelle? Il te l'a dit?

— Non, je crois qu'il ne l'a jamais dit à personne. Mais il la regardait avec de tels yeux! Si vous l'aviez vu, vous n'auriez pu en douter vous non plus. Parfois, il la regardait avec une telle intensité qu'il me faisait très peur. Lorsqu'elle lui parlait, il se durcissait et la traitait avec froideur. Aussitôt qu'elle allait trouver un autre garçon, il se remettait à la guetter comme une bête guette sa proie.

— Crois-tu que c'est vraiment Gontran qui a tué Rachelle et pourquoi l'aurait-il tuée?

— Non, je ne crois pas qu'il l'a tuée. Je ne vois pas pourquoi il aurait fait cela. Il l'aimait trop.

— Est-ce que tu sais que Gontran a raconté lui-même dans son journal comment il a tué Rachelle? Il a pu être tellement jaloux qu'il a décidé de la tuer après l'avoir violée.

Suzanne était consternée par cette révélation. Elle n'avait plus rien à dire. Elle baissa les yeux. Fortier de son côté venait d'oublier la question qu'il voulait poser. Un long silence se figea entre eux. C'est la jeune fille qui le brisa.

— Il a vraiment raconté ça dans son journal? Je ne peux pas le croire. C'était un garçon si doux! C'est vrai qu'il y avait parfois de la haine dans ses yeux. C'est vraiment mystérieux! Pourquoi a-t-il tiré sur nous dans la classe? Et pourquoi s'est-il suicidé tout de suite après? Je ne sais vraiment pas.

Fortier trouva enfin sa question.

— Crois-tu que Gontran a voulu tuer quelqu'un dans la classe?

— Oh! non. Il tirait comme un fou, au hasard. Une balle perdue m'a effleuré le cou. C'est tout. Pourquoi aurait-il voulu me tuer?

— Tu viens juste de dire qu'il te méprisait, que tu l'agaçais. . . Il avait peut-être pensé te tuer comme Stéphane. Et puis, souviens-toi que le soir du party, il a été profondément humilié par vous tous. Dans son journal, il parle même de vengeance.

— Non, je ne peux croire ce que vous dites. Il a tué Stéphane par accident.

— Mais des témoins m'ont affirmé qu'il cherchait quelqu'un avant de tirer le premier coup.

— Je n'ai rien vu. Mais je suis certaine qu'il s'est passé quelque chose de grave en lui, quelque chose que je ne peux pas expliquer. Ce n'est pas très clair, mais je le sens.

— Ce qui peut l'avoir bouleversé, c'est d'avoir tué Rachelle. Tu ne crois pas?

— Non, Gontran n'a pas tué Rachelle. C'est impossible. Gontran était trop bon. . .

Suzanne réfléchit un long moment, puis elle releva les yeux sur Fortier et dit avec un sanglot dans la voix:

— Gontran n'a pas fait ça. Il ne peut avoir fait ça. Je l'aimais. . .

Fortier prit le bras de Suzanne et la reconduisit jusqu'à la porte où il la confia à son adjoint. De retour à son bureau, le commissaire se dit que Suzanne avait peut-être raison. Il y avait quelque chose de pas très clair dans toute cette histoire.

34

Cette fois, ça y est. Je l'ai fait. J'avais juré de ne pas mourir avant d'avoir fait l'amour à une fille. Maintenant, c'est fait. . .

En sortant de l'école, Rachelle s'est dirigée vers moi.

— Est-ce que tu pourrais me donner un petit coup de main pour le devoir de maths? Je voudrais aussi préparer avec toi le test de chimie de jeudi. Tu serais très gentil si tu acceptais de venir chez moi pour travailler.

Je lui ai jeté un regard très dur mais au fond de moi tout souriait. L'occasion se présentait avant que je ne l'aie provoquée. J'ai fait semblant d'hésiter. Elle a insisté. Pour me gagner tout à fait, elle a ajouté:

— Tu sais, tu ne me croiras peut-être pas, mais l'autre jour, j'ai voté pour toi. C'est incroyable ce qui est arrivé. Les gars et les filles sont vraiment dégueulasses. Tu as si bien parlé. Tu aurais fait un excellent président.

J'ai accepté finalement. Chez elle, il n'y avait personne. Ses parents sont partis en vacances à Miami pour deux semaines. Elle vit seule et prépare elle-même ses repas.

Nous nous sommes mis tout de suite au travail. Nous étions assis l'un près de l'autre. Ses magnifiques cheveux noirs frôlaient parfois ma joue lorsqu'elle se penchait vers moi. Par la fenêtre de sa chambre, de gros nuages noirs flânaient dans un grand ciel vide. Je ne savais plus si c'était un rêve ou la réalité. C'était sûrement une sorte de cauchemar, un merveilleux cauchemar.

Nous avons travaillé une heure. A côté d'elle, je me sentais pris de vertige. Je respirais le parfum subtil de son corps, de sa bouche, de ses cheveux. J'avais le coeur en émeute. Ses yeux pleins d'ombre et de rêve se posaient doucement sur moi.

Il commençait à faire sombre déjà. Et dans la lumière, l'ombre de Rachelle caressait mon ombre. Il me venait de violents désirs de la saisir dans mes bras et de l'embrasser. Mais j'avais peur qu'elle me repousse avec horreur ou avec dédain.

J'avais une question à lui poser. Et cette question est venue subitement; elle est sortie de ma bouche presque malgré moi. C'était l'autre en moi qui la prononçait à mon insu.

— Rachelle, est-ce que c'était toi, cet été, dans l'atelier de Jérôme?

La question l'a traversée comme un coup de poignard. Elle s'est arrêtée d'écrire et elle ne m'a pas regardé tout de suite. Elle a gardé le silence en fixant sa feuille de chiffres. Puis elle a dit en murmurant, la gorge étranglée par l'émotion:

— Oui, Gontran, c'était moi. Et je sais que tu m'as reconnue malgré la pénombre.

— Mais pourquoi. . . pourquoi, Rachelle?

— J'ai besoin d'argent. Je veux être indépendante de ma mère. C'est un moyen facile d'en faire.

— Et ce n'est pas désagréable.

Elle n'a pas répondu à mon insinuation. Alors la foudre m'a traversé le corps et l'esprit et je lui ai demandé:

— Est-ce que pour moi, juste pour moi, tu voudrais te déshabiller?

Elle n'a pas répondu. Elle est devenue toute blanche comme la dame noire. Elle s'est levée et elle a commencé à se déshabiller dans la crudité de la lumière électrique. A mesure qu'elle enlevait ses vêtements, son corps divin m'apparaissait morceau par morceau. Je croyais rêver. Je ne pouvais plus contenir ce désir qui m'exaspérait.

Une fois toute nue, elle a levé les yeux et m'a regardé en souriant. Il y avait une flamme sauvage qui dévorait ses beaux yeux noirs. La peau de son visage lui faisait comme un masque éclatant de beauté perfide. Alors, elle a murmuré ces mots que je ne croyais jamais avoir le bonheur d'entendre:

— Viens, Gontran, viens faire l'amour avec moi.

Pendant que je me déshabillais, elle s'est étendue sur son lit. Je me suis étendu à mon tour à côté d'elle. Nous nous sommes embrassés goulûment. Mes mains ont couru fébrilement sur sa peau pendant que les siennes me faisaient frémir des pieds à la tête. Tout à coup, comme un ouragan qui se déchaîne, nous nous sommes caressés sauvagement comme deux bêtes. C'était merveilleux! Merveilleux!

Mais à mesure que le cérémonial avançait, je sentais que la réalité tournait en cauchemar. Je me laissais tomber dans cet abîme de mes nuits. A mesure que je descendais, tout devenait irrémédiable. J'ai jeté ma langue dans sa bouche comme une ancre à la mer. Nous faisions l'amour à l'envers, du côté de la haine. Car si elle me haïssait de la violenter, moi, je la haïssais de me résister. A un moment donné, je me suis heurté au métal de ses yeux noirs, trop noirs pour dire l'amour.

Lorsqu'est venu le moment suprême, tout a craqué et je n'ai pu finir le cérémonial. J'ai eu le coeur ébloui par la haine. J'avais les yeux crevés par des visions insoutenables. Se peut-il qu'il y ait tant de haine dans tant d'amour?

Alors une rage féroce s'est emparée de moi. J'étais humilié et blessé comme jamais auparavant. Une idée de sang m'a traversé. J'ai demandé à Rachelle de se coucher à plat ventre. Mes yeux fous la terrorisaient. Elle croyait peut-être réussir à m'apaiser en m'obéissant à la lettre. Mais il ne fallait pas, non, il ne fallait pas, Rachelle.

Pourquoi, Rachelle, m'as-tu obéi? Il fallait fuir. J'étais devenu une bête sauvage altérée de sang et de mort. Pourquoi Rachelle?

Lorsqu'elle a été sur le ventre, j'ai pris dans ma serviette les menottes. Je les lui ai passées aux poignets. J'ai dû lui tenir solidement les mains car elle criait et se débattait. Mais j'ai profité de sa surprise pour la maîtriser.

— Qu'est-ce que tu fais, Gontran? Tu es devenu fou? Enlève-moi ça, tout de suite. Nous allons recommencer et cette fois, tu verras. . .

Mais il était déjà trop tard. Toute ma vengeance se réveillait en moi. L'autre agissait. J'étais sa marionnette, son pantin et j'obéissais moi aussi, comme Rachelle. C'est ainsi que j'ai réussi à finir le cérémonial.

Mais je n'étais pas content. La honte s'épaississait en moi. Je me sentais toujours tomber dans mon abîme. Le noir m'enveloppait de sa caresse aveugle et pourrie.

Je me suis couché sur elle et j'ai pleuré. Les larmes me venaient avec abondance. Je ne pouvais plus rien retenir. Je me laissais tomber pour la dernière fois.

— Je vais être obligé de te tuer, Rachelle. Je ne pourrai jamais te posséder et je ne peux pas supporter l'idée qu'un autre te possède. Et pourtant, je t'aime, je t'aime, Rachelle.

Elle s'est mise à crier à perdre haleine. Personne ne pouvait l'entendre. J'ai défait ma ceinture et je l'ai frappée de toutes mes forces. Chaque coup était pour moi comme une caresse. Elle hurlait à fendre l'âme. Chacun de ses hurlements était pour moi un mot d'amour. Épuisé, je me suis laissé tomber sur une chaise.

Rachelle s'est mise à m'insulter et à m'injurier:

— Gontran Gauthier, tu n'es qu'un petit salaud, une brute, une bête, je ne t'aime pas, je ne t'ai jamais aimé et je ne t'aimerai jamais avec tes gros yeux de poisson, tes boutons qui te pourrissent la figure. Tu n'es qu'un sale petit sadique. Tu ne seras jamais capable d'aimer une fille. Tu es un impuissant, un impuissant!

Ma tête, mon corps n'étaient plus qu'un immense tourbillon de délire. Je me suis jeté sur elle et je l'ai frappée à la figure. J'ai saisi les feuilles de chiffres sur la table, je les ai chiffonnées et je lui ai bourré l'entrecuisse avec cette boule de papier. J'ai pris un briquet sur sa table de nuit et j'ai mis le feu au papier.

Rachelle ne criait plus, Rachelle ne m'injuriait plus. A son tour, elle était profondément impuissante et humiliée. Ses yeux verrouillés par la peur, ses yeux gonflés d'horreur, ses yeux de poisson, elle aussi, ses yeux fichés dans les miens comme des flèches. A un moment, elle a hurlé sourdement comme une bête qui souffre. Je me suis mis à rire comme un dément.

Le feu a pris très vite: les couvertures, le matelas. J'ai eu juste le temps d'admirer encore une fois ses seins blancs habillés de ses longs cheveux noirs. . . son corps de neige et de givre. . . le buisson ardent de son sexe. . . Rachelle, j'embrasse ta bouche absente!

La chambre s'est remplie de fumée rapidement. Je suffoquais. Alors, je me suis réveillé subitement. J'ai compris ce que je venais de faire. J'ai crié à travers les flammes et la fumée:

— Et pourtant, je t'aimais, Rachelle, je t'aimais. Nous nous rejoindrons dans le royaume de la mort et nous serons heureux. . . heureux. . .

J'étouffais. Je suis sorti de sa chambre en courant. Personne ne m'a vu fuir et personne ne m'a vu arriver à la maison.

Je ne croyais vraiment jamais réussir à écrire tout cela. Maintenant, c'est fait. La mort se referme sur moi. Je ne sais pas encore si je mettrai le feu à la maison tout à l'heure ni si après je me tuerai.

Ma solitude est à nu. Elle a froid dans toute cette chaleur. Mon jardin se referme sur moi et m'étouffe comme une mauvaise herbe. Tout autour de moi prend la couleur de mon âme incolore.

Je patauge dans le noir. Je nage, déjà noyé, dans l'absence de vie. Je moisis dans ma terrible solitude. Je ne peux faire l'amour qu'à la mort.

Mais, maintenant, je peux accueillir la mort puisque j'ai vécu. La mort enlace les jours qui me restent. La danse macabre est déjà commencée. Je voudrais mourir dans un grand spasme d'amour, les yeux encore engourdis par mes rêves. Mon corps est un cercueil où j'ai enseveli mon âme. Je meurs de faim entre deux bouchées de vie. Je suis une fleur de fumier qui ne s'épanouira jamais. La mort, c'est juste un peu de vie qui bascule tout à coup. Je suis veuf de la vie et amant de la mort.

Les flèches de la peur plantées dans le sang, j'observe le vent violer le feuillage des arbres pendant que le petit jour bat de l'aile sous un soleil fané par une aube déjà grise.

35

D'un témoignage à l'autre, Fortier voyait s'accumuler des détails qui ne tournaient pas rond. Il y avait des grains de sable dans les rouages, mais il n'arrivait pas à rassembler tous les grains pour en faire quelque chose de significatif.

Il lui restait encore quelques témoins à entendre. Il consulta sa liste, se leva et alla ouvrir la porte à une dame qui attendait, semblait-il, depuis longtemps, dans le couloir.

C'était le prototype même de la bonne mère de famille moyenne. Aucun charme particulier. Un peu boulotte. En la regardant s'approcher, Fortier l'imagina avec des bigoudis tout autour de la tête. Les ongles de cette femme gardaient des reliquats de rouge aux entournures. Fortier supportait difficilement les écailles de vernis sur les ongles d'une femme. Il ne savait pas trop pourquoi mais ça le dégoûtait. Lorsqu'au restaurant, une serveuse avait les ongles dans cet état, ça lui coupait l'appétit. Il attachait beaucoup d'importance aux mains des femmes. Les ongles cassés, encrassés, trop longs ou trop courts, gâchaient selon lui les mains féminines.

On pouvait se demander si cette femme avait été jolie dans sa jeunesse. C'était difficile à imaginer. Comment une telle femme avait-elle pu s'attacher un homme et se faire faire des enfants? C'était là un des grands mystères de la nature humaine. Les yeux étaient globuleux et chassieux. Tout croulait en elle: les joues, le menton, les seins, le ventre. Les jambes, grosses et courtes, réussissaient à soutenir l'ensemble comme par miracle. Enfin, Fortier prit la résolution de faire vite avec ce témoin.

La femme prit place. Elle mangeait le commissaire des yeux comme s'il avait été l'envoyé de quelque dieu inconnu. Elle commença tout de suite à parler sans attendre les questions.

— Je raconterai tout ce que j'ai vu ce soir-là, monsieur le commissaire. Je me suis toujours dit qu'il fallait aider la police contre les criminels. Je suis à votre entière disposition.

— Vous êtes bien madame Juliette Duval?

— Oui, monsieur, et mon mari est électricien. C'est un homme honnête qui dit que la jeunesse d'aujourd'hui aurait besoin d'un peu plus de discipline. Et je suis de son avis. On leur donne tout, à ces jeunes. Ils ne savent plus quoi faire de leur liberté. Dans mon temps, on n'aurait jamais laissé une jeune fille toute seule à la maison recevoir les garçons. Au fond, il y a des parents qui manquent à leur devoir, et les jeunes en profitent un peu trop, vous ne pensez pas?

— Est-ce que vous voulez dire que la jeune Rachelle recevait plusieurs garçons en l'absence de ses parents?

— Oh! monsieur le commissaire, si vous aviez vu ça! Ça ne dérougissait pas. Tenez, le soir de sa mort, avant le petit Gauthier, il est venu un autre garçon, le même qui était venu la veille. Je n'ai pas l'habitude de surveiller mes voisins. Je me dis toujours: chacun son affaire et tout le monde sera heureux. Si mon mari me surprenait à espionner les voisins, je crois qu'il serait capable de me battre. Mais quand on a des yeux, on ne peut pas toujours s'empêcher de voir. Et cette jeunesse d'aujourd'hui, elle n'est pas très discrète, vous savez. Ils boivent trop de Coke; ça leur donne des joues pleines d'acné. Je ne peux pas supporter ces petites bouches de volcan prêtes à entrer en irruption. Leurs boutons, ça me fait lever le coeur. Et puis, je vous le dis, ces jeunes ont l'oreille gâtée par les bruits musicaux, enfin ce qu'ils appellent de la musique; ils ont l'âme rongée par les drogues, la cervelle avariée par leurs grandes petites idées, l'esprit chaviré par le vide, les lèvres gonflées de gros mots. Ils sont tous de vrais rats de discothèque.

Fortier ne put s'empêcher de sourire. Madame Duval avait dû lire ça quelque part et elle le répétait avec délectation.

— La petite Rachelle restait des heures avec des garçons. Une honte, je vous dis, une vraie honte! Je l'avais dit aussi à sa mère de surveiller un peu plus sa fille. C'était une bonne fille dans le fond. Mais sa mère est plutôt du genre entêté. Elle m'a toujours reproché d'être trop sévère avec les miens. Ça devait arriver. Moi, en bonne voisine, je lui ai dit une fois, seulement une fois, qu'elle devrait donner un peu de discipline à sa belle Rachelle qui s'amusait toujours à chatouiller les sens des garçons. Vous voyez ce que je veux dire. C'était une bonne petite fille. Ce n'est pas moi qui va dire du mal des autres. Mais elle se conduisait parfois comme une petite garce. Moi, j'en ai un à la maison, mon Yvon. Il a maintenant quatorze ans et vous savez, à cet âge, ça commence à regarder à travers les clôtures. Eh bien! mon Yvon, qui est bon comme du bon pain, il tournait autour de la Rachelle. Je lui défendais de lui parler; mais elle, elle l'attirait toujours par des sourires par-ci, et des sourires par-là. L'été, elle se promenait partout en bikini et vous savez, la Rachelle, c'était déjà une femme. Elle en avait une jolie paire qu'elle montrait aux trois quarts. Excusez-moi, monsieur le commissaire! Mais il faut dire ce qu'il faut dire. C'est bien simple, quand je la voyais, le sang me montait à la tête. Je pensais à mon pauvre Yvon, un enfant qui ne pense jamais à mal et qui n'aime que le sport. Avec son bikini, la Rachelle venait lui tâter les sens malgré lui. C'est pas croyable! Alors, je l'ai dit à sa mère, mais elle m'a envoyée promener en disant qu'aujourd'hui, les jeunes sont plus dégourdis et plus responsables que dans notre temps. Elle disait même qu'on n'était que des niaiseuses. Je crois qu'elle a eu Rachelle avant son mariage. Alors, c'est pas surprenant! Mon mari m'a toujours dit de ne pas m'occuper des autres, mais il faut que certains parents fassent leur devoir un peu plus que les autres, autrement, où est-ce qu'on s'en va, je vous le demande!

Fortier pensait que cette machine à parler n'allait jamais s'arrêter. Il en profita pour passer à la question suivante.

— Très bien, madame. Revenons à ce fameux soir. Est-ce que vous avez vu le jeune Gontran entrer chez Rachelle?

— Bien! à vrai dire, je ne l'ai pas vu très bien, mais je suis certaine que c'était lui. Il faisait déjà un peu noir. Vous savez, à l'automne, les journées raccourcissent très vite. Je l'ai vu entrer. Lorsqu'il est passé dans la lumière de l'entrée, j'ai vu son visage.

— L'aviez-vous vu venir souvent chez Rachelle?

— Non, je crois qu'il n'était jamais venu avant. . . mais. . .

— Alors, comment avez-vous pu le reconnaître?

— J'ai vu son portrait dans les journaux. Je l'ai reconnu tout de suite.

Impatienté, Fortier lui tendit la photo de Stéphane qui avait aussi paru dans les journaux.

— Est-ce que c'était ce garçon, madame?

— C'est en plein lui, monsieur le commissaire. Je le reconnaîtrais entre mille. Je suis sortie pour balayer les marches de l'entrée et, sans faire exprès, je l'ai vu arriver.

— Est-ce qu'il portait quelque chose dans ses mains, des livres, une serviette ou un paquet quelconque?

Pour la première fois, madame Duval hésita. Elle passa sur ses lèvres une langue épaisse et très rouge, puis finit par répondre:

— Je crois que oui. Mais je n'en suis pas sûre. Vous savez, je ne prête jamais attention aux gens qui viennent chez les voisins. Après tout, ça ne me regarde pas. Vous êtes bien de cet avis, monsieur le commissaire? Alors, je ne sais vraiment pas.

— Combien de temps, d'après vous, Gontran est-il resté chez Rachelle?

— Oh! en temps normal, je ne pourrais vous le dire parce que moi, le temps! Comme dit mon mari, on jurerait que je suis dans l'éternité. Je n'ai pas d'heure pour me lever ni pour me coucher. Je fais les repas quand j'ai faim, et mon mari, ça le met en beau maudit parce que lui, des fois, il a faim avant moi. . .

— Madame Duval, mon temps est précieux. Voudriez-vous répondre à ma question?

— Oui, très bien, monsieur le commissaire. Il est resté vingt-cinq minutes. C'est par hasard que je le sais. En le voyant entrer, je me suis aperçue que ma montre était arrêtée. Je ne sais pas pourquoi, c'est une bonne montre pourtant. Mon mari me l'a donnée à Noël, l'année dernière. Mais ma montre s'est arrêtée. . . Alors je l'ai remontée; et lorsque Gontran est sorti, j'ai vérifié si ma montre marchait toujours.

— Madame Duval, pouvez-vous affirmer que le jeune Gontran est resté juste vingt-cinq minutes chez Rachelle?

— Ah! monsieur le commissaire, je peux le jurer sur la tête de ma mère qui va mourir bientôt, la pauvre! Elle est très malade: le cancer. Ça ne pardonne pas. Elle est bien basse. Encore aujourd'hui, ma soeur m'a téléphoné. . .

— Très bien, très bien! Et lorsque vous avez vu, par hasard, bien entendu, le jeune Gontran sortir, est-ce que vous avez remarqué quelque chose d'anormal? Est-ce qu'il courait par exemple?

— Il faisait encore plus sombre. Vingt-cinq minutes à l'automne, ça compte. Quand ils allument les réverbères, on dirait que la nuit est encore plus noire. Je ne l'ai pas très bien vu. Non, il ne courait pas, mais il marchait d'un bon pas comme quelqu'un qui veut fuir. Il semblait courbé sous le poids de quelque chose. On aurait dit un homme de soixante ans. Ça se comprend, avec ce qu'il venait de faire! N'importe qui se serait senti coupable. Bien que ça me surprenne chez un jeune d'aujourd'hui. Ils peuvent assassiner leur père et leur mère en riant et en disant: « C'est ben le fun. » C'est d'ailleurs la réflexion que je me suis faite en le voyant et je me suis dit. . .

— Quand avez-vous constaté qu'il y avait un incendie chez Rachelle?

— Quand Gontran est sorti, j'étais assise sur mon balcon. Mon mari regardait la série mondiale à la télévision. Il aime ça comme un fou, le baseball. Moi, je ne comprends rien à ce jeu de fous, mais lui, ça le repose. Yvon était avec lui. Moi, je me reposais en regardant les gens passer dans la rue. Le petit Gontran était parti depuis plusieurs minutes lorsque j'ai vu de la fumée sortir par une fenêtre. Rachelle avait laissé une fenêtre ouverte car il faisait chaud ce soir-là.

— Et qu'est-ce que vous avez fait alors?

— D'abord, j'ai pensé que j'avais la berlue, comme disait ma mère. Puis j'ai couru et j'ai essayé d'entrer dans la maison. Mais il y avait trop de fumée. J'étouffais. Vous savez, on a beau ne pas se mêler de la vie des voisins, quand il faut rendre service, Juliette est toujours là. Même si je risquais ma vie, je voulais secourir cette pauvre Rachelle. Elle avait beau être une petite garce, du monde c'est du monde, surtout du monde dans le besoin. Quand j'ai vu que je ne pouvais pas entrer, je suis revenue à la maison et j'ai dit à mon mari que le feu était pris chez les voisins et que Rachelle était dans la maison. Il m'a dit d'appeler les pompiers, que lui, il regardait le baseball, son travail était fait, que c'était le travail des pompiers. Vous savez, mon mari, c'est un drôle de type! Un bon travaillant, toujours à son affaire. Mais il a pour son dire que chacun se débrouille dans la vie et fasse son chemin. Lui, il l'a bien fait! En un sens, il a raison. Mais moi, je ne suis pas faite comme lui. Alors, j'ai appelé les pompiers et ils sont venus. J'ai vu l'ambulance repartir avec le cadavre carbonisé. C'était affreux, monsieur le commissaire. On aurait dit que les pompiers le faisaient exprès pour ne pas envelopper tout à fait le cadavre. On pouvait voir une jambe toute noire et une main aussi. Il y avait plein de monde partout. . .

Fortier se demandait comment il arriverait à endiguer ce flot verbal qui déferlait dans son bureau. Il coupa court:

— Alors, madame Duval, vous n'avez pas d'autre chose à me dire?

— Vous savez, monsieur le commissaire, j'étais malade de chagrin. Je pensais à ses parents à Miami. Je ne crois pas qu'ils l'aimaient beaucoup, mais quand c'est votre enfant, ça doit faire quelque chose tout de même. . .

— Très bien, madame. Votre témoignage m'a été très précieux. Si j'ai besoin de vous, je vous ferai signe.

— Surtout, n'hésitez pas, monsieur le commissaire. Je suis toujours à la disposition de la justice. J'espère que cette histoire épouvantable va donner une bonne leçon aux parents et aux jeunes. C'est incroyable, une affaire pareille!

Madame Duval parlait encore dans le couloir lorsque Fortier referma la porte en poussant un grand soupir. Appuyé contre le mur, il resta songeur. Cette femme avait jeté, elle aussi, deux ou trois petits grains de sable dans les rouages.

36

En fin de journée, Fortier avait appris avec soulagement que la mère de Rachelle était arrivée de Miami juste à temps pour l'interrogatoire. Il tenait à la voir le premier. Bien sûr, madame Lanctôt avait appris la tragique nouvelle, mais elle devait sans doute connaître très mal les circonstances qui avaient entouré la mort de sa fille. Fortier voulait chasser de son esprit le profil que madame Duval avait esquissé de la mère de Rachelle. Il voulait aborder l'interrogatoire sans aucun préjugé envers cette dame qui laissait seule à la maison sa fille de seize ans pendant qu'elle allait se faire rôtir sous le chaud soleil du Sud. Ce n'était pas facile.

Une grande femme à la chevelure très noire, à la taille très mince, une véritable beauté malgré le chagrin qui l'accablait visiblement, entra dans le bureau du commissaire. Elle s'avança sans dire un mot. Rachelle était bien la fille de sa mère. Elle avait hérité de sa beauté jusque dans les moindres détails: les mêmes yeux bleu foncé, la même bouche légèrement sensuelle, le même menton autoritaire. Madame Lanctôt devait avoir franchi la quarantaine, mais elle gardait, encore diffuse, la fraîcheur de la première jeunesse. Elle aurait pu, sans trop d'efforts, faire tourner la tête à plusieurs adolescents. Fortier fit un rapprochement inattendu entre la marchande de tabac et le goût de Gontran pour les femmes plus âgées que lui.

Madame Lanctôt ramena un peu sa robe sous elle avant de s'asseoir devant le commissaire. Elle croisa des jambes d'un galbe parfait. Fortier la fixa pendant quelques secondes. Elle semblait avoir beaucoup pleuré. C'est elle cependant qui parla la première.

— Monsieur le commissaire, dès la réception de votre télégramme, je me suis empressée de prendre le premier avion et me voici. C'est terrible ce qui m'arrive, ce qui est arrivé à Rachelle. Vous ne pouvez savoir comme je me sens coupable de sa mort. Je n'aurais jamais dû partir pour le Sud. Elle s'y était opposée de toutes ses forces. . . Comment tout cela est-il arrivé?

— Madame Lanctôt, le soir du 29 septembre dernier, Rachelle a laissé entrer un jeune homme dans votre maison, un camarade de classe du nom de Gontran Gauthier. Je dois vous parler sans détour, même si les détails de cette affaire sont pénibles pour vous. Ce garçon l'a frappée, attaquée et violée. Finalement, il a mis le feu à son lit et s'est enfui. L'incendie s'est vite propagé. Malheureusement, à l'arrivée des pompiers et de la police, votre fille était déjà morte, carbonisée. Selon le médecin-légiste. . .

— Est-ce qu'on a arrêté ce garçon?

— Le lendemain, Gontran Gauthier est entré dans sa classe, a tiré sur ses camarades, en a tué un et blessé plusieurs autres. Finalement, il s'est tiré une balle dans la tête. Voilà, en résumé, la situation, madame.

— Mais c'est un crime épouvantable! Comment peut-on imaginer qu'une telle chose puisse arriver. . . et à ma fille? Et. . . qu'est-ce que vous désirez savoir de moi?

— Voilà, madame. Comme nous connaissons déjà le coupable, mon enquête a simplement pour but d'établir et d'expliquer les faits dans la mesure du possible. Toute la journée, les personnes qui sont entrées en contact étroit avec Gontran sont passées dans mon bureau pour répondre à mes questions. Il ne s'agit pas d'accuser celui-ci ou celui-là. Mais j'ai besoin d'en connaître davantage et sur Gontran et sur votre fille. Ces deux jeunes sont au centre du drame. C'est pourquoi je vous ai fait venir de toute urgence. Vous vous doutez bien que les journalistes sont en train de monter toute une histoire autour de ce drame qui a frappé les imaginations. Je dois être en mesure de répondre le plus tôt possible à leurs questions pour faire la lumière sur cette pénible histoire. Certains parents ont déjà fait des pressions pour que la police arrête des adolescents que l'on prétend dangereux. Avant que cette histoire ne prenne des proportions exagérées, je dois rassurer la population et ainsi éviter que l'on prenne, sous le choc de ce drame, des mesures extrêmes que l'on regretterait par la suite.

— Je comprends très bien, monsieur le commissaire. Je suis prête à répondre à toutes vos questions.

— Ma première question est très personnelle, mais je dois vous la poser pour comprendre le milieu familial dans lequel a vécu Rachelle. Madame Lanctôt, vivez-vous présentement avec votre mari?

— Oui, je vis avec mon mari. Enfin, je veux dire que nous habitons officiellement la même maison. Mais je dois avouer que tout est fini entre lui et moi depuis longtemps. Et Rachelle le savait.

— Vous m'avez dit que Rachelle s'était opposée à votre voyage dans le Sud. Croyez-vous qu'elle avait de bonnes raisons de le faire?

— Je crois qu'elle savait ou du moins se doutait que j'allais retrouver un autre homme. Depuis un certain temps, elle ne pouvait plus accepter la mésentente entre son père et moi.

— Est-ce que Rachelle peut avoir ressenti votre départ comme une trahison envers elle? Est-ce que sa conduite n'aurait pas été une sorte de vengeance envers vous ou envers votre mari?

— Je répondrai franchement à votre question. J'allais effectivement retrouver un autre homme dans ce voyage. Il est mon amant depuis trois ans. Mon mari le sait mais il me laisse entièrement libre de mes actes. Il ne veut pas divorcer à cause de Rachelle. Mais il ne tenait pas tellement à sa fille. Il a une maîtresse. Parfois, il fait un saut à la maison pour voir à ses affaires. Comme il possède une compagnie de transport, il nous donne tout l'argent dont on a besoin sans le moindre problème. Mais je dois dire que Rachelle a beaucoup souffert de cette situation. Je peux vous donner l'adresse de mon mari. Mais je doute qu'il vienne à un interrogatoire à moins d'y être formellement convoqué. Il s'est complètement désintéressé de nous depuis cinq ans.

— Je verrai plus tard s'il est nécessaire de le convoquer. Je voudrais savoir si vous connaissiez la conduite de votre fille avec les garçons. Plusieurs témoins me l'ont décrite comme une très jolie fille, aimant s'entourer de garçons, jouant à les provoquer et à les séduire. On m'a dit aussi que vous la laissiez très libre.

— Oui, je dois l'avouer. Quand des parents donnent à une enfant comme Rachelle un si mauvais exemple, c'est difficile ensuite de lui imposer une conduite très sévère. Elle m'a souvent affirmé qu'elle ne se marierait jamais, qu'elle se paierait tous les hommes qu'elle voudrait et, une fois fatiguée d'eux, qu'elle les enverrait paître. Elle voulait faire payer à tous les hommes l'abandon de son père. Elle trouvait complètement stupide qu'une femme qui peut séduire n'importe quel homme se marie et porte les chaînes d'un seul. Les jeunes d'aujourd'hui ont souvent les idées larges, trop larges. Moi, je me taisais. Je n'avais pas de leçon à lui donner, n'est-ce pas?

— Mais vous avez quand même abandonné Rachelle à votre tour, comme son père, pour faire ce voyage: double abandon. Je peux paraître vous faire un reproche sévère, madame, mais je tente tout simplement d'examiner s'il n'y a pas dans la mort de votre fille, une certaine provocation, consciente ou inconsciente. Je ne sais pas. Jusqu'ici, on a accablé le jeune Gontran de tous les torts mais Rachelle n'est peut-être pas la petite victime innocente que l'on cherche à décrire dans les journaux. Les témoignages entendus jusqu'ici me portent à penser autrement.

— J'avoue que Rachelle était une très jolie fille et que les garçons couraient après elle. Évidemment, chez une jeune fille belle et séduisante, il y a toujours un certain goût d'attirer l'attention des garçons de son âge et même des hommes en général. Mais je ne crois pas qu'il y ait eu provocation de sa part. C'est vraiment aller trop loin.

— Connaissiez-vous ce jeune Gontran Gauthier? Je veux dire: est-ce qu'il est déjà allé chez vous pour travailler avec Rachelle, ou est-ce qu'il l'a déjà invitée à sortir une fois ou l'autre?

— Non, je ne le connaissais pas. Rachelle m'a déjà parlé de lui à l'occasion. Elle le trouvait bizarre. Gontran l'intriguait beaucoup.

— Croyez-vous qu'elle était un peu amoureuse de ce Gontran?

— Je ne saurais vous le dire. Rachelle n'était amoureuse d'aucun garçon, je crois. Elle était amoureuse de l'amour et elle comptait bien mener sa vie comme elle l'entendait. Je ne crois pas qu'elle serait tombée amoureuse d'un garçon. Mais peut-on vraiment affirmer une telle chose quand on connaît un peu le coeur d'une femme?

— Vous a-t-elle déjà parlé d'un certain party qui a eu lieu chez une camarade de classe nommée Gisèle? Durant ce party,

Gontran s'était ridiculisé pour tenter d'attirer l'attention de Rachelle.

— Non, elle ne m'en a jamais parlé. Elle sortait beaucoup. Il nous arrivait de parler à l'occasion de ses sorties mais en termes très généraux.

— Gontran affirme qu'il aurait eu en sa possession une revue dans laquelle Rachelle aurait posée nue.

— Même si Rachelle était une aguicheuse de garçons, je ne crois pas qu'elle ait été intéressée par ce genre de choses. Bien sûr, je ne suis pas idiote, et je crois qu'à quinze ans, elle connaissait déjà l'acte physique de l'amour. Mais je ne crois pas qu'elle était exhibitionniste.

— Pourtant, Gontran écrit dans son journal que Rachelle a posé nue pour un peintre-sculpteur nommé Jérôme.

— Elle ne m'en a jamais parlé. Mais je pense qu'elle était capable de poser nue pour un peintre. Je l'ai souvent surprise durant sa toilette en train d'admirer son corps dans un miroir. Elle me faisait souvent des observations esthétiques sur son corps et le mien.

Fortier avait maintenant la conviction que Rachelle tenait bien de sa mère. Madame Lanctôt, inconsciemment, adorait mettre ses charmes à l'épreuve en présence d'un homme. Et même devant lui, un homme dans la soixantaine, elle aimait voir s'allumer sur son corps le regard du mâle.

— Bien madame; je vous remercie d'avoir répondu à mes questions d'une façon aussi franche que directe. Si j'ai encore des questions à vous poser, j'espère pouvoir compter sur votre précieuse collaboration.

— N'hésitez pas, monsieur le commissaire. Il me faudra beaucoup de temps pour me remettre de cette tragédie. Entre mon mari et moi, tout est bien fini, maintenant que nous n'avons plus d'enfant.

Fortier reconduisit madame Lanctôt jusqu'à la porte. Une fois seul, il demeura longuement songeur avant de reprendre sa place derrière son bureau.

37

Fortier déposa le journal de Gontran sur son bureau. Il venait de relire une fois de plus ce petit cahier d'une centaine de pages, tissé d'une écriture fine et nerveuse. Il ouvrit le dossier de l'affaire Gauthier et parcourut en diagonale les différents témoignages. C'était maintenant terminé. L'enquête était finie. Il fallait classer l'affaire une fois pour toute. Au fond, Fortier se disait que ses supérieurs ne lui en demandaient pas plus. À quoi bon fouiller cette affaire?

Tout était bien clair. Un adolescent assez déséquilibré, obsédé par le sexe, impuissant, timide, explosait un jour. Il tuait une jeune fille après l'avoir violée d'une façon étrange puis il mettait le feu à la maison. Désespéré, il entrait le lendemain dans sa classe, un révolver à la main, et tirait au hasard, blessait un camarade qui mourait quelques heures plus tard à l'hôpital. Plusieurs autres étudiants étaient blessés par des balles perdues. Pour mettre un point final au drame, cet adolescent se tirait une balle dans la tête. Voilà tout.

Sur le point de classer le dossier, Fortier était encore troublé par plusieurs petits détails qui ne tournaient pas rond dans toute cette triste histoire. Certains témoignages concordaient avec le journal de Gontran, d'autres ne concordaient pas du tout. Les témoins avaient jeté une nouvelle lumière sur bien des facettes du caractère de Gontran. Mais que pouvait-on conclure de tout cela?

Deux hypothèses s'offraient à Fortier: ou bien les témoins disaient la vérité et alors, on pouvait conclure que le jeune Gontran était une sorte de mythomane qui se racontait des histoires qu'il n'avait jamais vécues; il partait vraisemblablement de personnes et de faits réels pour construire de petits romans à sa façon;

le professeur de français avait bien souligné que Gontran avait une imagination furibonde, mais dans son journal, tout ça tournait en une sorte de maladie mentale qui frisait la folie.

Ou bien Gontran disait la vérité, et alors, plusieurs témoins mentaient. Et pourquoi mentaient-ils? Pour protéger qui ou quoi? Il était invraisemblable de penser une seule seconde que plusieurs de ces témoins pouvaient être à leur tour des mythomanes inventant des témoignages parfaitement hallucinants.

Fortier tapota du bout de l'index le papier rude du cahier. Il jeta un coup d'oeil au dossier. Il avait lu et relu tous ces témoignages en tâchant de se rappeler avec minutie chacune des attitudes des témoins. Là aussi, plusieurs détails clochaient, mais il n'arrivait pas à déterminer lesquels au juste.

Le commissaire n'avait pas pensé à une troisième hypothèse, mais cette fois, elle lui sauta à la figure; Gontran et les témoins disaient tous, à leur façon, une partie de la vérité. Mais comment reconstituer la vérité entière? Non, il valait mieux ne plus penser à toute cette affaire.

Pourtant, Fortier ne se décidait pas à fermer le dossier de gaieté de coeur. Rarement, dans sa longue carrière, il s'était senti aussi impuissant. C'était sûrement sa dernière enquête.

Malgré l'apparente simplicité de cette affaire, il avait le sentiment d'avoir échoué. Échoué en quoi? Il ne le savait pas. Mais il n'appréciait guère ce petit pincement au coeur et à la poitrine qui l'avertissait de quelque chose.

Fortier se promit d'y réfléchir encore une fois avant de remettre son rapport définitif. Il avait accepté cette affaire pour remplir les derniers jours de sa carrière, juste avant sa retraite. Il savait bien qu'à son âge, on ne lui confierait plus de causes importantes. Il avait donc fait son travail le plus consciencieusement possible; il n'avait rien à se reprocher. Ce pincement au sternum l'avertissait tout de même mais de quoi? Jamais il ne s'était retiré d'une enquête avec autant d'amertume, d'inquiétude et d'incertitude.

38

— Ne touchez à rien. J'arrive tout de suite.

Fortier raccrocha.

Lorsqu'il arriva chez les Gauthier, on le conduisit tout de suite au sous-sol dans la chambre de Gontran. Georges Gauthier gisait de tout son long sur le lit de son fils. Un grand trou étoilé de sang à la tempe. Un vieux revolver rouillé à la main.

Le médecin-légiste Villemaire était penché au-dessus du cadavre. Du sous-sol, on entendait les gémissements de madame Gauthier et de sa fille, Irène. Fortier jeta un regard interrogateur à son adjoint.

— Le médecin leur a donné un calmant, répondit l'adjoint.

En apercevant le commissaire, Villemaire crut bon de lui rappeler ses intuitions.

— Monsieur Fortier, je vous l'avais bien dit que cette histoire n'était pas si simple. Ce suicide vient jeter plus de lumière ou, je dirais plutôt, plus d'ombre sur cette affaire. Ca me rappelle étrangement le meurtre de la veuve Gagnon, vous vous souvenez? Le suicide de son fils quelques semaines plus tard?

Mais devant le regard perçant de Fortier, Villemaire comprit qu'il ne devait pas aller plus loin. Il s'en prit aussitôt à l'adjoint et lui infligea le reste de l'histoire pendant que Fortier examinait le cadavre. Finalement, dans la poche-revolver du veston, il trouva une liasse de feuilles. L'écriture était nerveuse, irrégulière mais Fortier put en déchiffrer d'abord les premières lignes.

A Monsieur le commissaire Fortier,

Je fais cette confession en toute lucidité d'esprit avant de me donner la mort.

Je dois commencer par le début si je veux bien me faire comprendre. Comme vous le savez, j'ai fait la guerre de 39-45. C'était terrible. A la maison, je parlais toujours des beaux côtés de la guerre, j'exaltais les hauts faits d'armes, je montrais mes décorations à Gontran et j'en paraissais fier. La guerre a été pour moi une grande école, une dure école bien sûr, mais je lui dois beaucoup. J'aurais aimé que Gontran devienne officier comme moi car la jeunesse actuelle est molle, oisive, droguée. J'avais tellement peur que Gontran ne suive cette route de perdition. Mais. . .

Mais la guerre n'a pas toujours été rose pour moi. Il y a eu des moments horribles. Les premières années, tout allait bien: on se battait homme contre homme, char contre char, arme contre arme. On tuait et l'on risquait d'être tué à son tour. Le danger entretenait en moi une sorte d'exaltation que je ne saurais décrire. Mais quand est venue la fin de la guerre, ça été tout à fait écoeurant. Une boucherie! Lorsque l'ennemi s'est recroquevillé sur luimême, lorsqu'il a commencé à agoniser sous nos yeux, on nous a ordonné de continuer à frapper, à tuer, à détruire tout sur notre passage. Les quelques semaines que j'ai vécues alors ont été pour moi un véritable cauchemar. Ce n'était plus la guerre mais un massacre, un assassinat à grande échelle, un pillage ahurissant. Des hommes armés s'attaquaient à des soldats désarmés, à des adolescents hagards et affolés, à des civils paniqués, à des vieillards, à des femmes, à des enfants même. Je me sentais avili, meurtrier, presque un barbare égaré en pleine civilisation.

Le docteur Villemaire, une fois son histoire racontée, jugea bon de se retirer. Fortier resta seul avec son adjoint qui s'empressa de prendre des notes sur la disposition du cadavre et de la chambre. Fortier reprit sa lecture.

« Un jour, on nous a ordonné de passer à la grenade tout un village allemand. Il fallait faire prisonniers tous ceux qui se rendaient. Les autres, on devait les fusiller à bout portant s'ils voulaient fuir ou les faire sauter à la grenade s'ils persistaient à se terrer dans la cave de leur maison.

Toute la journée, nous avons fait cette sale besogne. Au début, je ne voulais pas tuer un seul de ces villageois qui n'avaient sans doute pas voulu cette guerre et qui maintenant voyaient la mort s'avancer pas à pas sur eux. Et la mort, c'était moi. A chaque maison, j'appelais plusieurs fois et lorsqu'on ne répondait pas, je ne lançais pas de grenade. Je continuais mon chemin en souhaitant qu'il n'y eût personne. Je savais que je risquais gros en faisant cela. Si l'un de mes hommes venait à être tué par un Allemand caché, je savais que je serais tenu responsable de cette mort. Mais je n'arrivais pas à me décider à lancer une grenade sur une maison où un enfant pouvait être en train de mourir de peur, où un homme, une femme se terrait peut-être comme une bête traquée. Malgré moi, j'entendais les agonies que nous semions derrière nous, à coups de grenades. Nous étions soûlés par les bombes qui tombaient autour de nous, enivrés par les pétarades des mitrailleuses et le déchirement des obus. Certains de mes hommes chassaient et traquaient l'Allemand comme à une corrida. Ils riaient comme des déments. C'était infernal.

Je ne sais plus pourquoi, mais tout à coup, il s'est fait un grand silence. Je me sentais presque isolé du monde, suspendu dans l'espace. Mes hommes étaient trop loin sans doute: les bombardiers avaient disparu. Plus d'obus, plus de mitrailleuses. Je me sentais suspendu dans le silence épais de ce village. Il faisait une chaleur à faire vomir. Le soleil couchait tout sur son passage, fauchait tout comme un engin meurtrier. Et c'est alors. . . »

Deux hommes entrèrent dans la chambre pour emporter le cadavre à la morgue de la police. Fortier leur donna quelques instructions d'usage. Lorsqu'ils furent sortis, il reprit sa lecture.

« C'est alors qu'un coup de feu a fait éclater le silence autour de moi. J'ai reçu la balle dans l'épaule gauche. J'ai hurlé de douleur. Et avant que je n'aie eu le temps de réfléchir à ce qui m'arrivait, fou de colère, j'ai lancé une grenade dans une fenêtre de cave. J'ai senti tout mon corps exploser avec la maison qui volait en morceaux. J'ai vu, j'ai vu un petit garçon d'une douzaine d'années, le visage défiguré, ensanglanté, venir mourir sur le bord de la fenêtre, fusil à la main. Il a poussé un long gémissement. J'ai voulu me porter à son secours mais il a trouvé la force de braquer son fusil sur moi. Il a tenté de presser sur la gachette, ses yeux ont chaviré et il est mort devant moi. Et dans la mort, ses yeux dilatés par l'horreur continuaient à me fixer.

Alors, je suis devenu fou de douleur. Je me suis mis à crier. L'éclatement des grenades autour de moi me faisait voler la tête en mille morceaux. Déchaîné de colère contre moi-même, je me suis précipité d'une maison à l'autre. J'appelais une fois et si on ne répondait pas, je lançais tout de suite une grenade. Je devais avoir l'air d'un démon échappé des enfers. Je ne sentais pas la douleur à mon épaule. J'étais comme grisé par ma blessure. Je souffrais et je faisais souffrir. Tout à coup, je suis arrivé à une petite maison. J'ai appelé. Pas de réponse. J'ai amorçé la grenade.

Au moment où j'allais la lancer, j'ai entendu, comme par miracle, les pleurs d'un petit enfant. Titubant de surprise, je suis entré dans la maison. Il n'y avait personne à l'étage. J'ai entendu une autre fois pleurer. Je suis descendu prudemment dans la cave, m'attendant d'une seconde à l'autre à être abattu comme un chien. Mais, malgré ma folie, je ne pouvais me résoudre à lancer une grenade dans cette cave où pleurait un enfant. Dans l'obscurité de la cave, je n'ai d'abord pas réussi à repérer où état l'enfant. Il a pleuré encore mais une main a étouffé ses cris. Tout à coup, dans un coin, j'ai vu une femme avec un enfant dans ses bras. C'était une jeune Allemande, très belle malgré ses cheveux défaits qui tombaient en désordre sur ses épaules à moitié nues. Elle était divinement belle. Elle donnait le sein à l'enfant. Un sein blanc et satiné qui reflétait un peu la maigre lumière passant par un carreau. A mesure que je m'approchais d'elle, grenade à la main, je pouvais distinguer ses yeux d'un noir très profond. Dans ses yeux magnifiques, les plus beaux du monde, je voyais la mort qui s'avançait sur elle et cette mort, c'était moi.

Je ne peux pas dire, encore aujourd'hui, après trente ans, ce qui s'est passé en moi durant ces quelques minutes. Toute l'horreur de la guerre, les morts, les blessés, les cris, les gémissements, le sang partout, le massacre autour de moi, tout a éclaté dans mon corps comme une grande fleur charnelle. Subitement, j'ai eu un désir fou de cette femme. Personne au monde, pas même un régiment n'aurait pu m'empêcher de posséder cette belle et jeune Allemande qui donnait le sein à un enfant. Je me serais laissé tuer plutôt que de renoncer à cette explosion de mes sens. Je me suis jeté sur elle. Je lui ai arraché l'enfant des bras. Cet enfant que je n'avais pas tué d'une grenade quelques minutes plus tôt, cet enfant, dans le vertige qui me possédait, je l'ai lancé de toutes mes forces contre le mur de la cave où son petit crâne a éclaté comme un fruit mûr. La jeune femme a poussé un gémissement qui m'a déchiré les oreilles, mais son gémissement s'est perdu dans les hurlements des grenades qui éclataient au-dessus de nous. D'un instant à l'autre, un soldat pouvait nous faire sauter tous les deux mais je ne pensais pas à ce danger à cette minute. J'ai déchiré sa robe, sa mince robe noire déjà trouée par la misère. Dessous, elle était complètement nue. Je me suis jeté sur elle et je l'ai violée d'une façon sauvage, brutale. Jamais je n'ai ressenti un tel plaisir avec une femme. Lorsque je me suis retiré, elle avait la main droite pleine de mon sang qui coulait abondamment de mon épaule. Elle m'a regardé avec des yeux de démente. Elle aussi était habitée par la folie. Alors, j'ai voulu tuer d'un seul coup ses beaux yeux bleus. Je ne pouvais supporter son regard. J'ai reculé et j'ai lancé ma grenade sur elle. Tout a explosé! Je crois que je voulais me tuer avec elle. Je ne pouvais plus vivre. J'ai été projeté contre un mur et par miracle, je n'en suis pas mort. Blessé à l'épaule, à la tête et à une jambe, je me suis traîné hors de cette maison maudite pour moi. J'ai perdu connaissance quelque part, je ne sais plus où. Je me suis réveillé à l'hôpital militaire où mon corps a guéri. Mais pas mon âme. Pas mon esprit. Pas mon coeur. On m'a décerné des médailles pour ces blessures. Quelle ironie! Quelle blague!

Cette histoire a un lien direct avec les récents événements que vous connaissez. Mardi soir dernier, lorsque j'ai forcé la porte de chambre de mon fils, j'ai trouvé son journal caché sous son matelas. Mais il me l'a arraché des mains et il l'a conservé jalousement. Mais ce qu'il ne pouvait savoir c'est que le surlendemain, je suis redescendu dans sa chambre. La porte était à nouveau verrouillée. J'étais bouleversé par les événements de l'avant-veille et j'avais décidé de ne pas aller travailler. J'ai brisé la serrure. Gontran n'était pas là. Son journal m'intriguait beaucoup. J'ai cherché partout en mettant tout à l'envers. Je l'ai finalement trouvé sous la table de son bureau. La cachette était excellente. On pouvait ouvrir tous les tiroirs sans rien trouver. Mais si on glissait la main sous la surface du bureau, on finissait par rencontrer le papier rugueux de ce petit cahier d'une centaine de pages.

J'ai pris le journal. J'ai tout replacé dans la chambre et j'ai réparé la serrure. Je suis monté dans mon bureau et j'ai lu tout le cahier. Ma lecture terminée, je suis descendu le replacer à l'endroit où Gontran l'avait caché. J'ai verrouillé la porte pour qu'il ne s'aperçoive de rien. Je savais qu'une seule maladresse de ma part le déciderait à nous quitter irrémédiablement. Je vous avoue que la scène où il raconte le viol de Rachelle m'a consterné. J'ai compris alors que Gontran partait de personnes et de faits réels pour se construire des romans invraisemblables. J'ai voulu connaître cette Rachelle, cette fille qui exerçait un tel pouvoir sur mon fils. Vous imaginez ma surprise. Nous avions toujours cru qu'il n'avait aucune petite amie de coeur. Et voilà qu'il laissait libre cours dans son journal à une passion d'une violence rare.

J'ai téléphoné alors au professeur de français de Gontran, comme il l'avait demandé à ma femme. Il m'a répété qu'il trouvait la conduite de Gontran inhabituelle depuis quelques jours. Je lui ai parlé de cette Rachelle. Comme moi, le professeur a été surpris d'apprendre que Gontran avait de tels sentiments envers cette fille. J'ai demandé à monsieur Landry le numéro de téléphone de Rachelle. Je voulais absolument lui parler pour savoir quel genre de fille elle était. Je voulais aussi vérifier si Gontran avait mis à exécution son plan. J'ai donc téléphoné à Rachelle. C'est elle-même qui m'a répondu. Quel soulagement! Il n'était pas trop tard. Il était encore temps d'intervenir. Je lui ai expliqué que je voulais la voir sans faute au sujet de Gontran. Elle m'a d'abord dit qu'elle avait beaucoup de travail à faire. Finalement, elle m'a dit que je pouvais passer la voir, qu'elle aimerait bien parler de Gontran avec moi. Je me suis rendu chez elle tout de suite après le souper. Je suis sorti en prétextant que j'avais besoin de marcher un peu pour faciliter ma digestion. Elle demeurait à quelques rues de chez nous. Lorsque je suis arrivé chez elle, j'ai sonné mais personne n'a répondu. Comme j'étais attendu, je suis entré sans hésiter. J'ai eu l'impression de pénétrer dans cette maison comme un voleur. Il faisait déjà sombre dehors. Personne n'avait pu me voir. Lorsqu'elle m'a entendu entrer, elle a sursauté. Elle était assise à une table, le dos tourné à la porte. Elle s'est retournée et a paru effrayée de me voir. Tout à coup, elle a deviné. Je lui ai dit que c'était bien moi, le père de Gontran.

Ensuite, je ne peux pas vous décrire ce qui s'est passé en moi. J'avais été bouleversé par la scène de la veille avec Gontran. J'avais été encore plus ébranlé par la lecture de son journal. En voyant cette fille, j'ai été suffoqué. Je me suis senti tout à coup plongé dans le passé, trente ans en arrière. La terre cédait sous mes pieds. Tout chavirait en moi et autour de moi. Cette

Rachelle me rappelait tellement la jeune Allemande: mêmes yeux, mêmes cheveux longs et ruisselants, même étonnement dans le regard. J'ai basculé dans le délire. Tout cet horrible passé est remonté en moi comme une vague de fond très puissante, irrésistible. Mes yeux s'embrouillaient. Je voyais cette jeune beauté à travers le brouillard de mon délire, de mon désir qui affluait dans mes veines. J'étais comme hypnotisé par cette apparition soudaine. Sans lui donner la moindre explication sur le but de ma visite, je me suis avancé vers elle. Je l'ai saisie par les épaules, je l'ai renversée sur son lit. Elle a crié et puis. . . je ne me rappelle plus très bien ce que j'ai fait. C'était comme un rêve. Un autre que moi agissait et suivait presque à la lettre la scène imaginée par Gontran dans son journal. J'étais envoûté par mon passé et par mon fils à la fois. J'ai déchiré ses vêtements. Je l'ai frappée de toutes mes forces. Je l'ai possédée avec sauvagerie comme il y a trente ans, la jeune Allemande. Même cauchemar. Exactement le même. Lorsque j'ai eu fini, je n'étais pas encore assouvi, je voulais la posséder une autre fois mais je ne pouvais plus. Rachelle était recroquevillée sur son lit et pleurait doucement comme une bête blessée. Et c'est précisément cette attitude pitoyable qui a déclenché en moi une nouvelle soif de violence. Si elle s'était défendue, elle serait peut-être encore vivante aujourd'hui et moi, je goûterais le fouet dans une prison quelconque. Mais cette petite fille, si belle, ramassée sur elle-même comme un foetus, m'a fait comprendre dans quelle monstruosité je m'étais précipité. Comme il y a trente ans, la panique m'a secoué. Et comme dans le journal de Gontran, comme dans la petite maison de l'Allemande, un désir féroce de destruction m'a repris. J'ai mis le feu au lit de Rachelle après l'avoir attachée avec une corde qui se trouvait sur son bureau et je me suis enfui. »

Fortier se souvenait de la silhouette voûtée aperçue par madame Duval. Tout commençait à s'éclaircir: les menottes introuvables et les bouts de cordes brûlés. Fortier poursuivit sa lecture.

« Je suis le seul coupable des crimes de Gontran. N'ayant pas assez de courage pour me livrer à la police, je vais dans quelques secondes me faire justice avec mon vieux revolver rouillé. Je regrette de causer cette douleur à ma femme et à ma fille. »

De retour au bureau, Fortier feuilleta une dernière fois les pages rugueuses du petit cahier de Gontran. Puis, il le referma.

Il allait le ranger dans le dossier lorsque quelque chose attira son attention.

Sur la dernière page du cahier, on avait effacé quelques lignes. A l'aide d'un crayon à pointe très fine, le commissaire suivit les légères traces qu'avait laissées la gomme. Il ne pouvait en douter. C'était Gontran lui-même qui avait écrit ces quelques mots et les avait ensuite effacés le matin du crime avant de partir pour l'école.

« Dans quelques minutes, je sais que je vais mourir et pourtant je suis fait pour la vie, et pourtant j'aime tellement la vie. Un jour, je tuerai quelqu'un, ai-je écrit au début de ce journal. Je sais qui maintenant. Il faut suivre son destin. A chacun ses jardins secrets. »

ACHEVÉ D'IMPRIMER EN OCTOBRE 1979
SUR LES PRESSES DE L'ÉCLAIREUR LTÉE
BEAUCEVILLE, QUÉ.

EC – 3225 – 79